यशपाल

यशपाल का जन्म 3 दिसम्बर, 1903 को फ़िरोजपुर छावनी, पंजाब में हुआ था। 1921 में मैट्रिक की परीक्षा उत्तीर्ण की। भगत सिंह, सुखदेव, बोहरा और चन्द्रशेखर आजाद के साथ क्रान्तिकारी कार्यों में शामिल रहे। आजाद की शहादत के बाद 1931 में हिन्दुस्तान समाजवादी प्रजातंत्र सेना के सेनापति नियुक्त। 1932 में पुलिस के साथ एक मुठभेड़ में गिरफ्तार। 1938 में जेल से छूटे। तब से आजीवन लेखन में संलग्न रहे।

उनकी प्रमुख कृतियाँ हैं—*झूठा सच : वतन और देश, झूठा सच : देश का भविष्य, मेरी तेरी उसकी बात, देशद्रोही, दादा कामरेड, मनुष्य के रूप, दिव्या, अमिता, बारह घंटे, अप्सरा का शाप* (उपन्यास); *लैम्प शेड, धर्मयुद्ध, ओ भैरवी, उत्तराधिकारी, चित्र का शीर्षक, अभिशप्त, वो दुनिया, ज्ञानदान, पिंजरे की उड़ान, तर्क का तूफान, भस्माकृत चिंगारी, फूलो का कुर्ता, तुमने क्यों कहा था मैं सुन्दर हूँ, उत्तमी की माँ, खच्चर और आदमी, भूख के तीन दिन* (कहानी-संग्रह); *यशपाल का यात्रा साहित्य और कथा नाटक, लोहे की दीवार के दोनों ओर, राह बीती, स्वर्गोद्यान बिना साँप* (यात्रा-वृत्तान्त); *मेरी जेल डायरी* (डायरी); *यशपाल के निबन्ध* (दो खंड), *राम-राज्य की कथा, गांधीवाद की शव परीक्षा, मार्क्सवाद, देखा, सोचा, समझा, चक्कर क्लब, बात-बात में बात, न्याय का संघर्ष, बीबी जी कहती हैं मेरा चेहरा रौबीला है, जग का मुजरा, मैं और मेरा परिवेश, यशपाल का विप्लव* (राजनीति/ निबन्ध/ व्यंग्य); *सिंहावलोकन* (सम्पूर्ण 1-4) (दस्तावेज); *नशे नशे की बात* (संस्मरण); *यशपाल रचनावली* (चौदह खंड)।

उन्हें देव पुरस्कार, सोवियत लैंड नेहरू पुरस्कार, मंगला प्रसाद पारितोषिक, साहित्य अकादेमी पुरस्कार, साहित्य वारिधि, पद्मभूषण आदि से सम्मानित किया गया।

26 दिसम्बर, 1976 को उनका निधन हुआ।

दादा कामरेड

यशपाल

लोकभारती पेपरबैक्स

पहला पुस्तकालय संस्करण
विप्लव कार्यालय द्वारा
1941 में प्रकाशित

लोकभारती पेपरबैक्स में
पहला संस्करण : 2009
चौथा संस्करण : 2024

लोकभारती पेपरबैक्स : उत्कृष्ट साहित्य के लोकप्रिय संस्करण

लोकभारती प्रकाशन
पहली मंजिल, दरबारी बिल्डिंग, महात्मा गांधी मार्ग,
प्रयागराज-211 001
द्वारा प्रकाशित
वेबसाइट : www.lokbhartiprakashan.com
ईमेल : info@lokbhartiprakashan.com

शाखाएँ : 1-बी, नेताजी सुभाष मार्ग, दरियागंज, नई दिल्ली-110 002
अशोक राजपथ, साइंस कॉलेज के सामने, पटना-800 006
1, अनमोल सोराबजी संतुक लेन, धोबी तलाव, मरीन लाइंस, मुम्बई-400 002

बी.के. ऑफसेट
नवीन शाहदरा, दिल्ली-110 032
द्वारा मुद्रित

मूल्य : ₹ 199

DADA KAMRED
by Yashpal

ISBN : 978-81-8031-372-1

समर्पण

आओ! बैठकर सोचें, इस उलझन से कोई राह!

—यशपाल

अनुक्रम

दो शब्द	...	...	१
दुविधा की रात	...	...	५
नये ढंग की लड़की	...	...	१३
केन्द्रीय सभा	...	...	३०
मजदूर का घर	...	...	४४
तीन रूप	...	...	५४
मनुष्य	...	...	६५
गृहस्थ	...	...	८४
पहेली	...	...	९४
सुल्तान	...	...	१०७
दादा	...	...	११७
न्याय	...	...	१२४
दादा और कामरेड	...	...	१३२

दो शब्द

'दादा कामरेड' उपन्यास के रूप में प्रस्तुत है। उपन्यास का रूप होने से यह रचना भी साहित्य के क्षेत्र में आ जाती है। इससे पूर्व 'पिंजड़े की उड़ान' और 'न्याय का संघर्ष' पेश कर साहित्य के किसी कोने में स्थान पाने की आशा की थी। आशा से बहुत अधिक सफलता मिली, उसके लिये पाठकों को धन्यवाद।

मेरी पुस्तक 'मार्क्सवाद' विप्लवी-ट्रेक्ट के रूप में अपनाये हुए कार्य का अंग था, परन्तु 'दादा कामरेड' में उस 'कार्य' से कुछ अधिक भी है। वह है, अपनी रचना की प्रवृत्ति को अवसर देने की इच्छा या कला के मार्ग पर प्रयत्न।

कला की भावना से जो प्रयत्न मैंने 'पिंजड़े की उड़ान' के रूप में किया था, उसकी कद्र उत्साहवर्धक जरूर हुई, परन्तु साहित्य और कला के प्रेमियों को मेरे प्रति एक शिकायत है कि कला को गौण और प्रचार को प्रमुख स्थान देता हूँ। मेरे प्रति दिये गये इस फैसले के विरुद्ध मुझे अपील नहीं करनी है। संतोष है, अपना अभिप्राय स्पष्ट कर पाता हूँ।

कला को कला के निर्लिप्त क्षेत्र में ही सीमित न रखकर मैं उसे भावों या विचारों का वाहक बनाने की चेष्टा क्यों करता हूँ?···क्योंकि जीवन में मेरी साध केवल व्यक्तिगत जीवनयापन ही नहीं बल्कि सामाजिक जीवन की पूर्णता है इसलिए कला से सम्बन्ध जोड़कर भी गैं कला को केवल व्यक्तिगत संतोष के लिये नहीं समझ सकता। मेरे विचार में कला का उद्देश्य जीवन में पूर्णता की प्राप्ति है। बजाय इसके कि कला का यत्न बहक कर हवा में पैंतरे बदल कर श्रान्त हो जाये, क्या यह अधिक अच्छा नहीं कि यह यत्न समाज के लिये विकास और नवीन कला के लिये आधार प्रस्तुत करे?

पुस्तक प्रकाशित होने से पूर्व ही 'दादा कामरेड' के कुछ अंश पढ़कर मित्रों ने परामर्श दिया—'तुम्हारा यह प्रथम उपन्यास है और वास्तव में इस योग्य है कि इसकी भूमिका किसी प्रमुख साहित्यिक द्वारा लिखाई जाये!' इस सद्इच्छा और परामर्श के लिए साहित्यिक मित्रों का आभारी हूँ। यह भी जानता हूँ कि जैसी विवेचना साहित्यिक मित्र कर सकेंगे और जो लाभ उनकी लेखनी द्वारा परिचय पाने से हो सकता है, वह स्वयं मेरे अपने शब्दों से न होगा, परन्तु अपने भाव स्वयं मेरे शब्दों में ही ठीक से प्रकट हो सकेंगे।

इस पुस्तक के बारे में अपने साधारण अभ्यास के विरुद्ध मुझे सफाई देनी है। साहित्यिक सृष्टि से 'दादा कामरेड' को क्या कुछ सफलता मिलेगी यह बात मेरे कहने की नहीं। यह आलोचक और पाठक बतायेंगे। साहित्य के आवरण में जिन विचारों को 'दादा कामरेड' के रूप में पेश कर रहा हूँ, उन्हीं के विषय में यह सफाई है।

हमारे समाज में वर्तमान आचार-सम्बन्धी साधारण धारणा से यह विचार भयानक और विद्रोही जान पड़ेंगे। ठीक उसी प्रकार, जैसे गैलीलियो की बात 'पृथ्वी गोल है और

वह घूमती है' तत्कालीन भौगोलिक ज्ञान और धारणाओं के लिये भयंकर थी। 'दादा कामरेड' में राबर्ट के विचार और शैल का आचरण, समाज में मौजूद संकट और अन्तर्द्वन्द्व के लिये 'उपचार' के नुस्खे का दावा नहीं कर सकते, वे तो 'निदान' का प्रयत्न मात्र है। उद्देश्य है—समाज की मौजूदा परिस्थिति में और क्रमागत आचार और नैतिक धारणा में वैषम्य और विरोध की ओर संकेत करना।

मौजूदा परिस्थितियों और प्राचीन नैतिक और आचार सम्बन्धी धारणाओं में कदम-कदम पर विरोध खटकता है, इससे इनकार नहीं किया जा सकता। प्रश्न यह है कि अनुभव होने वाले विरोधों और उनके कारणों की उपेक्षा कर इस प्रवृत्ति का दमन कर दिया जाये या पुरातन धारणा को सुरक्षित रखने के लिये परिस्थितियों में आ गये परिवर्तनों को मिटाकर, हम फिर से प्राचीन युग में लौट जायें; या फिर समाज के आचार और नैतिक धारणा में नई परिस्थितियों के अनुकूल समन्वय करें?

संसार में आज अनेक वादों—पूँजीवाद, नाजीवाद, गाँधीवाद, समाजवाद का संघर्ष चल रहा है। इस विचार संघर्ष की नींव में परिस्थितियों, व्यवस्था और धारणाओं में सामंजस्य बैठाने का प्रयत्न है। इन वादों के संघर्षों से उत्पन्न समन्वय ही मनुष्य की नयी सभ्यता का आधार होगा। मनुष्य होने के नाते हम इस संघर्ष की उपेक्षा नहीं कर सकते। इस संघर्ष के परिणाम के सम्बन्ध में हमारी चिन्ता की भावना नहीं, स्वयं अपने और समाज के जीवन की चिन्ता है।

हमें यह सोचना ही पड़ेगा कि मनुष्य-समाज की आयु बढ़ने के परिणामस्वरूप जब समाज के बचपन के युग की झँगुलिया उसके बदन को दबाने लगे तब उसके लिये नये विचारों का विस्तृत कपड़ा बना लेना बेहतर होगा या शरीर को दबाकर पुरानी सीमाओं में ही रखना है? 'दादा कामरेड' में इसी प्रश्न पर विचार करने का अनुरोध है।

आचरण के कुछ प्रेमियों को शैल के व्यवहार में नग्नता दिखाई देगी। इस प्रकार का चरित्र पेश करना वे आदर्श की दृष्टि से घृणित समझेंगे। हो सकता है, शैल उनकी सहानुभूति न पा सके, परन्तु यह शैल है कौन? 'दादा कामरेड' की शैल स्वयं कुछ न होकर घृणा से नाक-भौं सिकोड़ने वालों की अतृप्त, परन्तु जागरूक, सक्रिय प्रवृत्ति ही है। समाज में मनुष्य की यह प्रवृत्ति अपना काम किये जा रही है। इस देश और संसार की बढ़ती हुई जनसंख्या इस बात का अकाट्य प्रमाण है। उस प्रवृत्ति को घृणित समझ कर उसे तृप्त करने की चेष्टा करके भी, उसकी निन्दा करते जाना ही क्या आज की परम्परागत आचार और नैतिकता नहीं है?

आचार और नैतिकता का प्रयोजन यदि मनुष्य को बेहतर व्यवस्था और विकास की ओर ले जाना है तो मानना पड़ेगा कि यह उद्देश्य हमारी वर्तमान नैतिक और आचार सम्बन्धी धारणा से पूरा नहीं हो रहा। मनुष्य की यह प्रवृत्ति उसे वासना के अंगारों पर सेंक-सेंक कर झुलसाये, उसे सदा अपराधी होने की भावना से क्लेशित करती रहे, इसका क्या कोई उपाय मनुष्य नहीं कर सकता?

प्रकृति की दूसरी शक्तियों की भाँति मनुष्य की सृजन-वृत्ति भी एक शक्ति है। प्रकृति की दुर्दमनीय शक्तियों—जल, वायु और बिजली को मनुष्य ने अपने उपयोग के लिये वश में कर लिया है तो क्या वह अपनी सृजन-शक्ति को स्वाभाविक मार्ग देकर अपने जीवन

के आनन्द के स्रोत को संकट का कारण बनने से नहीं बचा सकता? प्रश्न है, केवल परिस्थितियों के अनुसार नैतिक धारणा को बदलने का।

औरों की बात क्या, स्वयं पुराने क्रान्तिकारियों की भावना को भी 'दादा कामरेड' से कुछ चोट पहुँचने की आशंका है। शायद वे समझें कि क्रांतिकारियों की महत्ता को कम करने का यत्न किया है, परन्तु मेरा अभिप्राय ऐसा नहीं है। इस प्रसंग में तुर्गनेव के उपन्यास 'ओत्से-सिनी' (पिता-पुत्र) की याद आ जाती है। 'ओत्से-सिनी' के प्रकाशित होने पर तुर्गनेव को सबसे अधिक गालियाँ क्रांतिकारियों से ही मिलीं, परन्तु दस वर्ष बाद यही पुस्तक क्रांतिकारी भावना की प्रतिनिधि समझी जाने लगी। क्रांति का साधन व्यक्ति नहीं भावना होती है और क्रांतिकारी भावना नहीं व्यक्ति हैं। क्रांति का ध्येय व्यक्ति के प्रति अनुरक्ति से नहीं भावना के प्रति निष्ठा से पूर्ण हो सकता है।

किसी न किसी को धन्यवाद भी देना ही चाहिए। सबसे पहले डाक्टर प्रकाश पाल को ही धन्यवाद देता हूँ। रात-दिन लगातार काम में लगे रहने के कारण पिछले सितम्बर में मेरा स्वास्थ्य खराब हो गया था। उन्होंने 'विप्लवी-ट्रेक्ट' के प्रबन्ध का पूरा बोझ अपने सिर पर लेकर मुझे चार मास के लिये मंसूरी जाने का अवसर दिया। मंसूरी की शान्ति और सुविधा ने 'दादा कामरेड' और 'वो दुनिया' लिखने का अवसर दिया। शीघ्र ही 'वो दुनिया' भी पाठकों की सेवा में प्रस्तुत करने का विचार है।

कृतज्ञता के नाते मैं अपने मंसूरी के मेजबान का भी ऋणी हूँ, जहाँ बैठकर पुस्तक लिखी और उस पर अनेक घण्टे वाद-विवाद भी किया। पुस्तक के विचारों से पूर्णतः सहमत न होकर भी पुस्तक प्रकाशित करने की ही राय उन्होंने दी ताकि विचारों का संघर्ष सामने आये!

मई दिवस, १९४१

—यशपाल

दुविधा की रात

यशोदा के पति अमरनाथ बिस्तर पर लेटे अखबार देखते हुए नींद की प्रतीक्षा कर रहे थे। नौकर भी सोने चला गया था। नीचे रसोईघर से कुछ खटकने की आवाज आयी। झुंझलाकर यशोदा ने सोचा—नालायक बिशन जरूर कुछ नंगा-उघाड़ा छोड़ गया होगा। अनिच्छा और आलस्य होने पर भी उठना पड़ा। वह जीना उतर रसोई में गयी। चाटने के प्रयत्न में जिस बर्तन को बिल्ली खटका रही थी, उसमें पानी डाला। लेटने के लिये फिर ऊपर जाने से पहले बैठक की साँकल को भी एक बार देख लेना उचित समझा। नौकर का क्या भरोसा! बिजली का बटन दबा, उजाला कर उसने देखा कि बैठक के किवाड़ों की साँकल और चिटखनी दोनों लगी हैं।

बिजली बुझा देने के लिये यशोदा ने बटन पर दुबारा हाथ रखा ही था कि बाहर से मकान की कुर्सी की सीढ़ी पर चुस्त कदमों की आहट और साथ ही किवाड़ पर थाप सुनायी दी। आगन्तुक को दरवाजे और खिड़की के काँच से रोशनी दिखाई दे गयी थी। खोले बिना चारा न था। अलसाये से खिन्न स्वर में यशोदा ने पूछा, "कौन है?"

उत्तर में फिर थाप सुनाई दी, कुछ अधिकारपूर्ण सी।

यशोदा ने चिटखनी और साँकल खोली ही थी कि किवाड़ धक्के से खुल गये और एक आदमी ने शीघ्रता रो भीतर घुस किवाड़ बन्द कर कहा—"मुआफ कीजिये…"

अपरिचित व्यक्ति को यों बलपूर्वक भीतर आते देख यशोदा के मुख से भय और विस्मत से 'कौन?' निकला ही चाहता था कि उस व्यक्ति ने अपने कोट के दायें जेब से पिस्तौल निकाल यशोदा के मुख के सामने कर दिया और दबे स्वर में धमकाया, "चुप! नहीं तो गोली मार दूँगा!"

यशोदा के गले से उठती भय की पुकार रुक गयी और शरीर काँप गया। वह अवाक खड़ी थी। आगन्तुक ने बायें हाथ से किवाड़ की साँकल लगा दी, परन्तु दायें हाथ से पिस्तौल वह यशोदा के मुख के सामने थामे रहा। उसकी सतर्क आँखें भी उसी ओर थीं।

भीतर के दरवाजे की ओर संकेत कर आगन्तुक बोला—"चलिये…बिजली बुझा दीजिये!"

यशोदा काँपती हुई भीतर के कमरे की ओर चली। कमरे में पहुँच आगन्तुक ने कहा, "रोशनी कर लीजिये।" यशोदा ने काँपते हुए हाथों से, अभ्यस्त स्थान टटोलकर बिजली जला दी।

आगन्तुक अब भी पिस्तौल यशोदा की ओर किये था, परन्तु उसके मुख के भाव और स्वर में कुछ कोमलता और दीनता आ गई।

आगन्तुक बोला—"मैं आपका कुछ बिगाड़ने नहीं आया हूँ। मैं आपको कष्ट न देता, परन्तु कोई चारा न था। केवल कुछ घण्टे आप मुझे यहाँ बैठे रहने दीजिये। एक हिन्दुस्तानी के नाते मैं आपसे प्रार्थना कर रहा हूँ।"

उस व्यक्ति के व्यवहार से यशोदा का भय कुछ कम हुआ। उसने देखा कि आगन्तुक की साँस अब भी तेज चल रही थी। वह भागकर आया जान पड़ता था। उसके माथे पर पसीने की महीन, घनी बूँदें झलक रही थीं। उसकी आयु अधिक नहीं थी। वह भयानक मनुष्य भी न जान पड़ रहा था। उसके सिर पर पगड़ी थी, मुख पर कम उम्र की हल्की-हल्की मूँछ फूट रही थी। दोनों हाथों की उँगलियों को आपस में दबाते हुए भयभीत और धीमे स्वर में यशोदा ने पूछा, "आप कौन हैं?"

आगन्तुक ने यशोदा के मुख पर तीव्र दृष्टि डालते हुए उत्तर दिया—"क्रांतिकारी पार्टी का नाम आपने सुना होगा? हम लोग जेल में थे। आज हमें दूसरे मुकदमे के लिये अमृतसर ले जाया जा रहा था। हमारे साथियों ने पुलिस पर आक्रमण कर हमें छुड़ा लिया है। कोई जगह न होने से रोशनी देख मैं यहाँ आ गया हूँ। यदि मैं यों ही भटकता फिरूँ तो जरूर पकड़ लिया जाऊँगा। यदि मैं पकड़ा गया तो मुझे जन्म भर जेल में रखा जायेगा! सुबह सूरज निकलने से पहले ही मैं चला जाऊँगा। हम लोग चोर-डाकू नहीं हैं, हम लोग देश की स्वतंत्रता के लिये लड़ रहे हैं।"

यशोदा कुछ कह न सकी। उसकी घबराहट अभी दूर न हो पायी थी। उचित-अनुचित, कर्तव्य-अकर्तव्य वह कुछ न समझ सकी। उसे केवल समझ आया—मौत के मुँह से भागता हुआ एक व्यक्ति जान बचाने के लिये उसके पैरों के पास आ पड़ा है। भय के अचानक धक्के से जो मूढ़ता उसके मस्तिष्क पर छा गई थी, उसका धुन्ध शनैःशनैः साफ होने लगा। हाथों की उंगलियाँ उसी तरह दबाये वह उस नवयुवक की ओर देख रही थी। जिस व्यक्ति से वह इतना डर गयी थी, वही गिड़गिड़ाकर उससे प्राणों की भिक्षा माँग रहा था। कल्पना में उसे दिखायी दिया—बहुत से लोग तलवार-बन्दूक लिये उसे नवयुवक को मार डालने के लिये चले आ रहे थे। वह उसके पैरों में, उसके आँचल में दुबक कर जान बचाना चाहता है। वह कुछ न बोल सकी। मूक उस शरणागत की ओर देखती रही। वह पिस्तौल, जो कुछ देर पहले उसके माथे की ओर तना हुआ था, अब युवक के हाथ में नीचे लटक रहा था। यशोदा को चुप देख नवयुवक एक कदम सनीप आकर धीमे स्वर से बोला, "मैं यहीं बैठा रहूँगा।"

यशोदा ने लम्बी साँस लेकर परेशानी में युवक की ओर ध्यान से देखा। युवक ने यशोदा को विश्वास दिलाने के लिये फिर कहा, "मैं यहीं बैठा रहूँगा, आपका कुछ नुकसान न होगा। आप आराम कीजिये!"

काँपते हुए स्वर में यशोदा बोली, "इनसे पूछ लूँ?"

युवक ने आर्द्र स्वर में स्वीकार किया, "अच्छा!" परन्तु फिर रुककर बोला, "अब मैं आ ही गया हूँ। वे शायद घबरायें। चुपचाप रहने दीजिये। खटका न होना ही अच्छा है। जरा-सी बात से कुछ का कुछ हो जा सकता है। मैं सुबह तक चला जाऊँगा। उस समय आप उन्हें सब कुछ समझा सकेंगी। इसमें कुछ भी हर्ज न होगा। आप आराम कीजिये।"

यशोदा कुछ पल सोचती रही···ठीक ही कह रहा है, यह आ तो गया ही है। अब इसे निकाला कैसे जाय? चुप के सिवा और कोई राह नहीं थी। कुछ पल वह अपनी

धोती में सिमटी, आँखें झुकाये खड़ी रही, फिर लाचारी और स्वीकृति के भाव से सिर हिला जीने की ओर चल दी। जीने पर उसके पैर रखते ही नीचे कमरे में बिजली बुझ गई। अँधेरे में जीना चढ़ते समय उसके पैर काँप रहे थे और दिल धड़क रहा था, परन्तु उस सब पर निश्चय का एक भाव था—अब यह सहना ही होगा।

अमरनाथ अब भी अखबार देख रहे थे। कमरे में आहट पाकर उन्होंने अखबार पर से दृष्टि उठाये बिना पूछा, "आ गयीं?" एक क्षीण सी 'हूँ' कर यशोदा अपने पलंग पर लेट गई। हृदय की उत्तेजना के कारण उसे गरमी अनुभव हो रही थी। उसके मुँदे हुए नेत्रों के सामने वही दृश्य फिर दिखाई देने लगा, अनेक लोग भाला-तलवार और बन्दूकें लिए उस नवयुवक को मार डालने के लिए झपट रहे हैं। वह हाँफता हुआ आकर यशोदा के पैरों में गिरकर उसके आँचल में छिप गया है। उसके हृदय में एक प्रबल आवेग-सा उठ रहा था, जिसके बाहर निकलने की कोई राह न थी। वह उसके मस्तिष्क और शरीर को क्षुब्ध किये दे रहा था।

बिजली के टेबल लैम्प के नीचे लगी घड़ी की ओर देख अमरनाथ बोले, "साढ़े दस!"

अपनी बेचैनी छिपाने के लिए यशोदा ने करवट बदल ली। पति ने कुछ शंकित से स्वर में पूछा, "क्यों क्या है?"

"नहीं, कुछ नहीं···ऐसे ही सीढ़ियाँ चढ़ने से किसी समय हो जाता है।" यशोदा ने उत्तर देकर चेहरे पर हाथ रख लिया। यशोदा की कभी-कभी दिल डूबने का दौरा आ जाता था। इसी ख्याल से पति ने फिर एक बार पूछा, "कुछ घबराहट तो नहीं मालूम होती?"

"नहीं, ऐसे ही रोशनी आँखों में लग रही है।"

अमरनाथ टेबल लैम्प बुझाकर लेट गये। कुछ ही मिनट में उनका सम और गम्भीर श्वास शांत निद्रा का परिचय देने लगा। यशोदा ने बेचैनी से फिर करवट बदली। वह अँधेरे में आँखें खोली पड़ी थी। निद्रागत पति के समश्वास के साथ घड़ी की टिक-टिक और अपने हृदय की धड़कन भी उसे सुनाई दे रही थी। कल्पना में सशस्त्र लोगों के उस नवयुवक पर झपटने, सहसा घर के किवाड़ों के खुलने और पिस्तौल के सामने आ जाने का दृश्य उसकी आँखों के सामने आ जाता और फिर पति के श्वास, घड़ी की टिक-टिक और उसके हृदय की गति के शब्द को दबाकर, नीचे बैठे युवक की वे बातें सुनाई देने लगतीं। आरम्भ में उसका पिस्तौल दिखाना! उसका भयानक रूप और फिर उसकी त्राण माँगती वह कातर आँखें! वह सोचने लगी; नीचे कमरे के अँधेरे में बैठा वह भय से काँप रहा होगा।

उसे अनुभव हुआ कि बहुत देर से प्यास लगी है, परन्तु जल पीने का ध्यान नहीं आया। धीमे से उठकर उसने लोटे से गिलास में पानी लिया। गिलास होंठों तक ले जाने से पहले ही ख्याल आया—वह प्यासा होगा; भागकर कैसे हाँफता हुआ आया था···जरूर प्यासा होगा!

गिलास भरकर अँधेरे में ही बिना आहट किये, बहुत धीमे-धीमे वह जीने से नीचे उतरी। कमरे में पहुँच उसने बिजली का बटन दबाया। उसने देखा, नवयुवक बड़ी सतर्कता से उस दरवाजे की ओर पिस्तौल किये घूर रहा था जिस ओर से यशोदा के आने

की आहट मिली थी। प्रकाश हो जाने पर उसने पिस्तौल नीचे कर लिया। बिना कुछ कहे यशोदा ने जल का गिलास उसकी ओर बढ़ा दिया। कृतज्ञता से यशोदा की ओर देखकर वह जल को एक ही साँस में पी गया।

वह दबे स्वर में धन्यवाद दे, गिलास समीप पड़ी छोटी तिपाई पर रखने जा रहा था। यशोदा को हाथ बढ़ाते देख युवक ने संकोच से गिलास उसके हाथ में दे दिया। गिलास ले यशोदा कमरे से बाहर गई। कुछ ही पल में और जल लाकर उसके गिलास फिर उसके सामने कर दिया। इस बार युवक की आँखों में कृतज्ञता का भाव और भी गहरा था। आधा जल पीकर उसने गिलास तिपाई पर रख दिया।

यशोदा को ख्याल आया कि इसे भूख भी लगी होगी, रात में ठंड तो लगेगी ही और क्या सारी रात कुर्सी पर बैठकर बिताई जा सकती है? परन्तु वह क्या करे? छिप-छिप कर चोरी से सब इंतजाम वह कैसे कर सकती है···? जीने का कोना पकड़े खड़ी वह कुछ देर सोचती रही। फिर ख्याल आया कि यदि उनकी नींद खुल जाय या माँ जी चौंक पड़ें! बेबसी की गहरी साँस को दबाकर वह फिर शनैः-शनैः जीना चढ़ लेटने के लिये चली गई। लौटने के कुछ मिनट बाद उसे याद आया कि जल तो पिया ही नहीं। जल पीते ही अनुभव होने वाली ठंड की सिहरन से नीचे कुर्सी पर भूखे बैठे, सर्दी में काँपते हुए युवक के ख्याल ने उसे बेचैन कर दिया। उससे रहा न गया। फिर दुबारा अँधेरे में बिना आहट के कदम रखती हुई वह असबाब रखने के कमरे में गई। नीचे बिछाने के लिये कुछ मोटा कपड़ा, एक कम्बल और तकिये के बोझ को उठाये वह बहुत संभल-संभल कर जीना उतरने लगी।

कमरे की बिजली इस बीच में फिर बुझ चुकी थी। यशोदा के दोनों हाथ बोझ सँभाले थे। कुछ एक क्षण वह निरुपाय खड़ी थी, युवक ने टटोलकर बिजली जला दी। उसे इतना बोझ उठाये देख युवक संकोच और अति कृतज्ञता के स्वर में बोला—"इसकी तो कोई जरूरत नहीं थी, आपने यों ही कष्ट किया।

बिस्तर के कपड़े एक कुर्सी पर रख वह फिर लौट गई। चार-पाँच मिनट बाद एक तश्तरी में खाने के लिये कुछ लेकर जब वह लौटी तो युवक दीवार के साथ लगे सोफे के सहारे छोटा-सा बिस्तर लगा चुका था। यशोदा ने तश्तरी तिपाई पर रखकर लौटते हुए घूमकर धीमे स्वर में पूछा, "किसी और चीज की जरूरत होगी?"

यशोदा के व्यवहार से युवक का साहस बढ़ चुका था। समीप आ, अपने कपड़ों की ओर संकेत कर उसने कहा, "इन्हीं कपड़ों में मेरा कल बाहर जाना ठीक न होगा; पहचान लिया जाऊँगा। आप मुझे एक धोती या कोई पुराना कपड़ा ओढ़ने के लिए और चार-पाँच रुपये सुबह बाहर जाने से पहले दे सकें तो बड़ी सहायता होगी। हो सका तो आपकी चीजें लौटा देने की भी कोशिश करूँगा।

कुछ सोचकर यशोदा बोली, "ये सुबह छः बजे के करीब उठ जाते हैं। नौकर भी सफाई करने नीचे आयेगा। माँ जी तो और भी पहले उठ जाती हैं। वे भी नहाने नीचे आयेंगी।"

अपनी दोनों बाँहें सीने पर समेटते हुए युवक ने चिन्ता से कहा, "छः बजे से पहले तो सड़कें बिलकुल सुनसान होंगी, भीड़ में जरा अच्छा रहता···हाँ आपके नौकर के कपड़े मिल जायें तो ज्यादा अच्छा रहे।"

यशोदा फिर अँधेरे जीने से चढ़ अपने बिस्तर पर पहुँची। घड़ी में अभी बारह भी नहीं बजे थे। उसकी घबराहट अब पहले से कम हो गई थी। घबराहट की जगह ले ली थी आशंका ने। प्राणों पर आक्रमण के भय का स्थान अब ले लिया था परिणाम के भय ने जो हृदय की गति की अपेक्षा मस्तिष्क की क्रिया पर अधिक बोझ डालता है। नींद कहीं कोसों पास न थी! विचार उठता था कि एक नौजवान, कितना भला लड़का, घर-बार से बिछड़ा हुआ, उसके प्राण संकट में!···लोग उसे पकड़कर उम्र भर कैद कर देना चाहते हैं, उसे मार डालना चाहते हैं···वह प्राण बचाकर भाग रहा है। उसका हौसला भी कितना है! देश के लिए वह घर-बार छोड़कर जान खतरे में डाल रहा है। उसकी आँखों के सामने कांग्रेस के जुलूसों के दृश्य दिखाई देने लगे। सैकड़ों, हजारों लोग नारे लगाते हुए, झण्डे उठाये चलते हुए दिखाई देने लगे। शहर में महात्मा गाँधी के आने पर छत से उसने जुलूस देखा था। और भी कई जुलूस उसने देखे थे। भारत माता की जय! हिन्दोस्तान जिन्दाबाद! वन्दे मातरम! के नारे सुन उसके शरीर में रोमांच हो आता था।

उसके पति अमरनाथ कांग्रेस को सहयोग देते थे। अपने मोहल्ले की कांग्रेस कमेटी के सेक्रेटरी थे। चुनाव में खूब दिलचस्पी लेते थे। उनके घर में स्वामी दयानन्द, तिलक और गाँधीजी की बड़ी-बड़ी तस्वीरें लगी थीं। यशोदा को गाँधीजी के प्रति बहुत श्रद्धा और भक्ति थी। जानती थी, कांग्रेस और गाँधीजी देश में हिन्दुस्तानियों का राज चाहते हैं। बड़े-बड़े जुलूस और सभाएँ देखकर उसके मन में एक उत्साह-सा भर आता था। वह यह भी जानती थी कि सरकार और पुलिस इन बातों से नाराज होती है। स्वराज्य माँगने के लिये जुलूस और सभा करने पर लाठियाँ और गोलियाँ चलती हैं, लोगों को जेल में बन्द कर दिया जाता है। ऐसी खबरों से उसे भय और दुःख होता था।

यशोदा ने यह भी सुना था कि देश की स्वतन्त्रता के लिये लड़ने वाले ऐसे लोग भी हैं जो बम और गोली चलाते हैं। सरकार उन्हें पकड़कर जेलों में बन्द कर देती है या फाँसी लगा देती है। ये लोग बड़े भयानक और निडर होते हैं। जंगलों में छिपे रहते हैं और सरकार से लड़ते रहते हैं। इन लोगों में से किसी के पुलिस द्वारा पकड़ लिए जाने पर या इन लोगों के किसी उपद्रव का समाचार मिलने पर ही उनकी चर्चा होती थी। अनेक विचित्र और भयानक बातें उन लोगों की बाबत सुनी जाती थीं। इस नवयुवक में कोई भी वैसी विचित्र या भयानक बात उसे दिखाई न पड़ी। हाथ में पिस्तौल होने पर भी वह निस्सहाय प्राण-रक्षा की भीख माँग रहा था। यशोदा का अपना लड़का उदय जिस प्रकार निस्सहाय है, दादी और माँ की सहायता की जरूरत जिस प्रकार उसके लड़के को रहती है, ठीक वैसा ही; परन्तु उससे कई बरस बड़ा यह लड़का है। उसका अपना लड़का दादी की बगल में सुरक्षित सोया हुआ है परन्तु किसी दूसरी माँ का लड़का मौत के विकराल दाँतों से निकल भागने की चेष्टा में उसके आँचल में आ पड़ा है।

···सुबह छः बजे से पहले तो सड़कें सूनी सी रहती हैं—नवयुवक की बेबसी उसके कानों में गूँज गई पर वह क्या करे? नीचे सड़क पर आते-जाते पैरों की आहट सुनकर उसका कलेजा धक-धक करने लगता। कभी अधिक आदमियों के पैरों की आहट आने से उसे और भी भय जान पड़ता था।

उसके पलंग की दाईं ओर की खिड़की से नीचे कुछ दूर पर सड़क का भाग दिखाई देता था। बिजली के खम्भों की रोशनी में आने-जाने वाले व्यक्ति वहाँ से दिखाई पड़ते थे।

वह उसी ओर टक लगाये थी। सड़क पर कई कदमों की आहट पा उसने देखा, वर्दी पहने और कंधे पर बन्दूक रखे हुए पुलिस के कई सिपाही हाथों में बिजली की बड़ी-बड़ी बत्तियाँ लिये चले आ रहे थे। हाथ की बत्तियों की रोशनी वह सड़क किनारे के अँधेरे स्थानों और मकानों पर डालते जाते थे। यशोदा के हृदय की गति का वेग बढ़ गया। ज्यों-ज्यों उनके कदमों की आहट समीप आती थी, उसके हृदय की धड़कन बढ़ती जाती। जान पड़ा, उसके घर के किवाड़ों पर जोर-जोर की चोटें पड़ रही हैं। उसकी आँखें मुँद गईं, साँस रुक गई और अनुभव होना बन्द हो गया।

चेतना लौटने पर पुलिस के पैरों की आहट दूर चली गई थी। जान पड़ा जो पंजा उसका गला दबोच उसका श्वास रोक रहा था, वह हट गया। गहरी साँस खींच उसने अपना सिर हिलाया और चेतना अनुभव करने की चेष्टा की। घड़ी की ओर देखा। एक बजने को था। ख्याल आया, नीचें नवयुवक ने कुछ कपड़े और रुपये माँगे थे...सुबह छः बजे से पहले तो सड़कें सूनी होती हैं! फिर ख्याल आया..पति को उठा इस संकट में सलाह ले। वह अकेली क्या कर सकती। करवट ले उसने पति की बाँह पर हाथ रखा पर उसी समय ध्यान आया, यदि चौंककर जोर से बोल उठें या बात सुन एकदम घबरा जायें!...हृदय से उठे आवेग को गले में ही रोककर उसने हाथ पीछे हटा लिया।

छत की कड़ियों की ओर देखती हुई वह सोचती रही। क्या करे...कुछ समझ में न आता था। आँखें मूँद वह बार-बार भगवान को पुकार रही थी। संकट में वही एकमात्र सहायक है। अत्यन्त अनुनय से उसने भगवान की रक्षा में नवयुवक और अपने आपको समर्पित कर दिया। शनैः-शनैः उसे विश्वास होने लगा, भगवान उन दोनों की रक्षा कर रहे हैं। वह उन्हीं को याद कर रही थी। उसे फिर अपने ओठ और तालू सूखते जान पड़े। वह जल पीने के लिये उठी। उसने घड़ी में देखा, ढाई बज चुके थे।

वह फिर बिस्तर से उठी। शरीर निढाल हुआ जा रहा था, परन्तु संकट की अवस्था और नीचे बैठे युवक की बात के ख्याल से उसने शरीर को वश में किया। वह फिर असबाब रखने के कमरे में गई। बहुत सावधानी से बक्सा खोला। जरा सी आहट से ही साथ के कमरे में माँ जी के जाग पड़ने का भय था। एक मर्दानी धोती, एक कमीज और एक कोट निकाल लिया। फिर अपने कमरे में लौट, अपनी खास आलमारी बहुत सावधानी से खोली। छोटी डिबिया खोलकर देखा—आठ रुपये थे और कुछ नोट। उसने दस का एक नोट और आठ रुपये उठा लिये। जीना उतर वह नीचे कमरे में पहुँची। युवक ने उठकर बिजली का बटन दबाया। कम्बल ओढ़े बैठा वह रात गुजार रहा था। कपड़े और रुपये मेज पर रख यशोदा गिलास उठाकर और जल लाने जा रही थी।

उसे सम्बोधन कर युवक ने कहा, "सुबह तड़के जाने के लिये नौकरों के कपड़े मिल जाते तो अधिक अच्छा होता।" स्वीकृति के संकेत में सिर झुका यशोदा चली गई और कुछ देर में इधर-उधर से ढूँढ़कर नौकरों के मैले-कुचैले बेढंगे कपड़े और जल का गिलास लाकर उसे तिपाई पर रख दिया।

संतोष से युवक ने कहा, "यह ठीक है। मैं पौने छः बजे चला जाऊँगा।"

यशोदा गहरी साँस ले लौट रही थी। रुककर उसने पूछा, "अब कोई डर तो नहीं?"

"क्या कहा जा सकता है, परन्तु इन कपड़ों से बड़ी सहायता मिलेगी। इसके साथ ही कोई टोकरी या फालतू कनस्तर हो तो बहुत अच्छा हो पर एक बात का ख्याल आप रखियेगा, मुझे यहाँ रखने की चर्चा भूलकर भी किसी से न कीजिएगा, चाहे कोई कितना ही अपना क्यों न हो। उससे आप मुसीबत में पड़ जायेंगी। भागे हुए कैदी या फरार क्रान्तिकारियों को शरण देना सरकारी कानून के अनुसार जुर्म है, उसके लिये पाँच-सात बरस की कैद हो सकती है। मैं इस बात का ख्याल रखूँगा कि मुझे यहाँ से निकलते कोई देख न पाये। यदि मैं फिर पकड़ा जाऊँ और आपसे पूछा जाय तो आप साफ इनकार कर दीजिये। तीन बजने को होंगे, छः से पहले ही मैं चला जाऊँगा। कष्ट उठाकर मेरे प्रति आपने जो सहानुभूति दिखाई है, उसके लिए तो मैं आपका जन्म भर कृतज्ञ रहूँगा ही। इसके अलावा हमारे दल के साथी और हमारे दल से सहानुभूति रखने वाले सभी लोग भी आपके कृतज्ञ होंगे। मेरे जाने के बाद जो कपड़े मैं यहाँ छोड़ जाऊँ, उन्हें तुरन्त जलवा दीजियेगा!"

रात के सन्नाटे में बैठक के क्लाक ने टन-टन करके तीन बजा दिये। युवक कृतज्ञता के भाव से सिर झुकाये खड़ा था। उसे और कुछ नहीं कहना है, यह सोचकर यशोदा चलने लगी। युवक फिर बोला, "पौने छः बजे आप नीचे आ किवाड़ बन्द कर लीजियेगा।"

लौटकर यशोदा बिस्तर पर लेट गई। अंधकार में छत की ओर लगी उसकी आँखों के सामने फिर वही कांग्रेस के जुलूसों के दृश्य, युवक का पिस्तौल सामने कर देना, उसकी वह कातर प्राण-भिक्षा⋯सब अनेक बार सामने आने लगा। पति के करवट बदलने या किसी अंग के हिलने की आहट से वह उस ओर देख लेती, कभी घड़ी की ओर। कभी उसे अनुभव होता कि घड़ी की सुइयाँ बहुत धीमे चल रही हैं और कभी जान पड़ता कि सुई पन्द्रह-बीस मिनट सहसा कूद गई है।

पड़ोस में किसी के गाने का क्षीण स्वर सुनाई देने लगा। उसने घड़ी की ओर देखा, दोनों सुइयाँ चार पर इकट्ठी हो रही थीं। कहीं दूर से मुर्गों की अस्पष्ट बाँग सुनाई दे रही थी। कहीं पड़ोस से पानी के नल की तेज धार खाली बाल्टी में गिरने का शब्द सुनाई दिया। माँ जी के कमरे से खाँसने-खँखारने की आवाज आने लगी। इसके बाद उनके धीरे-धीरे गुनगुनाने का शब्द सुनाई दिया, "उठ जाग मुसाफिर भोर भई⋯!" माँ जी अपनी भक्ति का गीत सुबह बहुत धीमे स्वर में गाती थीं और ममता से धीरे-धीरे उदय की पीठ सहलाती जाती थीं। माँ जी का यह गीत उदय के लिये मीठी नींद लाने के लिये लोरी था परंतु प्राणों पर आतंक अनुभव करने वाले मुसाफिर के लिए सचमुच ही उठकर चल देने का संदेश।

घड़ी में पाँच भी बज गये। यशोदा को जान पड़ा कि उसकी सहानुभूति और दया का पात्र मेहमान अब बहुत जल्दी चला जायेगा। वह कुछ देर और क्यों न ठहरे? संकट और भय से वह सदा के लिये क्यों न मुक्त हो जाय? घड़ी की सुइयाँ अब उसे बहुत तेजी से आगे बढ़ती जान पड़ रही थीं। खिड़की से दिखाई देते आकाश में ऊषा की प्रथम आभा छा गई थी, परन्तु यशोदा को लग रहा था—अभी पौ फटने में देर है, अभी तो सड़कें सुनसान हैं। नीचे सड़क पर कमेटी के मेहतरों की आवाज और वृक्षों पर कौओं का स्वर भी सुनाई देने लगा। पौने छः बहुत जल्दी बज गये। दो ही तीन मिनट शेष थे। वह

नीचे जाने के लिये उठ बैठी। उसके खड़े होते ही सड़क से अखबार वाले की पुकार सुनाई दी : बस-केस का कैदी भाग गया—आज की ताजी खबर! एक धक्के से वह फिर पलंग पर गिर पड़ी, परन्तु तुरन्त ही सँभलकर नीचे पहुँची।

नौकर के मैले-कुचैले कपड़े पहने, एक फटा मैला-सा कपड़ा कानों पर बाँधे युवक प्रतीक्षा में बैठा था। उसे देखते ही वह उठ खड़ा हुआ, "मैं कुछ कह नहीं सकता, आपने जो दया दिखायी है···आपका कल्याण हो!" वह द्रवित स्वर में बोला, परन्तु उसकी जिह्वा से पहले उसकी दृष्टि ने बहुत कुछ कह दिया। किवाड़ खोल, कनस्तर बगल में दबाये वह फुर्ती से सड़क पर उतर गया।

उसे यों जाते देख यशोदा का हृदय मुँह को आने लगा; ठीक उसी तरह जैसे उदय को छत की मुड़ेर पर झुकते देखकर वह काँप उठती थी। किवाड़ों की साँकल लगा, खिड़की के काँच से सड़क पर जहाँ तक दृष्टि जा सकती थी, यशोदा देखती रही। वह युवक सर्दी से सिकुड़ता, बगल का कनस्तर बजाता, बेपरवाही से चला जा रहा था। जब कुछ दिखायी न दिया तब भी वह अपनी पथराई आँखें उसी ओर लगाये रही। सड़क पर दूसरे लोगों को आते-जाते देख उसे याद आया—बैठक से वह सब सामान तुरन्त दूर कर देना है।

●

नये ढंग की लड़की

मध्यम श्रेणी, अनिश्चित स्थिति के लोगों की अद्‌भुत पचमेल खिचड़ी है। इस श्रेणी के कुछ लोग मोटरों और शानदार बँगलों का व्यवहार करते हैं और विनय से अपने आपको इस श्रेणी का अंश बताते हैं। दूसरे लोग मजदूरों की सी असहाय स्थिति में रहकर भी केवल सफेदपोश और शिक्षित होने के बल पर इस श्रेणी का अंग होने का दावा करते हैं। देश की राजनीति और समाजसुधार की चिंता जितनी इस श्रेणी में रहती है, उतनी न तो अपने विस्तृत स्वार्थों की चिन्ता में व्यस्त रहने वाली ऊँची श्रेणी को और न रोटी के टुकड़े की चिन्ता से कभी मुक्ति न पाने वाली निम्न श्रेणी को ही। अमरनाथ बाबू इस श्रेणी के निर्विवाद अंग थे। समाज और देश के प्रति अपने सम्बन्ध को अनुभव करने के लिये वे प्रतिदिन चार पैसे का समाचार पत्र स्नान से पूर्व रात की खुमारी उतारते हुए देख डालते।

अमरनाथ के पड़ोसी गिरधारीलाल बैंक में क्लर्क थे। समाचार जानने के लिये चार पैसे निछावर करने की अपेक्षा गिरधारीलाल प्रातः मुख में दातून और गोद में ढाई बरस के बच्चे को लिये, बच्चे की माँ को घर बुहारने की सहूलियत देने के विचार से अमरनाथ बाबू के यहाँ आकर पूछ लेते, "क्या खबर है?"

इसमें दोनों का ही लाभ था। गिरधारीलाल अखबार पढ़ लेते। अमरनाथ को विवाद में गिरधारीलाल को मात देने और अपनी नीतिज्ञता प्रकट कर सकने का अवसर मिल जाता। गिरधारीलाल चाहे विचारों की उग्रता के कारण या अपनी परिस्थिति के प्रति असंतोष के कारण, घोर वामपक्षी थे, अमरनाथ बाबू थे कांग्रेस की अहिंसात्मक नीति अर्थात् गाँधीवाद के समर्थक। आये दिन घटनाओं को ले इन दोनों में बहस चला करती। यशोदा के लिये यह केवल पति के मनोविनाद का साधन था। पति को उत्साह से ऊँचे स्वर में बोलते और हा-हाकर हँसते देख उसे संतोष होता था, परन्तु उस दिन वह ध्यान से सुन रही थी। डकैती और कत्ल के अपराधी क्रान्तिकारी अभियुक्त के पुलिस की हिरासत से भागकर प्राण बचा लेने की खबर से अमरनाथ भी प्रसन्न थे। भागने के प्रयत्न में गोली खाकर मारे जाने वाले क्रान्तिकारी से उन्हें सहानुभूति भी थी, परन्तु गिरधारीलाल के इस मत को कि यह है असली राह, और सब तो केवल पाखण्ड और बेईमानी है, वे सह न सके।

बहस में गरम हो उन्होंने कहा, "पच्चीस बरस में इन क्रान्तिकारियों ने कर ही क्या लिया? जो जागृति देश में गाँधीजी ने दस वर्ष में फैला दी, उसे यह क्रान्तिकारी एक सदी में फैला नहीं सकते थे। सरकार के मुकाबले में इनके दस-पाँच बम और पिस्तौल कर ही क्या सकते हैं···अरे हाँ, जिस सरकार की शस्त्र-शक्ति का अन्त नहीं, इन

फुलझड़ियों से उसका क्या बिगड़ सकता है? पतंगों की तरह जल मरना हो तो दूसरी बात है।''

उदय को नहलाते और कपड़े पहनाते यशोदा यह सब सुन रही थी। अखबार की खबर का प्रभाव उदय पर भी कम न हुआ था। बार-बार हाथ की लकड़ी पटक कर कह रहा था, ''भाभी, मैं बन्दूक लेकर जाऊँगा।'' कभी वह भागे हुए डाकू को पकड़ने जाना चाहता, कभी डाकू का पीछा करने वालों से लड़ने। यशोदा उसे समझा रही थी, ''अच्छा जाना, कपड़े तो पहन ले।'' बहस को ध्यान से सुन सकने के लिये वह बच्चे को चुप करा देना चाहती थी, परन्तु वह सुनता न था।

गिरधारीलाल अमरनाथ की बात का समुचित उत्तर न दे सके तो यशोदा को भला न लगा। गिरधारीलाल ने कुछ खीझकर कहा, ''तो तुम कांग्रेसियों का तीन मास जेल काट शहादत की माला पहिन लेना, इन लोगों के फाँसी चढ़ जाने से बड़ी वीरता है?''

यशोदा के कान उधर ही थे, सुनकर कुछ संतोष हुआ। अमरनाथ इस ताने पर हँस न सके, न अभ्यास के अनुसार ऊँचे स्वर में उत्तर ही दे सके, परन्तु पराजय स्वीकार कर लेना भी उनके लिये कठिन था। अपने आपको रोकने में असमर्थ पाकर उन्होंने कह दिया, ''हिम्मत तो चोर-डाकुओं में भी कम नहीं होती!''

गिरधारीलाल विस्मय प्रकट करने के लिये माथे पर हाथ मारकर बोले, ''धन्य हैं आप, इन लोगों को चोर-डाकू समझते हैं?''

अमरनाथ इस बीच सम्भल चुके थे बोले, ''यह हमने कब कहा?···लेकिन इस बात से तो आप इंकार नहीं कर सकते कि इन लोगों के काम कांग्रेस के सत्याग्रह आन्दोलन की राह में रुकावट डालते हैं। गाँधीजी कई बार कह चुके हैं कि एक दफे उन्हें पूर्ण अवसर दिया जाय। क्या यह लोग देश के उन सब बड़े-बड़े नेताओं से भी अधिक बुद्धिमान हैं—अधिक बड़े हैं?'' कुछ देर इसी प्रकार बहस चलती रही।

गिरधारीलाल चिढ़ गये थे; उत्तर देने से बचने के लिए कुचली हुई दातुन मुँह में डाल, बच्चे को गोद में ले चलने का उपक्रम करने लगे।

यशोदा ने गिरधारीलाल के प्रति अपनी सहानुभूति प्रकट करने के लिये खिड़की से पुकारकर कहा—''भइया ठहरो, लल्लू को उदय के साथ दूध पी लेने दो, जरा यहीं खेलेगा। तुम भी नाश्ता करके जाना!''

स्नान से पहले नाश्ता करने के निमंत्रण का व्यावहारिक अर्थ कुछ न था परन्तु इससे गिरधारीलाल के तर्क में निरुत्तर हो जाने का मलाल मिट गया। यशोदा बातूनी अधिक नहीं, परन्तु स्वभाव की अच्छी है, यह सभी जानते हैं। अमरनाथ भी अपनी कठोरता से झेंप रहे थे। यशोदा की इस मौके की सूझ से प्रसन्न हो उन्होंने भी समर्थन किया—''हाँ गिरधारी, नाश्ता यहीं कर लो न!''

बच्चे को गोद में लेते हुए, दातुन से भरे मुख से विकृत स्वर में गिरधारीलाल ने सुलह के इस संकेत को स्वीकार करते हुए कहा, ''बौट डेर हो जायेगी।'' और चले गये।

स्नान के पश्चात बाहर जाने के कपड़े पहनकर अमरनाथ यह सोच रहे थे कि किस परिचित के जरिये बीमे के किस नये असामी से उन्हें मिलना है। नाश्ते की तश्तरी उनके

सामने रखते हुए यशोदा ने प्यार से उलाहने से कहा, "तुम भी क्या,···खामुखाह गिरधारीलाल को डांट दिया करते हो!"

विजय-गौरव से पत्नी की ओर आँख उठा अमरनाथ ने उत्तर दिया, "यह गधा भी तो क्रान्तिकारी बनता है।"

यशोदा का मन चाह रहा था, पूछे—तुम्हें इन क्रान्तिकारियों से कोई सहानुभूति नहीं? परन्तु ऐसी नई बात, जो उसने कभी नहीं पूछी और जिसकी तह में रात का इतना बड़ा रहस्य छिपा था, उसके होंठों तक आकर ही रह गई। बड़ी-बड़ी आँखें पति की ओर उठाकर उसने कहा, "बेचारा जान बचाकर भाग गया है···पकड़ा जायेगा तो उसका क्या होगा?"

दूध का गिलास समाप्त कर हाथ पोंछते हुए अमरनाथ ने उत्तर दिया, "यह लोग एक दफे भाग गये तो पकड़े नहीं जाते। इनके बड़े-बड़े इंतजाम हैं। जाने कैसे तहखानों और किन जंगलों में यह लोग रहते हैं।"

यशोदा संतोष की साँस ले चुप हो गयी। उसके पति से अधिक प्रमाणित बात और कौन कह सकता था! उसके पति के निकट वह क्रान्तिकारी बहुत भला न सही, परन्तु उसकी जान तो सुरक्षित है।

यशोदा नित्य अखबार पढ़ने लगी। जिस समाचार को जानने के लिये वह विशेष उत्सुक थी, उसे न पाने पर भी वह कितनी ही दूसरी बातें पढ़ डालती। पढ़ने का उसका अभ्यास विवाह के बाद से प्रायः छूट चुका था। सास कभी उससे भगवद्गीता या कोई दूसरी पुस्तक पढ़ाकर सुनतीं, परन्तु बहुत कम। घर का काम ही कभी समाप्त न होता। आर्यपुत्री पाठशाला से मिडिल पास कर लेने के बाद उसकी पढ़ाई का उपयोग रह गया था केवल मायके से आये पत्र पढ़ उत्तर लिख देना या कभी कोई उपन्यास प्रेमचन्द या शरत बाबू का मिल जाय तो पढ़ डालना। पढ़ने के प्रति या अक्षरों के झरोखे की राह विस्तृत संसार से सम्पर्क बनाये रखने के लिए कोई व्यग्रता उसके मन में न थी। मानो वह दिल बहलावे का एक काम है, जिसे फालतू समय मिलने पर कर लेने में कोई हर्ज नहीं। उसका संसार परिमिति था अमरनाथ बाबू के शरीर और उसके घर की व्यवस्था बनाये रखने में। अपने जन्म के बाद से उदय उसकी चिन्ता और विचार का केन्द्र बन गया। हिन्दुस्तानी स्त्री का जीवन इससे परे और है ही क्या? परन्तु इधर अखबार रोज पढ़ना शुरू करने पर यह भी एक आवश्यक काम जान पड़ने लगा। अपने चारों ओर के संसार से वह एक सम्बन्ध अनुभव करने लगी।

उस घटना को प्रायः एक मास बीत चुका था।

तीसरे पहर एक जवान लड़की यशोदा के घर पहुँची। यशोदा स्वयं भी पुराने ढंग की स्त्री न थी, परन्तु यह लड़की बिल्कुल ही नये ढंग की थी। पहले ही दर्शन में उसके प्रति यशोदा को कौतूहल और आकर्षण दोनों अनुभव हुए। लड़की की साड़ी खद्दर की थी परन्तु पहनावा बिलकुल नये ढंग का। जम्पर की बाँहें कन्धे पर ही समाप्त हो गयी थीं। हाथ में एक बड़ा सा बटुआ था जैसा योरुपियन स्त्रियाँ रखती हैं। आरम्भ में दो-एक बात करने के बाद लड़की ने पूछा, "आप कांग्रेस की मेम्बर हैं?"

यशोदा ने इंकार में सिर हिलाकर कहा, "यह मेम्बर हैं।"

"वाह, आप भी कांग्रेस की मेम्बर क्यों नहीं बनतीं?" क्या सब भले काम करने का ठेका पुरुषों का ही है? देखिए, आप जैसी पढ़ी-लिखी स्त्रियों को भी तो कुछ करना चाहिए!" कहते हुए लड़की ने अपने बटुए से रसीद की कापी निकाली और उसके साथ ही दो पुस्तकें। रसीद की कापी खोलते हुए उसने कहा, "कांग्रेस की मेम्बर आप जरूर बनिये!"

यशोदा जानती थी—कई स्त्रियाँ कांग्रेस में काम करती हैं, जुलूसों और सभाओं में जाती हैं पर उनसे उसका परिचय न था। कभी परिचय की कोई आवश्यकता भी अनुभव नहीं हुई। इनके प्रति एक सहानुभूति मन में लिये वह चुप थी। सामने पड़ी दोनों पुस्तकों की ओर उसने देखा—एक पुस्तक थी 'संसार की स्त्रियाँ' और दूसरी 'बन्दी जीवन'। यशोदा ने कहा, "घर के काम से ही फुर्सत नहीं मिलती।"

कुछ उग्रता से लड़की ने उत्तर दिया—"वाह, आप घर में ही कैद रहेंगी तो फुर्सत मिलेगी कहाँ से? चूल्हे-चौके और बच्चों के सिवा अपनी भी तो जिन्दगी होनी चाहिए।" लड़की की बातें और उसकी सजीवता यशोदा को भली मालूम हो रही थीं। बिना आना-कानी किये ही चवन्नी दे उसने कांग्रेस मेम्बरी की रसीद ले ली। यशोदा को चुप देख लड़की ने कहा, "आप यों बिलकुल घर में ही क्यों बन्द रहती हैं? जरा मिला-जुला कीजिये। स्त्रियों में कुछ काम कीजिये। आज सोमवार है…शुक्रवार को आपको फुर्सत होगी? उस दिन आप हमारे घर आइये। कुछ स्त्रियों से आपका परिचय हो जायेगा।… इसी समय आकर मैं आपको ले जाऊँगी!"

किसी के यहाँ आने-जाने का प्रश्न स्त्रियों के लिए पुरुषों के समान सरल नहीं होता। इस विषय में वे काफी जिम्मेदारी अनुभव करती हैं। इस अपरिचित जवान लड़की के निमंत्रण की बात से यशोदा ध्यानपूर्वक उसकी ओर देखने लगी। उसके साफ गंदुमी, कुछ लम्बे चेहरे पर कौमार्य की कोमलता और अनुभवहीनता मौजूद थी, परन्तु उसके हाव-भाव और बोलने के ढंग में एक आत्मीयता-सूचक आग्रह था। उसकी बड़ी-बड़ी आँखों में आत्मविश्वास झलक रहा था। उसके रूप में तड़प पैदाकर देने वाला सौन्दर्य नहीं, परन्तु स्मृति में स्थिर रह जाने वाला आकर्षण था। निस्संकोच का अर्थ कहाँ निर्भीकता और कहाँ निर्लज्जता हो जाती है, इसे पुरुषों की अपेक्षा स्त्रियाँ अधिक समझती हैं। पुरुष प्रायः तर्क करता है, परन्तु स्त्री अनुभूति द्वारा परिणाम पर पहुँच जाती है। यशोदा को कुछ पूछने की आवश्यकता अनुभव न हुई। लड़की ने स्वयं ही अपना परिचय दिया—

"मेरा नाम शैलबाला है। हमारा मकान निस्बत रोड पर है। मैं एम०ए० में पढ़ती हूँ। पिताजी का नाम—शायद आपने सुना होगा—लाला ध्यानचन्दजी! मैं चाहती हूँ, हम स्त्रियाँ भी कुछ करें।" दोनों पुस्तकों की ओर संकेत कर उसने पूछा, "आप इन्हें पढ़ेंगी?"

यशोदा के सिर झुकाकर अनुमति प्रकट करने पर शैलबाला अपना बटुआ संभाल चलने को तैयार हुई जैसे वह अपना काम समाप्त कर चुकी है। और अब कामकाजी आदमी की तरह उसे चलना चाहिये।

उस आधे घण्टे में मुख से बिना विशेष कुछ कहे ही यशोदा को उस जवान लड़की के प्रति एक आत्मीयता अनुभव होने लगी। मानो मायके की कोई पुरानी सहेली, जिसकी वह चिरकाल से प्रतीक्षा कर रही थी, मिल गयी हो। शैलबाला को हाथ से पकड़ यशोदा ऊपर ले गई और बड़े आग्रह से कुछ खाने के लिये अनुरोध किया।

यशोदा शैलबाला को नीचे दरवाजे तक छोड़ने के लिये गयी। उस समय अमरनाथ बाबू बाहर से लौट आये। शैलबाला के स्वयं मोटर चलाकर चले जाने तक यशोदा ममता से उसी ओर देखती रही। उसके चले जाने पर अमरनाथ ने पूछा, "यह यहाँ कैसे?"

"शैल है!" यशोदा ने उत्तर दिया, मानो शैलबाला का उसके यहाँ आना नयी बात न थी। पति ने उसे पहचाना क्यों नहीं?

अमरनाथ ने फिर कहा—"हाँ, पर तुम उसे कैसे जानती हो?"

संतोष के भाव से सिर का आँचल संभालते हुए यशोदा ने कहा—"बड़ी भली है, ऊपर चलो न!" यशोदा ऊपर चली गयी।

उन दोनों पुस्तकों को यशोदा ने एकान्त में विशेष ध्यान से पढ़ा। पति से उनके बारे में उसने कोई जिक्र नहीं किया। पति से छिपाकर कुछ करने का विचार न था। केवल यह समझकर कि वह उसकी अपनी ही बात है; वैसे ही जैसे नारी-जीवन की दिनचर्या में अनेक बातें ऐसी रहती हैं जिनका पति या दूसरे पुरुषों से कोई सम्बन्ध नहीं रहता।

इन पुस्तकों को पढ़कर एक नयी भावना उसके मन में उठने लगी। कुछ करने की इच्छा और उत्साह मन में अनुभव होने लगा, परन्तु उसके लिये मार्ग न था। बोलती वह पहले भी बहुत कम थी। सिलाई-बुनाई या घर का कोई काम-काज करते समय यदि वह कभी कुछ सोचती तो घर के शिथिल बोझ की बाबत ही। अब उसकी अनुभूति दूसरी थी। उस बोझ की बात भूल, वह गति का आकर्षण अनुभव करने लगी। उसकी दृष्टि अब अमरनाथ बाबू, उदय, रसोई और सामान की कोठरी में ही सीमित न रही। उसे दिखाई देने लगा—घर की चारदिवारी के बाहर भी एक संसार है, जहाँ शैल रहती है। वहाँ कितने ही जरूरी काम हैं। व्यग्रता से वह शैलबाला की प्रतीक्षा कर रही थी। वही उसकी एकमात्र अंतरंग थी जो उसकी बात जानती थी। उसके अप्रकट जीवन में गहरी छाया में था वह युवक; अँधेरी कोठरी में रात बिताकर, नौकर के कपड़े पहन, खाली कनस्तर बजाते हुए सड़क पर चला जाने वाला।

शुक्रवार के दिन जब शैलबाला उसे अपने साथ गाड़ी में बैठा, खुद गाड़ी चलाती हुई अपने घर ले जा रही थी, यशोदा को अनुभव हुआ—वह नये संसार की ओर जा रही है; जैसे विवाह के बाद ससुराल के लिये विदा होते समय हुआ था। उस समय घटना और अवसर की तीव्रता से उसकी संज्ञा और चेतना बहुत कुछ जड़ हो गयी थी; आज वह पर्याप्त सचेत थी। संतोष का एक शिथिल रोमांच उसे अनुभव हो रहा था। वह एक सूक्ष्म जगत की ओर जा रही थी। शैलबाला के मकान पर पहुँचकर भी मकान के आकार और ठाट-बाट की ओर उसकी दृष्टि न गयी। वह देख रही थी केवल शैलबाला की निःसंकोच स्फूर्ति को।

ड्राइंगरूम में एक नौजवान प्रतीक्षा कर रहा था। शैलबाला ने दोनों पुस्तकें यशोदा से ले उस नौजवान को दे दीं। नौजवान को कमरे के एक कोने की ओर ले जाकर धीमे

स्वर में कुछ कह दिया और फिर यशोदा को संबोधन कर भीतर के दरवाजे की ओर चलने के लिये कहा। एक बरामदे से होकर वह उसे भीतर दूसरे कमरे में ले गयी। यहाँ आराम कुर्सी पर बैठा दूसरा नौजवान, सामने एक छोटी तिपाई पर बहुत से कागज रख, जल्दी-जल्दी कुछ लिख रहा था। इन लोगों के पैरों की आहट पा, अपना कलम रोक उसने तीव्र दृष्टि से दरवाजे की ओर देखा और मुँह का सिगरेट हाथ में ले, खड़े हो, उसने कहा—"आइये!" समीप की दूसरी आरामकुर्सी खींचकर उसने यशोदा को बैठने के लिये संकेत किया।

यशोदा के लिये कभी किसी परपुरुष के समीप यों बैठने का अवसर नहीं आया था, परन्तु उस ओर यशोदा का ध्यान न गया। वह विस्मय से देख रही थी—क्या वही नहीं?

यशोदा पहचान न सकी, परन्तु सन्देह था। उसके सिर पर केश थे और चेहरे पर हलकी दाढ़ी-मूँछ। यह नौजवान बिलकुल साहब—सूट, कालर, नेकटाई से दुरुस्त था। यशोदा की ओर ध्यान न दे शैलबाला के कंधे पर हाथ रखकर युवक ने कहा, "सुनो!" और उसे बाहर बरामदे में ले जा, आधे मिनट बाद वह लौट आया। अबकी दफे तिपाई पर बिखरे हुए कागजों को समेटते हुए मुस्कराकर विनीत स्वर में युवक ने पूछा, "आप कैसी हैं?"

यशोदा को सन्देह न रहा। संतोष का निश्वास ले उसने उत्तर में प्रश्न किया, "अब तो कोई डर नहीं है न!"

"डर तो सदा ही है। जब भय को स्वयं निमंत्रण देते हैं तो फिर उसकी शिकायत क्या? हाँ, पर उस रात जैसा नहीं! वह डर नहीं····वह तो मौत थी····आपने शरण दे बचा लिया।" युवक ने मुस्कराकर उत्तर दिया। यशोदा का हृदय उसकी बात से पिघल गया। उस रात का दृश्य उसकी स्मृति में जाग गया। वह चुपचाप फर्श की ओर देखती रही।

युवक ने फिर पूछा, "उस रात की बात आपने घर में कही थी?"

यशोदा के सिर हिला इंकार देने पर उसने कहा, "जरूरत भी क्या है, न कहिये। पति परमेश्वर जरूर है, परन्तु और भी बीसियों परमेश्वर हैं। प्रत्येक को अपने-अपने स्थान पर रहने देना ही ठीक है। यहाँ शैल या किसी दूसरे व्यक्ति को यह मालूम नहीं कि उस रात मैंने आपके यहाँ शरण ली थी। बताने की जरूरत भी नहीं। आपका नाम या पता भी केवल शैल ही जानती है। मैंने आज आपको यहाँ बुला भेजा है। आगे आपकी इच्छा पर निर्भर रहेगा। हमें आपकी सहायता की जरूरत है, परन्तु हम जबर्दस्ती नहीं कर सकते। आपके प्रति अपनी वैयक्तिक कृतज्ञता और श्रद्धा के कारण ही इस संकट में या कहिये सम्मान में घसीटने का मोह मुझे हुआ। यह आवश्यक नहीं कि आप भी हम लोगों की तरह बम-पिस्तौल बाँधे फिरें और भिटों में छिप-छिपकर अपना जीवन बितायें। हम लोग तो खास परिस्थितियों की वजह से इस प्रकार रहने के लिये मजबूर हैं। आप शैल के साथ काम कीजिये। वह अभी लड़की है। यदि आप काम संभालें, हमें अधिक सहायता मिल सकती है। मुझे यहाँ सब लोग हरीश कहते हैं।"

दरवाजे की ओर देखकर हरीश ने पुकारा—"शैल!"

शैल भीतर से पुकार आने की प्रतीक्षा में ही थी। ऊँची एड़ी के जूते की खट-खट सुनाई दी और शैल मुस्कराती हुई भीतर आ गई। बैठने के लिये तीसरी कुर्सी न थी। शैल बिना किसी संकोच के हरीश की कुर्सी की बाँह पर बैठने के प्रयत्न में फिसलकर हरीश की गोद में पहुँची। उलझन के स्वर में हरीश ने कहा, ''क्या, जानवर हो!'' और तिपाई की ओर संकेत कर कहा, ''वहाँ बैठो!''

''हमारे लिये तो कहीं जगह नहीं।'' शैल ने उपालम्भ से कहा और उठकर तिपाई पर जा बैठी। इस असाधारण व्यवहार से, जिसे साधारणतः अभद्रता कहा जा सकता था, न जाने क्यों यशोदा को घृणा न हुई। वह केवल मुस्कराकर रह गयी, मानों वह केवल निर्दोष परिहास-मात्र था।

हरीश यशोदा को सम्बोधन कर बोला, ''अब तो आप सब कुछ समझ गयी हैं। 'बन्दी जीवन' आपने पढ़ा है। वे पिछली बातें हैं, किन्तु वे ही बातें आज नये रूप में मौजूद हैं। व्यक्ति, जाति या देश के रूप में हम जीवित रहना चाहते हैं। उसके लिये सबसे पहले जरूरत है जीवन निर्वाह के साधनों पर हमारे अधिकार की। अपनी शक्ति के उपयोग और विकास का हमें अवसर हो। हम तभी मनुष्य की तरह जीवन बिता सकते हैं। वह अधिकार और अवसर आज हमें नहीं है, न व्यक्तिगत तौर से न देश की प्रजा के रूप में। अपने चारों ओर जनता के जीवन में संकट हम प्रतिदिन देखते हैं। उसका कारण है—अवसर न मिलने के कारण हमारी शक्ति और योग्यता किसी काम नहीं आ पाती। जब किसी राष्ट्र का शोषण दूसरे राष्ट्र के लिये हो रहा हो, शोषित देश की प्रजा के लिये अवसर कहाँ से हो? हम लोग जीवित हैं जानवरों की तरह, जिनके जीवन का व्यवहार दूसरों के उपयोग के लिए होता है। इसी अवस्था को हमें दूर करना है। यदि ऐसी चेतना देश भर में फैला सकें तभी हमारा उद्देश्य सफल हो सकता है। ऐसे आदमी चाहे जहाँ हों—कांग्रेस में, दूसरी जगह—वे सब हमारी शृंखला होंगे।''

''पर भैया, दादा और बी०एम० तो कहते हैं, कांग्रेस निरी वाहियाती है। हमें इस प्रकार के लोगों से कोई सम्बन्ध नहीं रखना चाहिये। ऐसे सम्पर्क से भेद खुलने का संकट ही आयेगा, लाभ कोई नहीं!'' शैल ने ठोड़ी पर हाथ टेक कर पूछा।

''दादा या बी०एम० क्या कहते हैं, यह मुझे मालूम है परन्तु मेरी या तुम्हारी खोपड़ी में भी तो दिमाग है। हाथ में पिस्तौल आ गया है इसलिये किसी न किसी को मारना ही चाहिये?... उससे क्या बनेगा?'' खीझकर हरीश ने उत्तर दिया।

शैल फिर बोली, ''बी०एम० कहते हैं, तुम्हारे तरीकों से जनता की प्रवृत्ति पार्टी के काम की ओर न होकर कांग्रेस के दिखावटी आन्दोलन की ओर हो जायेगी।''

''कांग्रेस का आन्दोलन व्यर्थ हो रहा है, परन्तु जनता तो उसे व्यर्थ नहीं बनाना चाहती, न उसे वह व्यर्थ समझती है। यह तो हमारा दुर्भाग्य है कि कांग्रेस का नेतृत्व ऐसे लोगों के हाथ में चला गया है। तुम्हीं बताओ,'' हरीश ने आगे झुककर पूछा, ''केवल गुप्त आन्दोलन द्वारा अपनी शक्ति को दस-पाँच आदमियों में संकुचित कर देने से हम क्या कर सकेंगे?''

शैल ने कंधे पर साड़ी का आँचल खींचते हुए कहा, ''तुम कहते हो—अपना क्षेत्र बढ़ाओ। वे लोग कहते हैं, लोगों से मिलो-जुलो मत वर्ना हमारे काम के न रहोगे!''

हरीश कुछ उत्तर न दे दीवार की ओर देखता हुआ सोचने लगा। यशोदा कभी शैल की ओर कभी हरीश की ओर देखती। वह इस बहस को समझने की चेष्टा कर रही थी। हरीश की ओर देख शैल ने पूछा—"चाय लाऊँ, कुछ खाओगे भी?"

सिर ऊपर उठाये बिना ही हरीश ने कहा, "हाँ, हाँ।....जरूर।"

शैल के कमरे के बाहर चले जाने पर हरीश ने यशोदा की ओर देखकर कहा, "यह काम ही ऐसा है। इसमें सभी का मोह छोड़ना पड़ता है। सगे सम्बन्धियों की बात क्या, अपने साथियों तक का मोह छोड़ना पड़ेगा।" और फिर प्रसंग बदलने के लिये मुस्कराकर उसने कहा, "है तो मामूली सी बात, परन्तु मैं कह आया था न आपसे कि आपकी चीजें लौटा दूँगा। वे कपड़े तो जाने कहाँ गये, परन्तु आपके यह रुपये....।" उसने अठारह रुपये निकाल यशोदा के सामने रख दिये।

यशोदा को संकोच से आँखें झुकाते देख उसने कहा, "न सही लेकिन आप हमारा काम तो करेंगी न? वर्ना मैं आपके कर्जे के बोझ को लिये ही मर जाऊँगा!" यशोदा को स्वयं कुछ न बोलते देख उसने कहा, "आप स्त्रियों में अपना क्षेत्र बनाइये। जो चीज स्त्रियों में घर कर जाती है, उसे कोई शक्ति उखाड़ नहीं सकती।"

शैलबाला एक बड़ी ट्रे में चाय और खाने का समान लिये लौट आयी। ट्रे को तिपाई पर रख वह हरीश के पैरों के समीप कालीन पर ही बैठ गई। अपनी कुर्सी पर सरकते हुए यशोदा ने कहा, "यहाँ आइये न!" मुख से कुछ न कह शैल ने हाथ के संकेत से ऐसा करने से रोका कि वह बहुत मजे में है।

शैलबाला को प्यालों में चाय डालते और अंडे छीलते देख यशोदा ने कहा—

"अच्छा, मुझे आज्ञा दीजिये।"

हरीश ने पूछा, "क्या एक प्याला चाय भी न पीजियेगा?"

उसकी ओर देख शैल बोली, "शायद आप इन सब चीजों से परहेज करती हैं?"

"तो इनके लिये अलग से चाय मँगवा दो न।" टोक कर हरीश ने कहा।

यशोदा वास्तव में ही उन वस्तुओं से पहरेज करती थी, परन्तु उसके लिये अलग से चाय मँगवाने का अर्थ था, वह उन लोगों से भिन्न है। भिन्नता का यह भाव उसे अच्छा न लगा। उसने उत्तर दिया, "नहीं अलग से लाने की कोई जरूरत नहीं। चाय में यों भी नहीं पीती और अच्छा हो यदि मैं अब चलूँ।"

हरीश ने शैल को आदेश दिया, "जाओ इन्हें छोड़ आओ।"

चाय का प्याला होंठों से लगाते हुए शैल बोली, "ड्राइवर छोड़ आयेगा न!"

सिर हिलाकर इंकार करते हुए हरीश ने कहा, "नहीं, तुम स्वयं जाओ, मैं अभी एक घंटे तक यहीं हूँ।" शैल यशोदा को घर पहुँचा आने के लिए उठ खड़ी हुई।

यशोदा सोच रही थी, यह अभिमानिनी और तेज लड़की किस प्रकार उस नौजवान की आज्ञा पर नाचती है और सम्भव है कल उसे भी इसी प्रकार उसके हुक्म पर दौड़ना पड़े।

यशोदा को घर छोड़ जिस समय शैलबाला लौटी, हरीश अपने चेहरे को दोनों हाथों में थामे चिंतामग्न बैठा था। उसे देख हरीश ने कहा, "शैल, मैं जा रहा हूँ।"

"कहाँ, कहीं बाहर?"

"बी०एम० की चिट्ठी जो तुमने मुझे दी है उसके कारण मुझे जाना होगा।" शैल की ओर देख उसने उत्तर दिया।

"परन्तु सफर करना तुम्हारे लिए कितना खतरनाक है! यदि वे लोग तुमसे मिलना चाहते हैं तो वे ही यहाँ क्यों नहीं आ जाते! क्या उनकी जान तुमसे भी अधिक खतरे में है! उसके कण्ठ की आर्द्रता बढ़ती जा रही थी, "मैं तो कहती हूँ तुम न जाओ।" साड़ी की खूँट से धागे खींचते हुए उसने कहा।

आश्चर्य से उसकी ओर देख हरीश ने पूछा, "क्या कह रही हो?···पार्टी की आज्ञा न मानूँ?···दादा ने बुलाया है।"

शैल अनुभव कर रही थी, पार्टी के मेम्बर के नाते जितनी चिन्ता उसे हरीश की करनी चाहिये उससे अधिक उसके शब्दों से प्रकट हो रही है मानों साधारण औचित्य की सीमा वह लाँघ गयी है। अब भी, जितना वह चाहती थी, कह नहीं पायी थी। साड़ी के छोर से वह उसी प्रकार धागे खींचती रही।

"कोई गलत आज्ञा दे दे तो?···हो सकता है आज्ञा दादा की न हो।" कुछ थमकर उसने कहा, "बी०एम० की बातों से मुझे संदेह होता है। मैं कहना नहीं चाहती थी, लेकिन···वह तुम्हारी बाबत कह रहा था—तुम क्यों टिके हुए हो? तुमसे मिलने से भी उसने मुझे मना किया था। मैंने कहा, मेरे लिये तो सब एक हैं।···मुझे उसका व्यवहार ठीक नहीं मालूम हुआ···मेरा ख्याल है, वह तुमसे ईर्ष्या करता है। कह रहा था—हरीश का काम अब केवल सिगरेट पीना, लम्बी-लम्बी बातें करना और लड़कियों की पार्टी बनाना रह गया है।"

दाँत से अँगूठा काटते हुए हरीश कुछ देर सिर झुकाये रहा। उसने फिर पूछा, "तुम्हें उसका क्या व्यवहार ठीक नहीं लगा?"

सिर झुकाकर शैल ने उत्तर दिया—"ऐसे ही···।"

"ऐसे ही क्या···बोलती क्यों नहीं?" झुँझलाकर हरीश ने पूछा।

"तुम तो काटने को आते हो···अब खास क्या बताऊँ? पुरुष तो चाहते हैं स्त्री को निगल जायें।"

"क्या मैं भी यह चाहता हूँ," हरीश ने आँखें निकालकर पूछा।

"अपनी बाबत तुम स्वयं नहीं जानते, क्या चाहते हो—!···मुझसे क्यों पूछते हो?" उसकी आँखों में मुस्कराहट से देखते हुए शैल ने उत्तर दिया।

"बी०एम० से तुम्हारा परिचय पुराना है। यदि तुम्हारे यहाँ मेरे आने से झंझट होता है, मैं न आऊँगा। सिर छिपाने की कोई दूसरी जगह मिल जायेगी।" हरीश चुपचाप सोचने लगा।

गम्भीर हो शैल ने कहा, "मुझे बी०एम० की आज्ञानुसार ही चलना चाहिये? स्वयं मेरी अपनी समझ कुछ नहीं?"

"यह तुम किस झंझट में पड़ रही हो, शैल!" हरीश ने क्लान्त स्वर में पूछा, "क्या तुम्हारा लड़की होना ही सब संकट का कारण है? और तुम्हारे विवाह की बात चल रही थी, उसका क्या हुआ?"

''तुम सोचते हो मेरा विवाह हो जाय और संकट कट जाय।'' शैल ने उपालम्भ के स्वर में कहा, परन्तु अपनी बात से स्वयं ही संकुचित हो बात बदलने के लिये बोली, ''तुम्हारा भी खयाल है न, स्त्री को किसी न किसी व्यक्ति की सम्पत्ति बन ही जाना चाहिये और पुरुष उदारता से एक-दूसरे को अपनी-अपनी सम्पत्ति की स्त्री पर पूर्ण अधिकार भोगने का अवसर देते रहें। बी०एम० भी तो मुझे यही सुनाता है—'हो रहो किसी के या कर लो किसी को अपना।' तुम्हीं बताओ, किसी की हो रहने या किसी को अपना बना लेने का मतलब क्या? किसी को अपना बना लेने का मतलब भी तो किसी की हो जाना ही है, जहाँ स्त्री का अपना कुछ शेष नहीं रह जाता। यदि स्त्री को किसी न किसी की बनकर ही रहना है तो उसकी स्वतन्त्रता का अर्थ ही क्या हुआ? स्वतन्त्रता शायद इसी बात की है कि स्त्री एक बार अपना मालिक चुन ले, परन्तु गुलाम उसे जरूर बनना है।''

कुर्सी पर करवट लेते हुए हरीश ने पूछा, ''क्यों, पति का अर्थ मालिक न होकर साथी भी तो हो सकता है?''

''खाक हो सकता है। जब स्त्री को एक आदमी से बँध जाना है और सामाजिक अवस्थाओं के अनुसार उसके अधीन रहना है, उस पर निर्भर करना है; उस सम्बन्ध को चाहे जो नाम दिया जाय, वह है स्त्री की गुलामी ही। साथी तो एक व्यक्ति के कई हो सकते हैं··· स्त्री के पति होना तुम्हें सहन हो सकता है?'' शैल ने पूछा।

हरीश ने हँसकर उत्तर दिया, ''मुझे तो सहन करना नहीं; जिसे सहन करना हो, वही फिक्र करे।''

मुँह बनाकर शैल बोली, ''यही तो बात है। पुरुष कभी स्त्री के दृष्टिकोण से समस्या को देख नहीं सकता। स्त्री की सबसे बड़ी मुसीबत तो यह है कि उसे सन्तान पैदा करनी है इसलिये पुरुष जमीन के टुकड़े की तरह उस पर मिल्कियत जमाने के लिये व्याकुल रहता है।''

हरीश ने शैल को खिझाने के लिये उपेक्षा से कहा, ''जिसे अपने वंश की परम्परा बनाने की चिन्ता हो, इन झगड़ों में पड़े। अपने को तो इन सब बातों से छुट्टी है।''

''सन्तान और वंश-रक्षा के अलावा और भी बहुत जीवन में है।'' शैलबाला ने दूसरी ओर मुख फिराकर कहा।

हरीश ने बिना झिझके उत्तर दिया, ''परन्तु वह स्त्री-पुरुष दोनों के लिए समान है।''

''है तो, परन्तु स्त्री कमबख्त को तुरन्त सजा जो मिल जाती है।'' कहने को शैल सहसा कह गयी, परन्तु संस्कार के संकोच ने उसे आ दबाया। उस ओर से हरीश का ध्यान बदलने के लिए तुरन्त ही उसने पूछा, ''अभी तो तुम्हें जाने में देर है न!''

''है तो, परन्तु यहाँ ऐसे मैं कितनी देर ठहर सकता हूँ? तुम्हारे घर के लोग ही क्या कहेंगे? यों तो मुझे रात में दो बजे की गाड़ी पकड़नी है।'' अनिच्छा से उठने की तैयारी करते हुए हरीश ने कहा।

अपनी कलाई पर घड़ी की ओर देख, शैल बोली, ''अभी तो साढ़े आठ बज रहे हैं। दो बजे रात तक इस सर्दी में कहाँ भटकते फिरोगे! यह ठीक नहीं। चलो तुम खाना खा

लो, फिर तुम्हें दरवाजे तक छोड़ आऊँगी। पिताजी से नमस्ते कहते जाना। इधर मैं गैराज का दरवाजा खोल दूँगी। तुम उधर से ऊपर आ जाना गाड़ी के समय तुम जा सकते हो।''

हरीश विस्मय से उसको देखने लगा। सिर झुकाकर शैल से कहा, ''तुम अपनी अवस्था नहीं समझते; कदम-कदम पर तुम्हारे लिये कितना भय है!''

''और तुम्हारे लिये नहीं?'' हरीश ने पूछा।

''मेरा क्या है; बहुत होगा, दो बातें और सुन लूँगी। जहाँ इतना सुनती हूँ, वहाँ थोड़ा और सही। आओ बैठो, खाने के कमरे में आओ, वहाँ पिताजी के सिवा इस समय और कोई न होगा। क्या है, एक दफे फिर इंजीनियर बन जाना। क्या है तुम्हारी उस फर्म का नाम!⋯जिरेमी एण्ड जानसन! जानते हो उस रोज बुआजी क्या कह रही थीं।⋯बड़ा सुशील लड़का है! मैंने सोचा, मालूम हो जाये कैसा सुशील है तो अभी प्राण निकल जायें।'' शैल ने कहा।

हरीश हँस दिया, ''तो मैं बुआजी को पसन्द हूँ? बुआजी मुझसे तुम्हारा विवाह कर देंगी, क्यों!''

''हाँ, ऐसे ही तुम सुन्दर हो न!⋯उठो, यहाँ छिपे बैठे हो। नौकर या दूसरे लोग क्या कहेंगे?'' शैल ने हरीश के कंधे पर बोझ देकर कहा।

हरीश एक नयी बात अपने शरीर और मस्तिष्क में अनुभव कर रहा था। एक बार क्रान्तिकारी का जीवन ग्रहण करने के बाद स्त्री को उसने अपनी मार्ग से परे की वस्तु समझा था। इधर अनेक बार शैल के समीप आने पर भी उसे युवती न समझ केवल पार्टी का सहायक सदस्य ही समझा था जो केवल रूप, वेश में उसके दूसरे साथियों से भिन्न था, परन्तु आज बार-बार उसका मन उसे सचेत कर रहा था—वह युवती है, जीवन की मृदुता, सहृदयता और तुष्टि का स्रोत लिये! तू क्या उसे नहीं पहचानता। उसका मन कह रहा था—तू केवल क्रान्ति की मशीन ही नहीं, मनुष्य है।

भोजन के कमरे में शैल के पिता मेज पर अकेले बैठे थे। कमरे में प्रवेश कर शैल बोली, ''पिताजी, मि० शुक्ला चले जा रहे थे। मैंने कहा, पिताजी से मिले बिना क्यों जा रहे हैं? खाना खाकर जायें समय तो हो ही गया है।

''आओ, आओ!'' वात्सल्य और आदर से पिता ने पुकारा, ''तुम तो उसी फर्म में हो न वह⋯!''

''जी हाँ, जिरेमी एण्ड जानसन।''

''तुम्हारी कम्पनी के बैंकर कौन हैं; सेन्ट्रल बैंक?''

''जी नहीं, इम्पीरियल और लायड्ज। देशी बैंकों से यह कम्पनियाँ वास्ता कहाँ रखती हैं! अभी हमारी शाखाएँ इधर कम हैं। यू० पी०, सी० पी० और बम्बई में हमारा काम अधिक है।''

लाला ध्यानचन्दजी को प्रश्न का अवसर न देने के लिये हरीश स्वयं ही सब कुछ कह गया। विलायती कम्पनियाँ किस प्रकार देश के व्यापार को समेटे जा रही हैं, इसी बात की चर्चा में भोजन समाप्त हो गया।

हरीश को दरवाजे से बाहर पहुँचा शैल तुरन्त गैराज में गयी। हरीश आ पहुँचा था कि बुआजी ने अपने कमरे से शैल को किसी दवाई की गोलियों के लिये पुकार लिया। हरीश को वहीं चुपचाप मोटर में ही बैठ जाने का संकेत कर वह ऊपर चली गयी। प्रायः बीस मिनट तक बुआजी को दवाई दे और उनसे बातकर, अपने कमरे की बिजली बुझा दी। कमरे में जीरो पावर की नीली बत्ती जलाने के बाद शनैः-शनैः सीढ़ियाँ उतरकर वह हरीश को अपने कमरे में ले गयी।

कायदे से लगे पलंग की ओर संकेत कर हरीश को लेट जाने के लिये कहा और स्वयं समीप पड़ी सोफा कुर्सी पर बैठ गयी। उसके समीप आ हरीश ने कहा, ''मैं तुम्हारी नींद खराब करने नहीं आया हूँ तुम सो जाओ, मुझे तो जाना ही है, यदि सो गया और नींद न खुली!''

''मैं जो जागती रहूँगी।'' शैल ने उत्तर दिया।

''तुम्हें जागने का अभ्यास कहाँ?''

''तुम्हें क्या मालूम; कितनी रातें जागते मैंने इस कमरे में काटी हैं, उस टाइमपीस की ओर देख-देखकर!''

''क्या प्रेम-साधना में?''

''हो सकता है···एक साधना का मार्ग तुमने देखा है, दूसरी का मैंने देखा हो! उन बातों की याद मत दिलाओ। तुम लेटते क्यों नहीं?''

शैल के स्वर में ममता और अधिकार का पुट अनुभव कर हरीश ने उसकी सोफा कुर्सी की बाँह पर बैठकर पूछा, ''मैं यहाँ तुम्हारे पास बैठ सकता हूँ?'' शैल ने एक ओर खिसक उसके लिये स्थान कर दिया।

कुछ देर दोनों चुप बैठे रहे, बिलकुल मौन। ड्रेसिंग टेबिल पर पड़ी टाइमपीस की ओर देख हरीश ने पूछा, ''क्या घड़ी बन्द है?''

''नहीं तो, वह चलती है, परन्तु बोलती नहीं; स्त्रियों की तरह!'' होंठ दबाकर शैल हँस दी।

हरीश ने सिर झुकाकर कुछ शंकित स्वर में कहा, ''तुम्हारे ढंग से मालूम होता है, तुम दुख का कोई गहरा बोझ मन पर लिये हो। उसी को छुपाने के लिये तुम सदा हँसते रहने की कोशिश करती हो, बेपरवाही दिखाती हो। तुम्हारे व्यवहार में जो असाधारणता है शायद उसी की वजह से तुम्हारी इतनी आलोचना होती है। लोग समझते हैं, तुम समाज पर प्रहार करती हो, परन्तु मुझे जान पड़ता है, तुम स्वयं पीड़ित हो। मुझे विस्मय यह होता है कि तुम क्रान्ति के संकट को भी सिर पर लेती हो और भावुकता में प्रेम-जगत के स्वप्न भी देखती हो। मेरी अपनी अवस्था तो तुम जानती हो, प्रेम और स्वप्न के संसार की रचना करना मेरे भाग्य में नहीं। एक साथी के नाते यदि मैं तुम्हारे दुःख की अनुमति को बटाना चाहूँ, इससे मैं तुम्हें कुछ संतोष नहीं दे सकूँगा! परन्तु तुमने मेरे लिये इतना कुछ किया है कि तुम्हारे बिलकुल निकट आ, तुम्हारे हृदय में झाँकने की प्रवृत्ति होती है। मेरा जीवन तुम जानती हो, बहुत संक्षिप्त सा होगा; लेकिन जीवन की चाह मेरे हृदय में भी है और शायद उसके लिये समय बहुत कम है—वह कभी-कभी अत्यन्त तीव्र और विकट रूप में उठकर रह जाती है। मेरे जीवन में तृप्ति केवल दूसरों की तृप्ति के अनुभव से हो सकती है। यही चीज अगर मैं तुमसे माँगूँ तो क्या बहुत अधिक होगा? तुम

जानती हो मेरा जीवन एक बन्द पात्र के समान है जिसे एक दिन, बन्द ही, नदी में बहा दिया जायेगा···।''

''बस रहने दो!'' शैल ने टोककर कहा, ''ऐसी बातें नहीं कहते। देखो, सर्दी अधिक है तुम्हें कहीं कुछ हो जायेगा तो और संकट होगा।''

शैल की इस ममता ने हरीश के साहस को और बढ़ा दिया। आग्रह से उसने कहा, ''वह फिक्र तुम रहने दो। मुझे कुछ न होगा। तुम बात कहो।''

हथेली पर ठोढ़ी रख शैल ने पूछा, ''उससे लाभ? या तो तुम मुझे बेवकूफ समझोगे या घृणा करने लगोगे। तुम्हारी सहानुभूति से भी मैं हाथ धो बैठूँगी।''

''मेरी सहानुभूति का भी कुछ मूल्य है तुम्हारी दृष्टि में?'' धुँधले प्रकाश में उसकी ओर देख हरीश ने पूछा, ''तो फिर जितना अधिक तुम्हें जान पाऊँगा, उतनी ही अधिक वह बढ़ेगी।''

''तुम्हें क्या लाभ होगा?''

''जान पाना भी एक लाभ है। दूसरों के अनुभव जान सकना भी अनुभव होता है।''

''दूसरे लोग क्या अनुभव करते हैं, मैं नहीं जानती।'' शैल ने कहना आरम्भ किया, ''परन्तु मेरे तो होश सँभालने के दिन से ही जीवन में प्रेम रहा है और शायद जीवन रहते उससे छुटकारा भी न होगा। जब छोटी थी, अपने सामर्थ्य के अनुसार प्रेम करती थी। समझ आने पर प्रेम का क्षेत्र भी बढ़ा अर्थात् प्रेम को अधिक देने और उससे अधिक पाने की इच्छा होने लगी। जब वह पूरी नहीं हो पाती, निराशा और क्लेश होने लगता है। असफल को मुँह के बल गिरने पर, अपमानित हो मर जाने की इच्छा भी होने लगती है। कुछ व्यक्ति प्रेम में निराश हो मर भी जाते हैं, परन्तु मैं मर नहीं सकी। भविष्य के लिये सोचती हूँ, आशा को इतना ऊँचा उठाऊँगी ही नहीं कि गिरने पर मृत्यु का भय हो पर अपने को बेबस पाती हूँ।'' हरीश की आस्तीन का बटन खींचती हुई शैलबाला कह रही थी।

उसे चुप होते देख हरीश ने पूछा, ''यह तो भविष्य की बात है। मैं तो बीती पूछ रहा हूँ।''

उसकी बाँह पर हाथ रख उसकी आँखों में झाँक शैल ने पूछा, ''तुम क्यों पूछ रहे हो? यह सब तो वे लोग पूछते हैं, जिन्हें यह निश्चय करना होता है कि मैं उनके योग्य हूँ या नहीं? तुम्हारे सामने तो मुझे स्वीकार-अस्वीकार करने का सवाल है ही नहीं।''

दबी मुस्कराहट से हरीश ने उत्तर दिया, ''इसीलिये तो तुम मुझसे निस्संकोच कह सकती हो। अपनी आवश्यकता के अनुसार मुझे तुम्हारा मूल्य निश्चित नहीं करना। समाज के एक व्यक्ति के नाते तुम क्या हो, यही मैं देख सकता हूँ। तुम्हारे व्यक्तित्व के रूप में, जो देखने में खुशहाल है, समाज कितनी गुप्त यंत्रणा भोग रहा है, यह मैं जानना चाहता हूँ। यदि मैं समाज की अवस्था जानना चाहता हूँ तो उसकी नब्ज से या खुर्दबीन के सहारे तो ऐसा कर नहीं सकता। समाज के अनुभव से ही हमें समाज का ज्ञान हो सकता है। यह मेरा विशेष सौभाग्य है कि मुझे तुम्हारे इतने निकट आने का अवसर मिला है। यदि स्पष्ट रूप से कहूँ तो मुझे तुम्हारे सुख-दुख से एक सम्बन्ध होता है।···चुप क्यों

हो। दस बज चुके हैं…केवल चार घण्टे मैं यहाँ हूँ…आशा नहीं, ऐसी आन्तरिकता अनुभव करने का समय हमारे जीवन में फिर कभी आयेगा। बोलो!''

''अच्छा सुनो!'' शैल ने कहा, ''उस समय मेरी आयु बारह-तेरह बरस की रही होगी। मैं छठी-सातवीं श्रेणी में पढ़ती थी। हमारे पड़ोस में एक लड़का रहता था, देखने में बहुत सुन्दर था। उसने एक पत्र लिख मुझे स्कूल जाते समय दे दिया। ऐसे पत्र मिलने पर लड़कियाँ नाराज हुआ करती हैं, परन्तु मैं नाराज न हुई। यदि मैं किसी की दृष्टि में भली जँचती हूँ, कोई मुझे चाहता है तो उसे क्रोध क्यों दिखाऊँ? उसने कई पत्र लिखे। उसके पत्र पढ़ने से सुख होता था। तुम्हीं बताओ, चौदह-पन्द्रह बरस का लड़का क्या पत्र लिखेगा? परन्तु उसके पत्र लिखने का अर्थ था, वह मुझे प्यार करता है और परस्पर पत्र लिखकर हम दोनों एक ऐसा काम कर रहे हैं, जिसे कोई नहीं जानता था। तुम कह सकते हो, इस मामूली से काम द्वारा हमें अनुभव होता था, हम भी कुछ हैं। अपने व्यक्तित्व और अस्तित्व को अनुभव करने से सुख और आत्माभिमान की पूर्ति होती है, संतोष होता है!…तुम कहोगे मैं तुम्हें मनोविज्ञान पढ़ाने लगी पर क्या करूँ; एम० ए० की परीक्षा के लिये निबन्ध मैं लिख सकी तो वह इसी विषय पर होगा।

''हाँ, पिताजी के दोस्तों-मित्रों के दूसरे लड़के भी हमारे यहाँ आते थे। पिताजी ने मुझे सदा स्वतंत्र रखा है। माँ के न रहने के कारण मैं सदा उनके ही पास रही हूँ। मैं सभी से बोलती-चालती थी। एक दिन एक दूसरा लड़का मुझे हारमोनियम पर कोई स्वर सिखा रहा था। हम खूब हँस रहे थे। इतने में पत्र लिखने वाला लड़का आ गया। उसे यह अच्छा नहीं लगा। बाद में उसने मुझे इस बात पर डाँटा। उसके बाद मैं उससे बोली ही नहीं…प्रेम समाप्त हो गया।

''मैं सोचने लगी—हम क्यों लड़ पड़े? उत्तर मिला—प्रेम द्वारा मैं अपने जीवन का विस्तार चाहती थी और वह मुझ पर बंधन लगाकर मेरे जीवन को अपने लिये सीमित कर देना चाहता था। देखो, चौदह-पन्द्रह बरस का लड़का भी मुझे अपनी सम्पत्ति समझना चाहता था।

''इसके बाद कई लड़के नजरों में आये। तुम बताओ, जो अच्छा हो वह अच्छा कैसे न लगे? उसके लिये चाह या प्यार कैसे न हो? जिस समय जो लड़का नजरों में रहा उस समय वही मुझे आदर्श जँचता रहा। दसवीं श्रेणी और कालेज के प्रथम दो वर्षों में अनेक उपन्यास पढ़े। जीवन के अनेक चित्र आँखों के सामने आने लगे। उस समय एक और लड़के से परिचय हुआ। वह मेरी एक सहेली का भाई था। बहुत ही सुन्दर, स्वभाव का बहुत ही अच्छा। उसे न देख पाने पर चैन न पड़ती। दोपहर में कालेज से लौटती तो सहेली को उसके घर छोड़ने जाती ताकि उसके भाई को एक नजर देख पाऊँ। मौका मिलता तो संध्या को भी जाती। उसका पत्र आता तो उसे दस-दस, बीस-बीस दफे पढ़ती। आधी-आधी रात तक बैठ उसे खत लिखती। मेरी स्वतंत्रता और अभिमान सब न जाने कहाँ चला गया? उस समय और बीसियों लड़के मेरी आँखों के सामने आये, उन्होंने मेरे निकट आने का यत्न किया, परन्तु मैंने उन्हें देखा ही नहीं। हम दोनों ने निश्चय कर लिया था कि हम जीवन भर के साथी होंगे।

''वह हमारे यहाँ आता। कई-कई घण्टे हम साथ रहते। तब हम अपने दूसरे मकान में थे। जीने पर उसके कदमों की आहट पा मैं तड़प उठती। जितनी देर वह हमारे यहाँ

रहता, मैं जीवित रहती, उसके चले जाने पर मर जाती। उन दिनों कांग्रेस का बहुत जोर था। मैं धरना देने जाने वाली और जुलूसों में भाग लेने वाली लड़कियों की पहली टोली में थी इसलिए देशभक्त नौजवानों का जमघट मेरे यहाँ जमा रहने लगा। उसके आने पर कटाक्ष होते, ताने दिये जाते क्योंकि उसका पिता सरकारी आफिसर है। उसका अपमान मैं न सह सकती। उसे मैंने कहा—मैं तुमसे स्वयं मिल आया करूँगी, तुम यहाँ न आया करो। आओ तो ऐसे समय, जब यह लोग न हों।

''मैं उसके यहाँ जाती और उसके सीने पर सिर रख रो आती। वह मुझे तसल्ली देता। एक दिन वह बहुत दुखी हो मेरे यहाँ आया। उसके घर दूसरा झगड़ा चल रहा था। एक एकलौती लड़की के पिता बड़े जमींदार के यहाँ उसके विवाह की बात चल रही थी। घर भर उसका विरोधी था। उसे दुखी और व्याकुल देख सांत्वना देने के लिये उसे मैंने बाँहों में ले लिया। रात भर वह मेरे कमरे में रहा…हम अपने आपको भूल गये। होश आने पर मैं बहुत रोई। उसने कहा—घबराओ नहीं, कहीं चले जायेंगे परन्तु मैं तैयार न हुई…पिताजी को कैसे छोड़ जाती? और फिर मेरी अपनी भी तो स्थिति थी। कांग्रेस में और बाहर भी लोग मुझे जानते थे। उसने कहा—भय की आशंका से बचने के लिये दवाई खा लो। एक पुड़िया ला उसने दी। उस दवाई से मुझे खूब तेज बुखार हो गया।

''एक के बाद दूसरा डाक्टर आने लगा और दवाइयों की शीशियाँ। पहले कुछ दिन मैंने दवाई नहीं खाई। बाद में खानी शुरू की, परन्तु कुछ न बना। वह प्रायः आता और मेरे पास बैठ, मेरा हाथ अपने हाथों में लेकर आँसू बहाता। वह कहता, सब कसूर उसी का है, परन्तु मुझे एक दिन भी उस पर क्रोध न आया। हाँ, उसके न आने से दुख होता। कुछ दिन ऐसी अवस्था रही कि डाक्टरों को मेरे बच सकने में सन्देह था।

''मुझ पर कृपादृष्टि रखने वाले युवकों की कमी न थी। तुम्हारे बी०एम० भी उसमें से एक थे। नौजवानों के एक और नेता थे, उन्हें तुम जानते हो…'खन्ना'। उनके प्रति न जाने क्यों मेरे मन में सदा आशंका बनी रहती, परन्तु उनके दो दफे जेल हो आने से मुझे उनके सामने श्रद्धा से सिर झुकाना पड़ता था। उन्हें आरम्भ से ही महेन्द्र से ईर्ष्या थी। मैं अभी बिस्तर पर पड़ी थी कि वे मुझे जीवन की संगिनी बनाने के लिये आतुर हो उठे। मुझे उनकी बातों से क्लेश होता था, परन्तु उनके आदर को ठुकरा न पाती। बीमारी में मेरे पैर चूमकर वह कहते—तुम कितनी महान हो! परन्तु इसके साथ ही महेन्द्र की निन्दा के स्तोत्र भी मुझे सुनने पड़ते। उस शारीरिक कष्ट में यह मानसिक कष्ट मुझे पागल किये दे रहा था। मैं चेष्टा करती उन दोनों का सामना न हो। मेरे हृदय में दोनों के लिये ही आदर था, यही मेरी मुसीबत थी। महेन्द्र के घर उसके विवाह के प्रश्न के कारण स्थिति असह्य हो रही थी। वह मुझे घर-बीती सुना जाता। मैं उसे कहती, तुम विवाह कर लो। मैं चाहती थी वह किसी प्रकार सुखी हो, परन्तु उसके इंकार से शान्ति मिलती।

''बहुत दिन तक वह नहीं आया। एक दिन आकर उसने बताया—उसका विवाह होने जा रहा है। मेरे मुख से केवल 'हैं' ही निकल सका। इसके बाद जब होश आया, वह न था।

''कुछ दिन बाद उसका एक पत्र मिला, उसका विवाह हो गया है और वह मुझे मुँह नहीं दिखा सकता। मेरी अवस्था और खराब हो गयी। मन चाहता था, एक दफे उसे

जाकर देख आऊँ, परन्तु शरीर में इतनी शक्ति न थी। इस बीच में खन्ना ने मुझे अनेक दफे समझाया कि अपने जीवन का साथी उन्होंने मुझमें पाया है। हम दोनों राजनीति और समाज के क्षेत्र में एक साथ चल सकेंगे। मेरे चुप रहने पर मेरे सिरहाने बैठ उन्होंने मेरे माथे पर आँसुओं की बूँदें बहायीं। मुझे हार माननी पड़ी। उसका सिर अपने हृदय पर रख रोने लगती। डाक्टर मेरी बीमारी का इलाज कर मुझे बचाने की कोशिश करते थे और मैं हृदय के रोग लगाकर उसे बढ़ाने की।

"पिताजी की भीगी आँखें देख कई दफे मैंने निश्चय किया—हृदय को पत्थर बना लूँ और चुपचाप बीमारी का इलाज करूँ, परन्तु कर न पायी। अन्त में खन्ना के लिए अपने जीवन को बचाने का प्रणकर मैंने सेहत पाने का निश्चय किया। छः मास की कठोर तपस्या के बाद मैं उठने-बैठने लायक हो गयी। मेरा जीवन 'खन्नामय' हो गया, परन्तु महेन्द्र एक छाया की तरह फिर भी साथ था। आज तक भी उसे भूल नहीं पायी हूँ और भूलूँगी भी नहीं। प्रत्येक संध्या खन्ना की गोद में सिर रख मैं भविष्य-जीवन के स्वप्न देखने लगी। खन्ना ने मुझे कब्र से खींच लिया था। मैं उसी की बन गयी, परन्तु जिस समय खन्ना के कँधे पर बाँह रखे आँखें मूँदे रहती, उसी समय वह पूछ बैठता—क्या अब भी महेन्द्र की याद आती है?…झूठ कैसे बोलती!

"एक दिन, जो बात अस्पष्ट थी, उसने उसे स्पष्ट कर दिया। उसने पूछा—मुझसे विवाह करोगी? मैंने उत्तर दिया, हाँ।

"उसने फिर पूछा—महेन्द्र को तो तुमने केवल मन ही दिया था, शरीर तो नहीं?

"मेरा श्वास रुकने लगा। कुछ उत्तर न दे सकी। उसका ऊष्ण-तीव्र श्वास मेरे माथे पर अनुभव हो रहा था। कुछ रुककर शंकित स्वर में उसने पूछा—शरीर भी?"

"मेरा शरीर काँप उठा, परन्तु झूठ बोलने का साहस न हुआ। सिर झुकाकर मैंने हामी भरी। उस समय मैं अर्द्ध-चेतनावस्था में थी, परन्तु खन्ना की बाँहों के सहसा ढीले पड़ जाने से चौंक उठी। आँखें खोल देखा—उसका गोरा चेहरा मुर्झा गया था। सँभलकर बैठने का यत्न किया, परन्तु सँभल न सकी।…मन की अपवित्रता क्षमा हो सकती है शरीर की नहीं….और यही खन्ना कहते थे कि वे मुझे आत्मा से प्रेम करते थे, परन्तु शरीर पर एकाधिकार चाहते थे।"

शैल ने आँखें उठा हरीश की ओर देखा और मुस्कराने का यत्न करते हुए पूछा, "मैं बड़ी बदमाश हूँ?"

दोनों हाथ उसके कंधों पर रख हरीश ने उत्तर दिया, "क्या कहती हो; जिस व्यक्ति में इतना साहस हो, वह कभी नीच नहीं हो सकता।"

दाँतों से होंठ दबा शैल सामने की दीवार पर देखने लगी। कुछ क्षण बाद हरीश को सम्बोधन कर उसने कहा, "और इसी खन्ना ने मुझे चरित्रहीन कहकर बदनाम किया। बी०एम० चाहते हैं, मैं उनके सिवा, न किसी से बोलूँ न मिलूँ।"

विस्मय से हरीश ने पूछा, "क्यों?"

"यही तो समझ नहीं सकी।…समझने की बात ही क्या है? पुरुष का स्त्री पर एक-छत्र और पूर्ण अधिकार का संस्कार! चाहते थे घर छोड़कर उनके साथ चली चलूँ…।"

सहसा दोनों हाथों से मुँह ढककर शैल झुक गयी। उसके सिर के कम्पन से हरीश ने झुककर देखा, "अरे पागल, क्या रो रही हो? यही तुम्हारी आत्मनिर्भरता और आत्माभिमान है? जहाँ इतना साहस किया है, वहाँ इस रोने का क्या मतलब!"

आँसुओं से भींगे उसके गालों को अपने हाथों से पोंछ हरीश ने उसके सिर को अपने सीने पर रख लिया। स्वयं उसके अपने स्वर में अस्थिरता आ गयी। बोला, "रोओ तो मेरी कसम!"

कुछ क्षण वे उसी प्रकार बैठे रहे। टाइमपीस की रेडियम की सुइयों की ओर देख उसने कहा, "शैल, डेढ़ बज गया···मैं जा रहा हूँ। तुम नीचे गैराज बन्द कर लो!

शैल के सिर को अपने सीने पर विदा की सूचना में एक बार दबा, उत्तर की प्रतीक्षा किये बिना वह चुपचाप चला गया।

●

केन्द्रीय सभा

कानपुर शहर के उस खास तंग मोहल्ले में आबादी अधिकतर निम्न-श्रेणी के लोगों की ही है। पुराने ढंग के उस मकान में, जिसमें १९३१ तक भी बिजली का तार न पहुँच सका था, किवाड़ विलायती कब्जों के नहीं कंदरी और पैजा के थे। छत पर खपरैल का छप्पर था।

आठ नौजवान किसी प्रतीक्षा में थे। एक दीवार का सहारा लिये और एक कोहनी की टेक लिए बैठा था। बायीं ओर ईंट के टुकड़े पर प्रकाश के लिए मोमबत्ती जल रही थी और समीप बैठा नवयुवक उसके प्रकाश में एक पुस्तक पढ़ रहा था। समीप ही चित्त लेटा नौजवान अखबार देख रहा था। दो साथी आपस में बँगला में बात कर रहे थे। बीच में बैठा युवक विशेष स्वस्थ और पुष्ट था। वह एक पिस्तौल के कारतूस निकालकर उसे साफ करता हुआ समीप बैठे युवक से बात कर रहा था।

बँगला में बात करने वाले दो युवकों में से एक ने कुछ आगे बढ़, बीच में बैठे युवक को सम्बोधन कर कहा—"दादा, देखो एगारा बजता···हमारा तीन बजा गाड़ी नहीं पकड़ लेने से नहीं होता।"

अखबार पढ़ने वाला युवक अखबार समेटकर बोला, "अच्छा तो फिर शुरू करो···· ख्याल नहीं कि वह आ सके!"

किताब पढ़ने वाले ने किताब के पन्नों में उँगली रखते हुए कहा, "मैं तो पहले ही कह चुका हूँ, शाम चार बजे के बाद कोई और ट्रेन उधर से नहीं आती।"

बँगला में बात करने वाले दूसरे नौजवान ने अपना कम्बल सँभालते हुए पूछा, "बट हैस ही बीन इन्फार्म्ड?"

उसके उत्तर में किताब पढ़ने वाले ने विशेष बल से कहा, "आफ कोर्स, आई डिड इन्फार्म हिम माईसेल्फ।"

दादा ने बारी-बारी से उन दोनों की तरफ देखा। अपनी भूल समझ उस युवक ने कहा, "हम बोलता, उसको खबर ठीक से दिया गया था क्या?"

किताब पढ़ने वाले युवक ने अपनी बात फिर से दोहरायी, "तीन दिन पहले ही खबर दे दी थी। मैंने खुद खबर दी थी।"

दादा ने सबकी ओर देखकर पूछा, "तो फिर क्या किया जाए?"

अखबार पढ़ने वाला युवक अखबार एक ओर फेंककर बैठ गया, "कोई मुश्किल राह में आ गयी होगी, नहीं आ सका। उसके लिये सफर करना भी तो बहुत मुश्किल है।"

किताब पढ़ने वाले ने हँसकर ताना दिया, "हाँ, दिल ही न करे!"

दादा झुँझलाये, "लेकिन इस मामले में उसका यहाँ होना जरूरी था... बात उसके मुँह पर होनी चाहिये।"

गहरे साँवले चेहरे वाला बँगाली साथी चिन्ता से अपनी बड़ी-बड़ी आँखें झपककर बोला, "पर हमारा आना तो बार-बार नहीं हो सकता। हम इधर से जाकर ईस्ट चला जायेगा।"

दूसरे बंगाली ने अपने साथी को सम्बोधन किया—"अखिल! बंगाल के बारे में जो बात है तुम अपना कह दो! और बात ये लोग अपना फीर बी करने सकता है...।"

अखिल दुबला-पतला, छरहरे बदन और गहरे साँवले रंग का खास पूर्वी बंगाली नखशिख का युवक था। हिन्दी बोलने के कठिन प्रयत्न में उसके चेहरे की स्वाभाविक गम्भीरता और भी गहरी मालूम पड़ती थी। अपने भाव व्यक्त करने में कठिनाई अनुभव करते हुए वह बोला, "फ्यूचर के लाइन के बारे में आपको क्या ख्याल है?... बंगाल में तो बौत मुश्किल है। पुलिस का नियंत्रण बहुत कठिन है। कुछ भी बिलकुल नई करने से तो सब खतम हो जायेगा। पुराना जो दादा लोग है, वह तो सिर्फ बड़ा-बड़ा बात करता है और कांग्रेस का पार्टीबाजी में है... हमारे पास एक्सप्लोसिव में एक्सपर्ट न होने से कुछ कर नहीं सकता। जो यंगमैन है; उसको कम्युनिस्ट खींचता जाता है...।"

किताब पढ़ने वाले ने हँसकर टोक दिया, "और एक्सप्लोसिव वाला चाबी हाथ में दबाकर सबको नचाता फिरता है।"

दादा चिन्ता से होंठ काटते हुए मोमबत्ती की ओर देखने लगे। उनकी दोनों गहरी, भूरी पुतलियों में मोमबत्ती के दो प्रतिबिम्ब काँप रहे थे।

उसी समय जीने से आवाज आई, "काशन!"

दादा ने सिर उठाकर पूछा, "कौन?"

जीने से आवाज आई, "नाइन-नाइन-एट-एट!"

अपनी सतर्क आँखें सन्तोष से झपककर दादा ने कहा, "आने दो।"

कुछ ही सेकेण्ड में एक और नौजवान रेल के इंजन घर के कुलियों रो नीले कपड़े पहने और एक सस्ता कम्बल ओढ़े सामने आया। उसे देख सभी ने उसका स्वागत किया परन्तु स्वागत का प्रकट रूप भिन्न-भिन्न था। दादा ने कुछ न कह केवल सिर हिला दिया, जिसका अर्थ था—तुम आये तो!

अखिल ने चमकते नेत्रों से उसकी ओर देखकर कहा, "ओह, यू हैव कम आफ्टर आल।" दूसरे बंगाली ने हँसकर बँगला में कहा, "एशो-एशो, हरीश!"

अखबार पढ़ने वाले ने किताब पढ़ने वाले की ओर देखकर कहा, "बी०एम० तो आशा छोड़ बैठे थे।"

बी०एम० ने दादा की ओर देखकर कहा, "चार बजे ट्रेन आ जाती है, आखिर इतना समय...?"

दादा ने अपनी आँखों की पुतलियाँ ऊपर उठा हरीश की ओर देखकर पूछा, "कहाँ थे तुम? आने के बाद तुम मिले क्यों नहीं? तुम्हें मालूम नहीं था, यहाँ नौ बजे पहुँच जाना चाहिये था?"

बी०एम० ने बंगाली साथी की ओर देखकर कहा, "ही विल गिव सम नाईस स्टोरी।"

हरीश बाँह टेककर बैठ गया था। इस फब्ती पर बिगड़ उसने क्रोध से कहा, ''तुम्हारा मतलब मैं सैर कर रहा था?''

दादा ने डाँटा, ''सीधी बात क्यों नहीं करते?''

हरीश ने दादा की ओर देखकर उत्तर दिया, ''इसने यह सीधी बात कही है?··· वह आपको नहीं सुनाई दी!···इसका मतलब है मैं बहाने बनाता हूँ?''

दादा चुप हो गये। बी०एम० और दादा को छोड़ शेष सब लोग कहने लगे, ''नो, नो, नो!''

दादा के समीप बैठे युवक ने हँसकर हरीश के कपड़ों की ओर संकेत कर कहा, ''अरे यह तुमने क्या स्वाँग बनाया है?''

दादा ने अपनी बात दुहरायी, ''पर तुम थे कहाँ इतनी देर?''

''अभी स्टेशन से आ रहा हूँ दादा!'' हरीश ने उत्तर दिया।

अखबार पढ़ने वाले युवक ने विस्मय से पूछा, ''परन्तु इस समय ट्रेन कौन-सी आती है?''

हरीश बोला, ''सवारी गाड़ी से नहीं आया हूँ। अली, तुम जानते हो उस स्टेशन पर गाड़ी चढ़ना मेरे लिये कितना मुश्किल है! मैंने मालूम कर लिया था रात सवा दो बजे एक मालगाड़ी मोगलसराय के लिये चलने वाली थी। उसमें आधे से अधिक कोयले के खाली ट्रक थे। यह कपड़े पहन लोको के रास्ते जा एक ट्रक में सो गया। मालगाड़ी जिस चाल से चलती है, तुम जानते ही हो? गाड़ी अभी ही पहुँची है; वह भी स्टेशन के आखीर में खड़ी हुई। वहाँ से उतरकर अभी आ रहा हूँ।''

...कारण सुन सबकी शिकायत दूर हो गयी। अखिल ने अपने साथी की ओर देख अनुमोदन किया, ''वाह, खूब अच्छा!''

अली ने पूछा, ''कमबख्त, रात जाड़ा नहीं लगा?''

''हड्डियाँ अकड़ गयीं।'' हरीश ने कहा, ''लेकिन उतना नहीं जितना पुलिस की नजर पढ़ने से लगता है।''

दादा के साथ बैठा युवक बोला, ''अली, हितोपदेश की वह कहानी पढ़ी है? एक गीदड़ शहर में घुस गया था। कुत्तों के डर के मारे वह भागता हुआ रंगरेज के नीले रंग के कूँड़े में गिर पड़ा। बाहर निकला तो वह हो गया नीला। जंगल के जानवरों ने देखा तो घबराये और लगे उसके सामने सिर झुकाने और वह गीदड़ जंगल का राजा बन गया।''

बी०एम० ने खुश होकर कहा, ''हेयर, हेयर!''

दादा ने अपने साथ बैठे युवक की ओर देखकर डाँटा, ''जीवन, तुम बाज नहीं आओगे?''

जीवन ने कुछ शरमाकर हरीश की ओर देखकर कहा, ''दादा, मेरा कुछ दूसरा मतलब नहीं था; क्यों हरीश?''

अली ने अपनी जाँघ पर हाथ मारकर कहा—''इसमें क्या शक! हरीश पुलिस के जानवरों को डरा आया है, लेकिन अब उसके साथ के गीदड़ ह्वाँ-ह्वाँ करने लगें तब? साथियों के साथ तो उसे भी बोलना पड़ेगा।'' कहकर वह हँस दिया। अली, जीवन और

हरीश ने एक-दूसरे की तरफ देखकर मुस्करा दिया। बी०एम० ने भी जरा होंठ घुमाकर मुस्कराहट का अभिनय किया। अन्य लोग शायद समझे नहीं या उन्होंने ध्यान नहीं दिया।

अखिल ने कहा, "नाउ कामरेड्स, लेट अस कम टू द पायंट।"

दादा बोले, "हाँ"'लेकिन कुछ जरूरी बातों का फैसला आगे का काम निश्चित करने से पहले कर लेना होगा। उन बातों का ठीक निश्चय किये बिना हम लोग एक किसी गम्भीर काम को कर नहीं सकेंगे।" दादा बहुत शान्ति से अपनी बात कहने की चेष्टा कर रहे थे, परन्तु मन में दबी उत्तेजना के कारण उनके नथुनों और स्वर का कंपन प्रकट हो आता था।

दादा की बात सुनकर, उनके रवैये को देख दोनों बंगाली साथियों ने कुछ समझ पाने की चेष्टा में अपने चारों ओर देखा। अपनी बात समाप्त कर दादा सामने की दीवार की ओर देखने लगे। उनके चेहरे पर भावों का संघर्ष अब भी प्रकट था। हरीश विस्मय से दादा के मुख की ओर, जीवन अपनी उँगलियों के नाखूनों की ओर, बी०एम० अपनी पुस्तक की ओर और अली बी०एम० की ओर देख रहा था।

घर-बार का वैराग्य, साम्राज्यशाही शक्ति का विरोध, देश द्वारा उपेक्षा, प्राणों का निरंतर भय और प्राणों की बाजी लगाकर देश के लिये कुछ कर जाने की उमंग—यह साझी भावनायें जिन क्रांतिकारियों को उद्देश्य की एकता और मित्रता के गूढ़ बन्धन में बाँधकर एक किये हुए थीं, जिस स्नेह और सहानुभूति के मुकाबिले में एक पेट से उत्पन्न भाइयों और प्रणयान्ध प्रेमियों का प्रेम भी पीछे रह जाता है, विश्वास से उस सरल बन्धन में कुछ ऐंठ आ गयी थी। इस भावना के प्रकट होने से प्रत्येक व्यक्ति अपनी-अपनी स्थिति अस्थिर और अरक्षित समझ रहा था। कुछ क्षण के लिये एक भयावह सन्नाटा-सा छा गया जैसा कि अत्यन्त शोकपूर्ण समाचार के सहसा सुन लेने से हो जाता है।

कुछ भी न समझ अखिल ने दबे स्वर में पूछा, "क्या मतलब है?"

उसका कुछ उत्तर दिये बिना ही दादा ने बी०एम० को सम्बोधन किया, "बोलो!"

अपनी उँगली के नाखून को दाँत से काटते हुए बी०एम० ने कहा—"आप ही कहिये, आप सब कुछ जानते हैं।" केवल जीवन को छोड़कर और सब लोग बी०एम० की ओर देख रहे थे। उनकी तीव्र दृष्टि वह अपने चेहरे पर अनुभव कर रहा था।

दृष्टि नीचे किये ही बी०एम० को संबोधन कर, अपनी उत्तेजना को रोकते हुए दादा ने फिर कहा, "तुम कहते क्यों नहीं हो जी; आखिर बात का फैसला कैसे होगा?"

झिझकते हुए स्वर में बी०एम० ने उत्तर दिया, "मेरा कोई पर्सनल मामला तो है नहीं!"

"लेकिन तुम्हीं को तो सब बात का पता लगा है।" दादा ने कहा।

साहस एकत्र कर बी०एम० ने उत्तर दिया, "परन्तु जानते आप भी हैं!" जीवन और अली की ओर हाथ में पकड़ी पुस्तक से संकेत कर उसने कहा, "यह भी जानते हैं।"

दादा के होंठ फड़क उठे। वे कुछ कहना ही चाहते थे कि जीवन ने आर्द्र स्वर में कहा, "मैं ही कहे देता हूँ दादा!"

क्षोभ का निश्वास ले, अपनी शून्य दृष्टि फर्श की ओर किये दादा ने मानों मुक्ति पाकर कहा, "कहो!"

कंठ की आर्द्रता सँभालने के लिए उँगलियों से चटाई पर लकीरें खींचते हुए जीवन ने कहना शुरू किया—"बात यह है, दादा के पास कुछ शिकायतें पहुँची हैं। उन्हें आपके सामने रख देना जरूरी है। यदि हमारे साथी पार्टी के अनुशासन और उद्देश्य के विरुद्ध काम करने लगेंगे और अपनी-अपनी पार्टी अलग बनाने का यत्न करेंगे तो पार्टी कैसे चल सकती है और हम बिना कुछ किये व्यर्थ ही मारे जायेंगे।"

जीवन की कातर मुद्रा और इस भूमिका से खपरैल की छत से छायी उस कच्ची कोठरी का वातावरण आशंका से और भी गम्भीर हो गया। दादा की दृष्टि मोमबत्ती की लौ पर स्थिर थी। उसका प्रतिबिम्ब उनकी आँखों की पुतलियों में नाच रहा था। मन की जिस उत्तेजना को वे दबाये बैठे थे, उससे आँखों का श्वेत भाग गुलाबी हो गया; मानों दूर क्षितिज पर कहीं अग्नि का विभ्राट हो जाने से रक्तिमा छाये आकाश में अग्नि की क्षीण लपट दिखाई दे रही हो। शेष सभी व्यक्ति जीवन के झुके हुए चेहरे और सजल नेत्रों की ओर देख रहे थे।

कठिन कर्त्तव्य के बोझ से साँस लेने के लिये वह कुछ क्षण रुका और उसने कहना शुरू किया, "···बात हरीश के बारे में है।" यह शब्द विशेष कठिनाई से उसके मुँह से निकले, "शिकायत यह है कि वह पार्टी के विरुद्ध कार्य कर रहा है। पार्टी को सहायता देने की अपेक्षा वह लोगों को कांग्रेस के काम में और खासतौर पर कम्युनिस्टों के काम में सहायता देने का परामर्श दे रहा है। जो लोग पार्टी के गुप्त कार्य में सहायक हो सकते हैं, उन्हें वह कांग्रेस के आन्दोलन में या दूसरे सार्वजनिक काम में भाग लेने को कहकर पार्टी से दूर रखना चाहता है। पार्टी इस समय आर्थिक संकट में है। हमारे कुछ आदमी कई स्थानों पर रुके हुए हैं। किराया वगैरह न होने की वजह से उन्हें संकट के स्थानों से निकालकर दूसरी जगह नहीं भेजा जा सकता। कई-कई दिन से वे दो-दो पैसे के चबेने पर निर्वाह कर रहे हैं। हरीश को अमृतसर में एक डकैती का प्लैन देकर प्रबन्ध करने के लिये कहा गया था, परन्तु कहा जाता है, उसने जानबूझकर उसे टाल दिया। इसके अलावा यह शिकायत है कि वह पार्टी का रुपया बर्बाद करता है। वह कीमती कपड़े पहनता है, बड़े-बड़े होटलों में खाना खाता है, शराब पीता है, मोटरों में घूमता है, बदनाम लड़कियों से उसकी नाजायज दोस्ती है।"

दादा ने टोककर कहा, "साफ-साफ क्यों नहीं कहते।"

जीवन ने कुछ संकोच से कहा, "शिकायत है कि एक लड़की, जो पार्टी को सहायता देती आयी है और जो पार्टी के काम के लिये घर छोड़कर आना चाहती थी, उसे हरीश ने केवल अपनी प्रेमिका बनाये रखने के लिये पार्टी के दूसरे लोगों से मिलने और घर छोड़ने के लिये मना कर दिया है। वह लोगों को यह समझाता है कि पार्टी का काम व्यर्थ है और पार्टी के दूसरे मेम्बर मूर्ख हैं···वे कुछ नहीं समझते। दादा और दूसरे मेम्बर कुछ पढ़े-लिखे नहीं, वे कुछ स्टडी नहीं करते···पार्टी का काम दूसरे ढंग से होना चाहिये।"

जीवन चुप हो गया। एक दफे अपनी आँखें पोंछ जेब से रुमाल निकाल उसने नाक भी साफ किया। उसकी आँखों से आँसू नहीं टपके थे, परन्तु वे लाल हो रही थीं।

जीवन की बात समाप्त हो जाने पर सभी उपस्थित व्यक्ति बिलकुल स्तब्ध रह गये। दादा अपनी आँखें मोमबत्ती की ओर से हटाकर उपस्थित लोगों के बीच फर्श की ओर देखते हुए चुप रहे।

हरीश ने अनुभव किया, सब लोग उसके उत्तर की प्रतीक्षा में हैं। विस्मय और आशंका से उसका रोम-रोम सतर्क था। उसने दादा से आँखें झुकाये चेहरे की ओर देखते हुए कहा, "मुझे आश्चर्य है कि फरेब का इतना विकट जाल रचकर आप लोगों के सामने रखा गया है।" उसकी बात से अली और दोनों बंगालियों को विशेष संतोष हुआ। दादा और बी०एम० के चेहरे पर कोई परिवर्तन दिखाई न दिया। जीवन के कुछ अधिक सुनने की आशा से उसकी ओर देखा।

हरीश ने फिर कहा, "कुछ बातों में मेरी राय दूसरी हो सकती है और उस विषय में हम लोग यहाँ विचार कर सकते हैं, परन्तु यह कहना कि मैं पार्टी से लोगों की सहानुभूति हटाता हूँ या अपनी पार्टी अलग बनाने की चेष्टा कर रहा हूँ या पार्टी के दूसरे मेम्बरों को मूर्ख बताता हूँ, सरासर गलत है। पार्टी का रुपया बर्बाद करने या दुश्चरित्र होने का लांछन मुझ पर लगाये गये हैं। अगर यह शिकायतें ईर्ष्या के कारण हैं तो इनका कोई इलाज नहीं। यदि इनका कारण गलतफहमी है, तो यह जरूर दूर हो सकती है। पहला इलजाम यह है कि मैं अच्छे कपड़े पहनता हूँ। उसके लिये स्पष्ट बात यह है कि मुझे जिस तरह के समाज में जाना होगा, उसी तरह की पोशाक मुझे पहननी होगी वर्ना मैं उन आदमियों से मिल नहीं सकता। सूट पहनकर मैं मालगाड़ी में नहीं आ सकता था और न यह कुलियों के नीले कपड़े पहनकर मैं भले आदमियों के बीच जा सकता हूँ।"

अखिल ने दादा और दूसरे साथियों की ओर देखकर संतोष से अपना घुटना हिलाते हुए कहा, "यस, दैटिज राइट, ठीक है।"

"और फिर," हरीश बोला, "इन बातों पर खर्च भी मैं पार्टी का रुपया नहीं करता। मेरे अपने निजी परिचित हैं, जिनसे मैं आवश्यक खर्च ले सकता हूँ।"

बी०एम० ने दादा की ओर देखकर पूछा, "पार्टी के मेम्बर के निजी परिचित का क्या अर्थ है? पब्लिक की सहानुभूति यदि किसी मेम्बर के प्रति है तो वह पार्टी के काम की वजह से है। पार्टी में सबको एक जैसी सुविधा होनी चाहिये।"

हरीश के स्वर में तेजी आ गई, "मैं इन सब बातों को समझता हूँ, लेकिन कपड़ों को कपड़ों की खातिर नहीं पहना जाता। यदि पार्टी के किसी दूसरे मेम्बर को उन कपड़ों की जरूरत हो, वह उनका व्यवहार कर सकते हैं। मैं वे कपड़े उसे दे देने को तैयार हूँ। अब यदि किसी आदमी से मैं मिलना चाहता हूँ··· वह आदमी मुझे किसी होटल में निमंत्रण देता है तो क्या मैं उसे यह कह दूँ, मैं क्रांतिकारी फरार व्यक्ति हूँ, मुझसे आप अंधेरी रात में वृक्ष के नीचे मिलिये? वरना जब कि परिचय पहले दिये बिना मुझे उसके विचारों पर प्रभाव डालना है और फिर होटल का खर्च भी उसी व्यक्ति के सिर पड़ता है तो इसमें पार्टी का क्या नुकसान है···?"

अली और दूसरे आदमियों ने स्वीकृति के संकेत से समर्थन किया। बी०एम० ने पूछा, "नवम्बर के महीने में निशात होटल की पार्टियों में कितना खर्च हुआ?"

हरीश इस समय तक चिढ़ गया था। उसने कहा, "फैक्टरी की बात जनाब यह है··· जब आप तीन आदमियों से दिन भर पिक्रिक एसिड और गनकाटन बनाने को कहेंगे; जब तीखी गैस से उन्हें दिन भर उल्टियाँ आती रहेंगी और उनका सिर चकराता रहेगा; उनके हाथों में पिक्रिक एसिड इतना रच जाय कि वे जिस चीज को छुयें वह कड़वी हो जाय; जब उन्हें अपने आपको सँभालने का होश न हो, उस समय यदि वे अपना पेट भरने के

लिये और दिमाग ताजा करने के लिये, होटल में जाकर आमलेट और आइसक्रीम खा लें और वे दोषी समझे जायें तो मैं कुछ कह नहीं सकता। बाकी रहा प्रेमिका बनाने के लिए लड़की को दूसरों से न मिलने देना, यह बिलकुल बकवास है। कोई किसी से न मिलना चाहे तो मैं जबर्दस्ती किसी को गले नहीं बाँध दे सकता। यह अपना-अपना व्यवहार है। किसी का व्यवहार दूसरे को पसन्द नहीं आता तो उसके लिए मैं क्या कर सकता हूँ? और यदि मैं समझता हूँ, कोई लड़की घर छोड़ने के बजाय हमारे काम को घर पर रहकर अधिक अच्छी तरह कर सकती है तो उसे वहीं रहने दिया जाए न कि अपने शौक के लिये उसे साथ लिये फिरा जाए।

"जिस लड़की का जिक्र है, मैं जानता हूँ, वह अपनी जगह पर ही अधिक उपयोगी हो सकती है। यदि वह वहाँ से आकर अधिक उपयोगी हो सकती तो दूसरी बात थी। शेष रहा काम के तरीके की बाबत—मैं समझता हूँ। हमें उस पर फिर विचार करना चाहिये। अब तक हमारी अधिकतर शक्ति डकैतियाँ करने में और कुछ राजनैतिक हत्याओं में व्यय हुई हैं, परन्तु हमारा उद्देश्य तो यही नहीं। हमारा उद्देश्य तो है, इस देश का शोषण समाप्त कर उनके लिये आत्म-निर्णय का अधिकार प्राप्त करना। स्वराज्य का अर्थ आखिर है क्या? अब तक हमारा सम्पूर्ण प्रयत्न रहा है गुप्त समितियाँ बनाने में। जनता से दूर, गुफाओं और तहखानों में बन्द रहकर हम न तो जनता का सहयोग पा सकते हैं और न उनका नेतृत्व कर सकते हैं। यह पिस्तौल, रिवाल्वर और बम एक तरह से हमारी क्रान्ति के मार्ग की रुकावट नहीं बन रहे, बल्कि वह हमें खाये जा रहे हैं···! हमारी सम्पूर्ण शक्ति समाप्त हो जाती है एक डकैती करने में, ताकि हम और हथियार प्राप्त कर सकें या एक राजनैतिक हत्या कर सकें। इस डकैती से हमें क्या मिलता है? जनता की सहानुभूति खो देते हैं। एक डकैती या एक हत्या के बाद कुछ न कुछ आदमी जरूर पकड़े जाते हैं और हमारा शीराजा बिखर जाता है। हम सौ-पचास आदमी तो स्वराज्य ले नहीं सकते। स्वराज्य तो जनता का संयुक्त प्रयत्न ही ला सकता है और हम जनता से इतनी दूर हैं। कभी-कभी जनता हमारे नाम पर शाबाश कह देती है मानों हम अच्छे कलाबाज या बाजीगर हों।···लीडर हमें गालियाँ देकर जनता को हमारे प्रभाव के दूर रखने का यत्न करते हैं।"

"तीस बरस से हम और हमारे साथी इस तरीके को आजमाते चले जा रहे हैं। हमने अनेक कुर्बानियाँ की हैं, लेकिन जनता तो जहाँ थी, वहीं है। जनता तक हमारी अप्रोच कहाँ है? हमें अपना टेक्नीक बदलना चाहिये···बजाय शहीद बन जाने के, अपने प्रयत्न के परिणाम की ओर ध्यान देना चाहिये। इसके लिये गहरी स्टडी की जरूरत है। हमें देखना चाहिये, रूस ने क्या किया?···हम अपने आदमियों के जरिये कांग्रेस में घुसकर और दूसरे जन-आन्दोलन के लिये कदम उठायें···।"

टोककर बी०एम० ने कहा, "यही तो बात है। आप क्रान्तिकारी पार्टी की ट्रेडीशन को बदलना चाहते हैं। सोशल और इकनामिक काम करने वाले तो और दूसरे कई संगठन हैं। क्रान्तिकारी पार्टी का काम है, राजनैतिक सशस्त्र विद्रोह! इसके खिलाफ लोगों को समझाना पार्टी को तोड़ना नहीं तो और क्या है?"

अखिल ने सिर हिलाकर कहा, "यह तो ठीक नहीं है। इट इज सीरियस।"

अली ने पूछा, "सो तो ठीक है, परन्तु पार्टी का उद्देश्य क्या है?"

हरीश ने जिस समय अपनी सफाई देनी शुरू की थी, उसने अनुभव किया था कि उपस्थित लोगों की सहानुभूति उसकी ओर है, परन्तु पार्टी के कार्यक्रम पर उसने जो कुछ कहा उससे साथियों का रुख बदलने लगा। उसने अपनी पूरी शक्ति से अपनी बात स्पष्ट की "इसका अर्थ पार्टी को तोड़ना नहीं है। यदि पार्टी अपने कार्यक्रम पर विचार करे तो क्या पार्टी टूट जायेगी? और फिर जनाब का कहना है कि मैं नयी पार्टी बना रहा हूँ। कहाँ है वह नयी पार्टी ..."

बी०एम० ने कहा, "असली बात तो है, मौजूदा पार्टी को तोड़ना। जब टूटेगी तो फिर दूसरी पार्टियाँ अपने आप बनती-बिगड़ती रहेंगी।" कुछ दूसरे लोग बोलना चाहते थे, परन्तु हरीश ने उत्तेजना से कहा, "यदि मैं पार्टी के लोगों को स्टडी करने और अपने कार्यक्रम के क्षेत्र पर विचार कर उसे बढ़ाने के लिए कहता हूँ तो यह पार्टी को तोड़ना है?"

अखिल, बी०एम० और अली तीनों ही बोलना चाहते थे, परन्तु दादा की ओर देख वे रुक गये। दादा ने अपनी आँखें फिर मोमबत्ती की ओर कर भर्राये हुए स्वर में कहा— "स्टडी और नये टेक्नीक की यह नयी-नयी बातें न मैं जानता हूँ और न मुझे इनसे मतलब है। इतने समय तक लड़कर मैंने निभाया है और आगे भी लड़ता रहूँगा। जीते जी मुझे कोई छू नहीं सकता—यह मैं जानता हूँ। कमाण्डरी का मुझे शौक नहीं है, न मैं कमाण्डर बनने के लिये पार्टी में आया था। आप ही लोगों ने यह बोझ मुझ पर डाला था। मैंने सदा सबकी सलाह से काम किया इसलिये मुझे मूर्ख और अनपढ़ कहा जाता है।... मैं अब अध्ययन करूँगा! मैं जानता हूँ मरना और मारना। इससे अधिक की मुझे फुर्सत नहीं। अब बड़े-बड़े बी०ए०, एम०ए० लोग पार्टी में आ गये हैं, यही काम चलायें... अपनी स्टडी करें और टेक्नीक चलायें...मुझे मुआफ कीजिये अब तक सबकी सलाह और अपनी समझ से मुझसे जो कुछ बना, किया...मुझे अब किसी से कुछ मतलब नहीं।" अपनी जेब में हाथ डालते हुए उन्होंने आगे कहा, "यह अपना एक पिस्तौल मैं जरूर अपने पास रखूँगा क्योंकि मुझे पुलिस के हाथ पड़ बंदरिया का नाचकर फाँसी के तख्ते पर नहीं झूलना है और बाकी जितनी चीजें (शस्त्र) हैं, उन सबका हिसाब मैं दिये देता हूँ। पार्टी के पैसे से चीजें खरीदी गई हैं पार्टी की हैं।...आये हैं मुझे स्टडी कराने और टेक्नीक बताने!"

दादा का क्रोध आँसुओं के रूप में उबल पड़ा। उन्होंने धोती के खूँट से अपनी आँखें पोंछ लीं। जो क्रोध शत्रु के सामने केवल उसका खून बहाकर ही शांत होता इस समय अपने साथी रूपी हाथों को अपने से जुदा होते देख, उसे अपनी ही निर्बलता समझ, अपनी गर्मी से स्वयं अपने आपको ही गलाये दे रहा था।

दादा की बात का प्रभाव क्या होगा, इसे हरीश खूब समझता था। सबसे अधिक घबराहट उसे इस बात से थी कि उसके अभिप्राय को बिलकुल उल्टा समझा जा रहा है। उसने साहस कर फिर कहा, "मुझे अफसोस है कि मेरा अभिप्राय गलत समझा जा रहा है। मैंने व्यक्तिगत रूप से आपके या किसी दूसरे साथी के विरुद्ध कोई बात कभी नहीं कही। मेरा मतलब यह नहीं कि कोई शिक्षित है या अशिक्षित। अध्ययन से मतलब मेरा अंग्रेजी की दस-पाँच किताबों से नहीं, बल्कि अपने उद्देश्य से है। उसी के लिये हमें बहुत कुछ सीखना है।"

दादा ने कुछ नहीं कहा। वे फिर जलती हुई मोमबत्ती की ओर देखने लगे, परन्तु अखिल ने दोनों हाथ फैलाकर अपनी भाषा की कठिनाई को संकेतों की सहायता से पूरा करने की चेष्टा करते हुए कहा, "क्रान्तिकारी को क्या सीखना?…बस सेक्रेफाइस! बस मरना सीखना, देश के वास्ते, मदरलैण्ड के वास्ते मरने को सीखना…खुद अपने हाथ से मरना सीखना…और बौत बात से जरूरत?"

दादा ने किसी की ओर न देख, सभी को सम्बोधन किया, "यह सब बहस आप फिर करते रहिये। मेहरबानी करके मुझे छुट्टी दीजिये। अपनी चीजों का चार्ज ले लीजिये…मुझे अब कुछ सीखना नहीं है।"

अली ने कहा, "दादा आप भी क्या कह रहे हैं?…आपके बिना पार्टी का अस्तित्व ही क्या? आप सबसे पुराने और अनुभवी हैं। आप ही को केन्द्र बनाकर हम लोग एकत्र हुए हैं…आप यह कैसी बातें कर रहे हैं?"

जीवन ने अपना स्वर सँभालते हुए कहा, "एक आदमी की राय से ही तो सब कुछ नहीं हो सकता—औरों की भी तो सुन लीजिये।"

दादा ने एक दीर्घ निश्वास ले उत्तर दिया, "अब मुझे और कुछ नहीं सुनना। जिस आदमी का इतना अधिक भरोसा था, जिसके साथ मौत का इतनी बार सामना किया, जब वही ऐसी बातें कर रहा है तो अब हम लोग किस तरह एक साथ चल सकते हैं… हरीश से कई बातों में मेरा मतभेद हुआ, हम कई दफे झगड़े परन्तु वह बात दूसरी थी। यह बात सिद्धान्त की है। उसे अब मुझ पर विश्वास नहीं है।" दादा ने फिर एक बार अपनी आँखें पोंछ लीं।

अली ने कुछ आगे बढ़कर कहा, "दादा, हरीश ने यह तो नहीं कहा कि उसे आप पर विश्वास नहीं? उसने तो पार्टी के सामने एक नया विचार रखा है। उसे हम चाहे स्वीकार करें या न करें।"

हरीश ने फिर कहा—"मैं केवल यह कहना चाहता हूँ कि उद्देश्य को ध्यान में रखकर आन्दोलनों को, अपने कार्यक्रम में परिवर्तन करना पड़ता है। रूस में भी पहले स्वतन्त्रता के आन्दोलन ने आतंकवादी कार्यों का रूप लिया था। उस समय रूस में आम जनता का आतंकवादियों के कार्यों से कोई सम्बन्ध नहीं था। लेनिन ने रूस के क्रांतिकारियों की इस कमजोरी को समझा। उसने क्रान्तिकारियों को अपनी शक्ति राजनैतिक हत्याओं में नष्ट न कर सर्वसाधारण जनता के जीवन के प्रश्नों को लेकर जनता में चेतना और अधिकार की भावना पैदा करने के लिये कहा।"

अखिल ने दोनों हाथ और सिर हिलाते हुए कहा, "नो नो; वी डोण्ट वांट दिस रशियन बौश—नहीं, यह कुछ नहीं माँगता!"

बी०एम० ने जोर से हँसकर कहा, "बाबू साहब! एक अंग्रेजों की गुलामी से अभी छूटे नहीं, ऊपर से रूस की गुलामी और लाद दें?"…जीवन की ओर उँगली के इशारे से उसने पूछा, "हाँ, टाइम क्या हुआ?"

जीवन ने अपनी कलाई की घड़ी की ओर देखकर उत्तर दिया, "डेढ़!"

अखिल ने चिन्ता से कहा, "तो टाइम जाता…अब फ्यूचर का काम का बात…।"

उसके मुँह की बात पकड़ बी०एम० ने कहा, "काम की बात कैसे; जब काम के बारे में राय ही नहीं मिलती तो काज की बात कैसे की जा सकती है? काम की बात तो

वही लोग करेंगे जिनकी राय मिलती हो। यदि आप पार्टी का कार्यक्रम बदलकर आगे बात करना चाहते हैं तो हम उठ जायें। दादा को भी उससे फिर कोई सरोकार न होगा। यदि पुराने ढंग पर ही काम करना है तो जिन्हें उस पर विश्वास नहीं, वे क्या करेंगे?''

कोठरी में फिर स्तब्धता छा गयी। हरीश के मस्तिष्क और हृदय पर आरी सी चल रही थी। इस प्रपंच की तह में उसे एक छलना, एक षड्यंत्र अनुभव हो रहा था, परन्तु वह जाल में फँस गया था। उसे तोड़ सकना उसके आत्म-सम्मान के लिये सम्भव न था। गले में उमड़ आये आँसुओं को पी, आँखें झुकाये उसने पूछा, ''तो फिर क्या मैं चला जाऊँ?''

किसी ओर से कोई उत्तर न मिला। सभी लोग एक-दूसरे की दृष्टि बचा इधर-उधर देख रहे थे। बहुत देर तक कोई शब्द सुनाई न दिया। फिर जीवन का कातर और तरल शब्द सुनाई दिया, ''यदि तुम्हें इस कार्यक्रम में विश्वास नहीं···तो उसमें तन-मन से सहयोग कैसे दे सकोगे?''

गम्भीर परिणाम का विचार कर अली ने तुरन्त कहा, ''लेकिन फिलहाल तो तुम पार्टी के कार्यक्रम में सहयोग दोगे न!''

बेबसी के स्वर में हरीश ने उत्तर दिया, ''दे ही रहा हूँ।''

उत्साह की भावना से दोनों बंगालियों और जीवन ने हरीश की ओर देखा। स्वयं उसे भी अनुभव हुआ मानों भयंकर संकट टल गया। उसी समय बी०एम० ने दादा की ओर देखकर कहा, ''डकैती में भाग लोगे?''

आतुर परन्तु दृढ़ स्वर में हरीश बोला—''उसके विरुद्ध हूँ···उससे पार्टी के उद्देश्य को हानि पहुँचती है।''

दादा की ओर ही देखते हुए बी०एम० ने पूछा, ''फिर?''

दो अक्षर के इस शब्द ने एक अनिवार्य दुखान्त परिणाम सभी के सामने लाकर खड़ा कर दिया। दादा निश्चल थे। जीवन ने एक लम्बी साँस ली। अली चुप रह गया। अखिल ने सिर हिलाकर कहा, ''नो होप, कोई उपाय नहीं!'' और उसके साथी ने सिर हिला दिया।

फिर वही निस्तब्धता। कोई और उपाय न देख हरीश ने सिर झुकाये हुए कहा, ''जैसे आपका निश्चय···यदि कभी जरूरत हो तो मैं फिर हाजिर होऊँगा।'' ओठों को दाँतों से दबाये, आँख में आये आँसुओं को छिपाने के लिए सहसा खड़े हो, वह जीने की राह नीचे उतर गया।

हरीश दाँतों से ओठों को दबाये चला जा रहा था। उसे भय था, हृदय का क्षोभ आँखों की राह न बरस पड़े। उसका सिर अप्रत्याशित आघात से चकरा गया था। वह चला जा रहा था, बिना कुछ समझे-बूझे उसी राह, जिस राह वह स्टेशन से आया था। जिस प्रकार सवारी का घोड़ा परिचित अभ्यस्त राह पर चलता चला जाता है उसी तरह हरीश के पैर भी परिचित राह पर उठते जा रहे थे। गली लाँघकर वह सूने बाजार में पहुँचा और चलता गया।

जोर की एक डाँट सुन उसने पीछे घूमकर देखा—लाल पगड़ी और लम्बा ढीला-ढाला बरान कोट। पुलिस का सिपाही था।

सिपाही ने माँ-बहिन की वजनी गालियाँ देकर, क्रोध और अधिकार के स्वर में पूछा, ''कहाँ घूम रहा है?''

परिस्थिति के अनुसार हरीश ने उत्तर दिया, ''कहीं नहीं हुजूर!'' उसकी आवाज भय से काँप रही थी।

''यहाँ कहाँ···ठेके पर गया था क्या?'' सिपाही ने डाँटा।

हरीश के मुख से निकला, ''हुजूर!''

''अबे साले पीकर आया है?''

''नहीं हुजूर!''

''तो फिर माँ की···गया था।'' सिपाही ने बहुत ही बेहूदा शब्दों का प्रयोग किया, जिन्हें सुनकर कोई भी भद्र पुरुष आपे से बाहर हो जाता।

हरीश इस समय भद्र पुरुष नहीं था। वह शराबी कुली और अपराधी की अवस्था में था। उसने गिड़गिड़ाकर काँपते हुए स्वर में कहा, ''हुजूर!''

''चल थाने!'' सिपाही ने धमकाया, ''साले पीकर रात में सेंध लगाने की फिकर में फिर रहा है।''

हरीश ने फिर गिड़गिड़ाकर उत्तर दिया, ''नहीं हुजूर, गरीब-कुली आदमी···अपने घर जा रहा हूँ!''

नित्य इसी प्रकार की विनय सुनते-सुनते सिपाही का हृदय पत्थर हो चुका था, ''रात दो बजे गरीब आदमी गलियों में नहीं फिरा करते! फिरते हैं या तो तमाशबीन या चोर! क्या है तेरे पास···दिखा!''

हरीश की कमर में पिस्तौल था। दिखाई दे जाने पर वह और मुसीबत में फँस जाता। भय से एक कदम पीछे हट अपना कम्बल झाड़ते हुए उसने कहा, ''हुजूर, कुछ भी नहीं है मेरे पास···सिरफ सत्रह आने हैं। ठेके पर गया था सो बन्द पाया।''

''कुछ नहीं है तो चल थाने!'' सिपाही ने क्रोध प्रकट किया और उसे ले एक ओर चल दिया। हरीश दुविधा में क्षमा के लिये खुशामद करता हुआ सिपाही के पीछे चला जा रहा था।

सिपाही कहे जा रहे थे, ''तुम ऐसे ही हमारे ससुर लगते हो न जो तुम्हें घर जाने दें। सभी तो तुम्हारे ऐसे हैं। सभी को छोड़ दें तो चालान क्या अपने ससुर का करें!''

सामने से साइकिल पर रौंद की ड्यूटी का दूसरा सिपाही आ गया। हरीश मन में पछता रहा था, अकेले से छुट्टी पा जाता तो भला था। यहाँ दो हो गये। दोनों सिपाहियों में दुआ-सलाम हुआ। साइकिल वाले ने पूछा, ''क्या है?''

पैदल सिपाही ने हरीश की तरफ इशारा कर कहा, ''यह साला इस वक्त जाने किस फिराक में यहाँ घूम रहा था। इसे थाने लिये जा रहा हूँ।''

साइकिल वाले सिपाही ने कहा, ''चलो यही सही, कुछ कारगुजारी हुई।''

अपनी साइकिल पैदल सिपाही की ओर बढ़ाकर उसने कहा, ''जरा इसे पकड़ो बशीर!''

बशीर ने साथी का मतलब समझ, हरीश की ओर देख हुकुम दिया, ''पकड़ बे साइकिल, खड़ा क्या देखता है?'' और अपने साथी सिपाही से बोला, ''पंडित, तनिक माचिस तो दो! साली बड़ी सरदी है, बीड़ी सुलगायें।''

पंडित सिपाही ने बायें हाथ से जेब से माचिस निकाल बशीर को दी और दायें हाथ से जनेऊ कान पर चढ़ाते हुए नाली की ओर बढ़ गया।

बशीर माचिस जला बीड़ी से कश खींच रहा था। हरीश ने साइकिल बिजली के खम्भे से सटाकर, अपनी पूरी शक्ति से बशीर को दूसरे सिपाही पर ढकेल दिया और साइकिल ले तेजी से दौड़ चला। अभी बिजली का एक खम्भा ही उसने पार किया था कि सिपाही की सीटी की तीखी आवाज उसके कान में पड़ी। वह समीप ही गली में घूम गया। उस गली में दूसरी में, फिर तीसरी में। वह अंधाधुन्ध चला जा रहा था। सामने फिर सड़क आ गई। बिजली के खम्भे के नीचे फिर एक सिपाही लाल पगड़ी और बरान कोट पहने, हाथ में सीटी लिये सतर्कता से खड़ा था। साइकिल को बहुत धीमाकर वह सीधा सिपाही के ही पास जा पहुँचा।

''सलाम, हवलदार साहब! यह सीटी कैसी बज रही है हुजूर?'' उसने सिपाही से पूछा।

सिपाही ने उसकी ओर देखे बिना ही उत्तर दिया, ''जाने, इधर दक्खिन से बज रही है।''

''हम तो डर गये।'' हरीश ने तकल्लुफ की हँसी हँसते हुए कहा, ''कहीं दंगा हो गया क्या?''

''तुम कहाँ जा रहे हो?'' सिपाही ने पूछा।

''यही 'एट डाउन' पर जा रहा हूँ, इंजन पर ड्यूटी है। तीन बजे कलकत्ते की छूटती है न! आदाब अर्ज हुजूर!''

''आदाब!'' सिपाही ने मुँह फेर लिया।

हरीश फिर स्टेशन पर पहुँच गया। साइकिल एक ओर छोड़ दी। इलाहाबाद की गाड़ी छूट रही थी। वह उसी में बैठ गया।

हरीश के उस कोठरी से चले जाने के बाद फिर निराशा और निरुत्साह की स्तब्धता छा गयी, जिसे फिर अखिल ने ही तोड़ा। दोनों हाथों की मुट्ठियों को दृढ़ता से दोनों बंगलों में दबाते हुए दादा की ओर देख उसने कहा, ''तो अब?''

दादा ने गर्दन हिलाकर फर्श की ओर देखते हुए उत्तर दिया, ''अब आप केन्द्र का यह चार्ज किसी दूसरे आदमी को दीजिये! मुझसे यह सब बखेड़ा नहीं होता। मुझे जो काम दिया जायेगा, उसे पूरा करूँगा, नहीं तो अकेले किसी पहाड़ पर निकल जाऊँगा। मैं सिपाही आदमी हूँ⋯मुझे इन बहस-मुबाहिसों से काम नहीं।''

उनकी इस बात को किसी ने भी स्वीकार न किया। बी०एम० ने शेष साथियों की ओर देखते हुए कहा, ''जिसे आपके इन्चार्ज होने पर आपत्ति थी, वह चला गया। अब आप ऐसी बात क्यों कहते हैं?''

सभी ने फिर दृढ़ता से ''नो, नो'' कहा और सिर हिलाकर बी०एम० की बात का समर्थन किया। अली ने एक गहरी साँस ली। शायद वह कुछ कहना चाहता था, परन्तु फिर उसे अनावश्यक समझे बिना कहे ही साँस छोड़कर सिर झुका लिया।

अखिल चिंता से मुक्ति के संकेत में सिर हिलाकर बोला, ''तो अब···?''

''बी०एम० ने अपने हाथ में थमी किताब की जिल्द पर नाखून से लकीर खींचते हुए कहा, ''आगे का कार्यक्रम निश्चित करने से पहले जरूरी यह है कि वर्तमान स्थिति को सँभाल लिया जाय। जब पार्टी का एक मेम्बर ऐसा हो जो एक प्रान्त भर का इंचार्ज हो, पार्टी में जिसकी खास स्थिति हो, पार्टी के सभी ऐक्शनों से जो परिचित हो, जिसके पीछे दो एक खास ऐक्शनों में भाग लेने का सेहरा हो, जो अपनी पार्टी अलग बनाने का प्रयत्न कर रहा हो, दादा को मूर्ख और निकम्मा बताकर जो प्रान्त के मेम्बरों का कनेक्शन केवल अपने तक ही रख रहा हो, पार्टी के नाम पर जिसने काफी रुपया इकट्ठा कर लिया हो, वह पार्टी को कितना नुकसान पहुँचा सकता है?···सबसे बड़ी बात तो यह है कि लड़कियों से उसने जो सम्बन्ध बना रखे हैं, उनका परिणाम क्या होगा? क्या हम गर्भपात की दवाइयों का इंतजाम करते फिरेंगे? अब तक क्रांतिकारियों के विरुद्ध चाहे जो कुछ कहा जाता रहा हो परन्तु उनके चरित्र पर किसी ने संदेह नहीं किया था और फिर जो रुपया पार्टी के नाम पर ले-लेकर उड़ाया जाता है, उसके लिये जवाबदेही किसके सिर है? पंजाब में हम जिससे जाकर रुपये की बात करते हैं वह यही कहता है—हरीश ले गया! कम से कम पंजाब तो हमारे हाथ से गया। वहाँ तो पार्टी की ओर से मुख दिखाने लायक हम नहीं रहे। आगे और कदम बढ़ाने से पहले आप इस बात को सोच लीजिये। जब तक इसका उपाय न हो, हम पंजाब में कुछ नहीं कर सकते।''

अखिल के साथी बंगाली ने गम्भीर स्वर में कहा, ''बट पंजाब इज वेरी इम्पार्टेण्ट!''

अली ने बी०एम० की ओर देखकर कहा, ''तुम्हारा मतलब क्या है, हरीश को शूट कर दिया जाय!''

अली की बात से सभी चौंक उठे। केवल दादा निश्चल बने रहे।

बी०एम० ने कहा, ''निश्चय आप लोगों को करना है। स्थिति जो है, मैंने आपके सामने रखी है।''

अली ने बी०एम० की ओर देखते हुए कहा, ''लेकिन अब तक उसने क्या किया है, उसका कितना प्रभाव है, यह आपको मालूम है?''

''यदि आप उसे पार्टी से अधिक महत्त्व देते हैं तो दूसरी बात है,'' बी०एम० ने उत्तर दिया।

''नो, नो नोबोडी इज ग्रेटर दैन पार्टी,'' अखिल ने सिर उठाकर दृढ़ स्वर में कहा।

अपने नाखूनों की ओर देखते हुए जीवन बोला, ''लेकिन अब तो वह पार्टी के नाम पर काम नहीं कर रहा।''

''परन्तु उसका रुख पार्टी से उदासीन नहीं। वह पार्टी के क्षेत्र पर कब्जा कर रहा है।'' बी०एम० ने उत्तर दिया।

अखिल ने सिर हिलाकर कहा, ''शूट हिम।'' उसके साथी ने समर्थन किया, ''यस!''

अली ने पूछा, "केवल मतभेद को इतना उग्र रूप देना क्या उचित है? जो कुछ बी०एम० ने रुपये या लड़कियों आदि की बाबत कहा है, वह ठीक हो सकता है, परन्तु दादा, आप एक बार उधर जाकर स्वयं देख क्यों नहीं आते?"

बी०एम० ने कहा, "दादा को पंजाब ले जाने की जिम्मेदारी मैं नहीं लेता। जिस हालत में वह यहाँ से भाग गया है⋯सब कनेक्शन उसके पास हैं।"

दादा ने अपनी मूँछें दाँत से काटते हुए सिर ऊँचाकर कहा, "देखूँगा, मुझ पर कौन हाथ उठाता है। मैं जाऊँगा⋯हरीश⋯ऐश बुरी चीज है। यह लड़कियों का झगड़ा!⋯ सन् सत्रह में भी एक दफे ऐसा हो चुका है!"

अखिल ने कहा, "नहीं यह कुछ नहीं, अपना आदमी का हमको एतबार करना है। शूट हिम।" उसके साथी ने भी समर्थन किया, "यस-यस!"

दादा ने सुझाया, "यह बहुत गम्भीर मामला है।"

बी०एम० ने पूछा, "आपका मतलब⋯इसमें भय है।"

दादा ने उसकी ओर घूरकर कहा—"भय नहीं, मैं किसी की परवाह नहीं करता लेकिन अब निश्चय करोगे तो करना होगा।"

अखिल और उसके साथी ने फिर जोर दिया—"यस-यस।"

"तुम क्या कहते हो जीवन?" दादा ने पूछा।

"जो आप कहें।"

"मैं कुछ नहीं कहता, अपना वोट दो!"

जीवन ने उत्तर दिया, "जो पार्टी कहे।"

"पार्टी तुम्हारे सामने है।" दादा झुंझला उठे। उन्होंने बी०एम० की ओर देखा।

उसने उत्तर दिया, "शूट!"

अखिल के साथी ने कहा, "यस, शूट।"

जीवन ने सिर उठाये बिना ही कहा, "यस, शूट।"

दादा के आगे अली था। उसने दादा की ओर देखकर कहा, "मैजोरिटी का निर्णय मंजूर है।"

कुछ देर चुप रहकर दादा ने कहा, "वह पंजाब जायेगा।" फिर बी०एम० की ओर देखकर उन्होंने पूछा, "तुम्हें दूसरा आदमी कौन चाहिये?"

"जीवन!" बी०एम० ने उत्तर दिया।

जीवन की ओर देखकर दादा ने पूछा, "मंजूर है?"

"हाँ!" जीवन ने आँखें उठाकर कहा।

●

मजदूर का घर

हरिद्वार पैसेंजर लाहौर स्टेशन पर आकर रुकी। मुसाफिर प्लेटफार्म पर उतरने लगे। रेलवे वर्कशाप का एक कुली, कम्बल ओढ़े और हाथ में दो औजार लिये, लाइन की तरफ उतर गया। गलत रास्ते से आदमी को जाते देख एक सिपाही ने टोका, "अरे, कहाँ जाता है··· टिकट दिखाओ?"

कुली ने लौट, गिड़गिड़ाते हुए टिकट दिखा दिया।

"यह रास्ता है?···इधर कहाँ जाता है?" सिपाही ने फिर सवाल किया।

"हुजूर, इधर से क्वार्टरों को निकल जाऊँगा। उधर लम्बा चक्कर पड़ेगा।"

सिपाही लौट आया और कुली एक गजल—

सोजे गम हार निहानी देखते जाना
किसी की खाक में मिलती जवानी देखते जाना

गाता हुआ रेल का अहाता लाँघ, स्टेशन के पिछवाड़े कारखानों के बीच से मुड़ती हुई सड़कों पर चलने लगा।

दिसम्बर के दिन, लाहौर की सर्दी! कोहरे और धुएँ से छाई सड़कों पर बिजली की रोशनी में कठिनाई से केवल कुछ गज दूर तक ही दिखाई दे पाता था। धुआँ आँखों को काटे डाल रहा था। बिजली के लैम्पों के नीचे धुएँ और कोहरे से भरी हवा में प्रकाश की किरणें, छोलदारियों के रूप में कुछ दूर तक फैलकर समाप्त हो जातीं। युवक कुली गुनगुनाता चला जा रहा था। अँधेरे मोड़ों पर पहुँच, वह घूमकर सड़क पर जहाँ-तहाँ फैले प्रकाश की ओर नजर दौड़ा लेता। मिल के क्वार्टरों के समीप पहुँच वह बीड़ी सुलगाने के लिये खड़ा हो गया और कुछ देर पीछे की ओर देखता रहा। किसी को पीछे आते न देख, वह क्वार्टरों की लाइन में घुस गया।

युवक एक क्वार्टर के सामने रुक गया। क्वार्टर के दरवाजे पर बोरे का एक फटा हुआ सा पर्दा लटक रहा था। उसने क्वार्टर के दरवाजे की साँकल खटखटाई।

"कौन है?" भीतर से प्रश्न हुआ।

"अख्तर! किवाड़ खोल, मैं हूँ!" युवक ने उत्तर दिया।

"कौन?" भीतर से दूसरी आवाज आई।

"मैं हूँ···सरदार!"

सर्दार वही युवक था, जिसे हम कानपुर में हरीश के नाम से जान चुके हैं।

किवाड़ खुल गये। भीतर पहुँच किवाड़ों को साँकल लगाते हुए हरीश ने कहा, "सलाम भाभी! अख्तर क्या कर रहा है···सो गया?"

"जिओ, बड़ी उम्र हो! जवानी बढ़े।" औरत ने जवाब दिया। वह लाल रंग की फुलकारी (रेशम से कढ़ा खद्दर का दुपट्टा) ओढ़े हुए थी। शरीर पर मोटे कपड़े की सलवार और कुर्ता था। सख्त सर्दी के कारण नाक-मुँह दुपट्टे में ढँके वह सिमटी जा रही थी। औरत की आवाज में गहरी उदासी अनुभव कर हरीश ने पूछा, "क्यों भाभी, क्या है?"

दुपट्टे से आँखें पोंछ भाभी ने उत्तर दिया, "क्या बताऊँ वीरा, न जाने उसे क्या हो रहा है शाम से! सूरज डूबे आकर मुझसे कहने लगा—तू लड़की को लेकर गाँव चली जा। एक बोतल शराब लाकर रख ली है। मुझे भेज देने के लिये जबर्दस्ती करने लगा। मैंने कहा—चाहे मुझे मार डालो, मैं नहीं जाऊँगी। एक कसाइयों का सा छुरा भी कहीं से ले आया है। दिखाकर कहने लगा, बहुत जिद्द करोगी तो मार भी डालूँगा।···मैंने कहा—मार डाल! मैं तुझे छोड़कर नहीं जाऊँगी। तब से छुरा लिये, कम्बल ओढ़े कोने में बैठा है।···बोतल पास रखी है।"

"पी होगी?"

"पी तो नहीं अभी।" भाभी ने आँखें पोंछते हुए उत्तर दिया, "पर न जाने क्या सोच रहा है? मुन्नी प्यार से पास आई तो उसे फटकार दिया। कहने लगा, हटा परे इसे।"

"हूँ···अच्छा भीतर आओ।" कहता हुआ हरीश भीतर गया।

क्वार्टर से पहले एक छोटा-सा सहन और फिर कोठरी थी। कोठरी में दरवाजे के एक ओर चूल्हा था। सामने कुछ कनस्तर और डिब्बे धरे थे। दाईं तरफ की दीवार में खूँटियों से बँधी अलगनी पर कुछ कपड़े टँगे हुए थे, नीचे एक खाट पर मैला, फटा लिहाफ बिस्तर पर पड़ा था। चूल्हे पर रखी मिट्टी के तेल की ढिबरी से कोठरी के फर्श पर कुछ लाल-सा प्रकाश और छत पर धुआँ फैल रहा था। चूल्हे में जली लकड़ियों के कुछ अँगारे थे। खाट के पास फर्श पर कम्बल ओढ़े अख्तर बैठा था।

हरीश ने आकर पुकारा, "अख्तर भैया···क्या बात है?"

अपनी छँटी हुई दाढ़ी खुजाकर अख्तर ने गर्दन उठा पूछा, "सरदार?···आ बैठ सरदार!"

"तुझे हुआ क्या है?" हरीश ने पूछा!

अख्तर एक गहरी साँस खींच सिर झुकाकर बोला—"सरदार, मेरा एक काम करेगा?···मुझे तेरा भरोसा है।"

"जो तू कहे, मैं तैयार हूँ।" हरीश ने अख्तर के पास बैठते हुए कहा।

"जमीला और लड़की को तू घर पहुँचा देगा? तेरे लिये खतरा तो है, लेकिन तेरे गाँव से चार मील का फरक है। अब तुझे कोई क्या पहचानेगा···कर सकता है इतना?" अख्तर ने उसकी ओर देखते हुए पूछा।

"खतरे की बात तू जाने दे, लेकिन भाभी को भेज क्यों रहा है?"

"तू इन्हें अभी लेकर चला जा।" अख्तर ने जोर दिया।

"अरे तू बतायेगा भी? बड़ा अफसोस है, मुझसे बात छिपाता है···कभी तुझसे मैंने पर्दा किया है···वह छुरा कहाँ है?" हरीश ने पूछा। जमीला चूल्हे के पास बैठी घुटने पर ठोढ़ी रखे कातर दृष्टि से दोनों मित्रों की ओर देख रही थी।

"हूँ!" एक गहरा साँस अख्तर ने खींचा और जमीला की ओर देखकर कहा, "तू जरा बाहर चली जा।"

जमीला उठ खड़ी हुई, परन्तु उसकी आँखों से आँसू टपक पड़े।

"ठहर भाभी!" हरीश ने टोका और फिर अख्तर को सम्बोधन कर बोला, "तुझे भाभी का एतबार नहीं? अगर यह ऐसी होती मैं बैठा होता?"

"तू नहीं समझता, बात कुछ ऐसी ही है।"

"अच्छा भाभी, एक मिनट के लिये तू सहन में चली जा!" हरीश ने कहा। जमीला रोती हुई सहन में चली गई। हरीश ने अख्तर के कँधे पर हाथ रखकर पूछा, "हाँ अब बता?"

अख्तर दाँत से होंठ काट गहरी साँस लेकर बोला, "हेड मिस्त्री ने मेरी जिन्दगी बरबाद कर दी। मेरा मौका था फिटर बनने का। तीन साल से वह मेरी तरक्की रोके है। पिछले वैसाख में मैंने उसके आगे हाथ जोड़े, मिन्नत की। तू जानता है अब बुढ़ापे में ज्यादा मेहनत नहीं होती। फिर यह लड़की और हो गयी। एक लड़का है। कुछ तरक्की हो तो काम चले। मेरे साथ के जहूर और हरनामसिंह दो-दो साल से फिटर बने हैं। साठ-सत्तर ले रहे हैं। मेरे वही छब्बीस! हरामी⋯कोई न कोई झूठी शिकायत कर देता है। उसने मुझसे अस्सी रुपये माँगे। चालीस में जमीला की नथ बनिये के यहाँ रखी, चालीस उससे उधार लिये, अस्सी उसे पूजे। बनिये का पाँच रुपया महीना सूद चढ़ता रहा, तीस रुपये यह हो गये। खुद ढाई सौ महीने के मारता है, पचास-साठ ऊपर से⋯अब मौका था, तो कहता है तूने मुझे दिया ही क्या है?⋯जाबर का भानजा वह ब्राह्मन का नया लौण्डा आया है, उसे साल भर नहीं हुआ—उसे फिटर बना दिया है। जानता है क्यों?⋯गाँव से बीवी का नया गौना कराके लाया है न! और वह मिस्त्री के घर बच्चों को खिलाने जाती है और वहाँ हरामी, साला⋯मिस्त्री उससे खेलता है⋯लाइन में से कितनी ही औरतों को साला पकड़ मँगवाता है⋯समझा तू! यहाँ लाइन से कोई उसके घर झाड़ू लगाने जाती है⋯कोई कपड़े धोने⋯कोई बच्चे खिलाने⋯समझा! यह जिल्लत बर्दाश्त नहीं होती सरदार! अपने बच्चे भूखे मरें⋯इन सालों का पेट भरें और फिर ऊपर से यह बेइज्जती! तू इन दोनों को गाँव पहुँचा दे। मिस्त्री तीसरे पहर एक दफा इंजन देखने जाता है। आज मैं साले को खत्म कर दूँगा⋯और एक काश्मीरी को और फिर⋯कैद मुझे होना नहीं है। अपने आपको खतम कर दूँगा, तू समझता है न⋯तू ही अपना एक दोस्त है⋯तू बहादुर आदमी है⋯तू समझता है⋯इसीलिये तेरा भरोसा कर रहा हूँ, समझा!"

हरीश ने हामी भरकर पूछा, "और भाभी?⋯उसकी आँखों की तरफ देखा है? रो-रोकर मर जायेगी।"

"तू भी तो घर-बार छोड़े बैठा है, तेरे घरवाले नहीं रोते? इसे कह देना यह भी वहीं चली जायेगी।"

"मेरी बात कहता है अख्तर, मैं अपनी इज्जत के लिये घर-बार छोड़कर आया हूँ?" हरीश ने पूछा, "और तुझे वह दिन भूल गया जब बीमार पड़ा था? साल भर तुझे भाभी ने लोगों के बर्तन मल-मल कर पाला है⋯उसका तुझ पर कोई हक नहीं? अरे, तू तो कभी का जेल में होता या फाँसी चढ़ गया होता। याद है, जब रेलवई से निकलकर तू

बेकारी में वह बटुआ चुरा लाया था, रो-रोकर इसने क्या हाल किये थे?…तुझे यह न सुधारती तो तेरा क्या होता? और तू उसे रोने को छोड़ जायेगा?…शरम नहीं आती! और यह बोतल किसलिये लाया है? यों हौसला नहीं होता…शराब पीकर खून करने जायेगा! और फिर तेरे बच्चों का क्या हाल होगा?''

''इसी खयाल से तो कमजोरी आ जाती है सरदार! तभी तो यह बोतल लाया हूँ। तू जानता है, जब से जमीला आई है, इसने मुझे कभी पीने नहीं दी…।''

''तुझे तो मालूम है, इसने मेरी छुड़ाई किस तरह! कारखाने से निकल मजदूरों के साथ मैं ठेके चला जाता था। यह कारखाने के दरवाजे पर पहुँच जाती। मजदूर हँसने लगे। मुझे बड़ी शरम आई। घर आकर मैंने इसे मारा। पहले नशे में मैंने इसे एक दो दफे मारा था। उस रोज कहने लगी—अच्छा है न, मारो! होश में रहकर मारो! पता तो लगेगा मारा है। इसने मुझे अपना नीला बदन दिखाया। मुझे बड़ा डर मालूम हुआ। मैंने उसका बदन छूकर कसम खाई, नहीं पिऊँगा…फिर नहीं पी। उससे पहले बीस दफे कुरान पाक की कसम खाकर फिर पी ली थी।'' गहरी साँस छोड़कर अख्तर ने कहा।

''अब आया होश? वह बाहर सर्दी में मर रही है। यह सुन, उसके रोने की आवाज! …भाभी, भाभी! भीतर आओ!'' हरीश ने पुकारा।

जमीला भीतर आ गई। वह फूट-फूटकर रोने लगी। हरीश ने अख्तर की ओर देखकर कहा, ''शरम नहीं आती…चुप करा उसे!''

अख्तर ने छत की ओर देखकर साँस खींची, ''जब उस साले इंजीनियर की बात सोचता हूँ, खून उबल उठता है सरदार!''

''मिस्त्री को तू रहने दे। उसे मैं ठीक करा दूँगा।'' हरीश ने जमीला की ओर संकेत करके कहा, ''उधर देख जरा और यदि किसी तरह नहीं मानता तो छोड़ झगड़ा। मुझे तो यों भी मरना ही है, तेरी ही बात पर सही! तेरे बच्चे क्यों बरबाद हों! मेरा बचना तो मुश्किल है अब!''

''हैं, क्यों?'' अख्तर ने पूछा।

''यही, मेरे साथी मुझसे बिगड़ गये हैं।''

अख्तर तड़प उठा, ''सचमुच? तो फिर तू यहीं रह!''

जमीला अब भी रो रही थी। हरीश ने कहा, ''भाभी, मैं दो दिन से भूखा हूँ और तू तो खामुखाह रो रही है। यह ले'' उसने अख्तर का छुरा और बोतल ला जमीला के पाँव के पास रख दिये और फिर दोहराया, ''भाभी, मैं दो दिन से भूखा हूँ, सुनती है?…अब तुझे चले जाने को कोई नहीं कहेगा!''

जमीला फफक-फफक कर रोने लगी।

हरीश ने अख्तर से कहा, ''उठ एक गिलास पानी पी, भाभी को पिला और मुझे भी दे…चुप करा उसे!''

अख्तर ने बैठे-बैठे ही कहा, ''चुपकर जा जमीला, अब जाने दे!''

जमीला चुप नहीं हुई। हरीश ने अख्तर को धकेलकर कहा, ''उठ, उसे एक गिलास पानी पिला।''

हरीश के धक्के से अख्तर हँस पड़ा, "जाने भी दे यार!"

हरीश माना नहीं, फिर धमकाकर बोला, "उठ, पानी पिला उसे···और माफी माँग।"

"ले उस्ताद!" कहकर अख्तर उठा।

टीन के गिलास में पानी ले जमीला के पास जा उसने कहा, "ले पी ले, तेरे देवर का हुकुम है। बस कर अब हो गया!"

जमीला ने मानो सुना ही नहीं, वह रोती रही।

हरीश ने अख्तर को जमीला के पैर छूने का इशारा किया।

अख्तर ने हँसकर कहा, "ले बाबा तेरे पाँव पड़ता हूँ, पी ले पानी, क्यों मुझे पिटवाने की सोच रही है। और नहीं मानती तो यह ले···।" जमीला के पाँव से अख्तर ने हाथ छुआ दिया।

झमककर जमीला ने कहा, "मुझे अब न छेड़ो, अब बस मैं यहाँ न रहूँगी।"

"ले सुन लिया!" अख्तर ने हरीश को सम्बोधन किया।

हरीश ने होंठों पर हँसी दबा फिर पाँव की ओर संकेत कर छूने को कहा।

"अच्छा तो फिर पैरों पर सिर रख दूँ?" अख्तर ने हँसकर जमीला से पूछा।

क्रोध दिखा जमीला ने अख्तर का हाथ झटक दिया, "बस, कह दिया मैंने, तंग न करो! मैं अब यहाँ नहीं रहूँगी।"

"अच्छा न रहना, मैं भी तेरे साथ चलूँगा, यह गिलास पी ले नहीं तो मेरे मरे का···।"

"चुप करो!" क्रोध से मुँह उधाड़कर जमीला ने धमकाया।

"पी, यह पानी का गिलास! नहीं तो कसम देता हूँ···"

"मेरी कसम जो मुझे कसम दे!"

"तेरी कसम बड़ी है या मेरी!"

"बस, मैं नहीं जानती।"

हरीश हँस रहा था। उसने कहा, "अच्छा भाभी, पानी न पिये तो मेरी भी कसम, खुदा की, कुरान की, सारी दुनिया की कसम।"

"हाँ, अब सब लोग मेरे पीछे पड़ गये!" आँसू पोछते हुए जमीला ने कहा और गिलास से एक घूँट ले लिया।

"नहीं-नहीं, पूरा गिलास पीने की कसम है।" हरीश ने दोहराया।

"अब न पिया जाय तो?" जमीला बिगड़ी।

"तो फिर कसम आती है···।" हरीश ने धमकी दी।

जमीला ने जबर्दस्ती ज्यों-त्यों पानी पी लिया। हरीश ने कहा, "हाँ, अब खाने-पीने की बात करो। मुझे सचमुच बड़ी भूख लगी है।"

"होश में आ जमीला! बता, बनाया क्या है?" अख्तर ने पूछा।

"बनाया है पत्थर! क्या ला करके दे गये थे? मुन्नी भी दाल के लिये रोती-रोती सो गई।"

"और तू बोतलों पर पैसे खराब करने लगा है साले!" हरीश ने अख्तर को डाँटा।

"अब उनकी याद न दिला!" अख्तर ने गहरी साँस खींची।

"आटे में नमक-बेसन डालकर रोटियाँ थाप ली हैं।" जमीला ने अख्तर को बताया।

अपने कुर्ते की जेब टटोल अख्तर ने हरीश से कहा, "ठहर मैं चार पैसे का सालन लिये आता हूँ। तू क्या रोटी ऐसे खायेगा?"

"भाभी गुड़ नहीं है!" हरीश ने पूछा।

"है तो, मुन्नी को रोटी गुड़ से ही तो खिलाई है··· थोड़ा घी भी है, मिला दूँगी।··· लाने दे न सालन··· पर बाजार का सालन क्या खायेगा, निरे छिछड़े होंगे।"

"देख तो नखरे!" अख्तर ने कहा, "बाजार का सालन क्या खायेगा! रोज इसकी माँ रोगनोश बनाकर इसके लिये बैठी रहती है न!"

"हाय क्या कहते हो!" जमीला करुणा से हरीश की ओर देखने लगी।

"अरे भाभी को ही अब माँ समझ लिया है।··· अब तू इस जाड़े में बाहर मत जा। गुड़, घी तो है और क्या चाहिये? ला भाभी जल्द कर!"

चूल्हे के कोयले उभारकर जमीला ने मिट्टी के बर्तन से तामचीनी की कटोरी में घी उड़ेल चूल्हे में रख उसमें गुड़ छोड़ दिया। कटोरी पति और हरीश के बीच रख उसने कहा, "रोटियाँ बिलकुल ठण्डी हो गई हैं, गरम करके देती जाती हूँ।" रोटी सेंक उसने उन दोनों के सामने मिट्टी की एक रकाबी पर रख दी।

मुँह में रोटी का कौर भरते हुए भरते हुए हरीश ने कहा, "भाभी, तू क्या खायेगी? यह तो सब हम ही खा जायेंगे।"

"हाय-हाय अल्ला, तू खाता ही क्या है? खा तू, मुझे बहुत है। घर में आटा बहुतेरा है।" फिर हरीश के मुँह की ओर देखते हुए उसने कहा, "देखो तो, मुँह कैसे सूख गया है! कहाँ-कहाँ फिर आया?"

"पूछो मत भाभी, बहुत दूर-दूर!" हरीश ने जवाब दिया।

"ये बम बनाकर सुराज लेता फिरता है न! अरे तुम बाबू, बनियों से कहीं सुराज लिया जाता है? इन्हें तो जायदादों की फिकरें हैं। हमें कहो न मजदूरों और दिहात के लोगों को, एक दिन में तख्ता पलटकर रख दें।"

"तो फिर पलटता क्यों नहीं? उठ पलट!" हरीश ने खोंचा दिया।

"पलटें क्या?··· यह सब मिस्त्री जैसों का ही राज हो जायेगा। वह भी तो काला हिन्दुस्तानी ही है। देख ले कैसे खून पीता है!"

"काला हिन्दुस्तानी तो तू भी है!··· क्यों हो जायेगा मिस्त्री जैसों का राज? तेरे जैसों का क्यों न होगा? जो कोशिश करेगा, राज उसी का होगा।" हरीश ने उत्तर दिया।

"अरे हमारा राज क्या होगा? हमें अब भी मरना, तब भी। मजदूरी तो बढ़ नहीं पाती; राज हो!" अख्तर ने चिढ़ाया।

"तुम भी तो निरी मजदूरी बढ़ाने की बात करते हो।"

"तो और क्या, झण्डा उठाया करें कांग्रेस का?"

"अगर तुम सब लोग मिलकर कांग्रेस का झण्डा उठाने लगो तो कांग्रेस तुम्हारी हो जाय। तू ही बता, ज्यादा तादाद तुम्हारी है या बाबुओं की? अगर तुम लोग एक हो जाओ तो बाबू तुम्हारे पीछे-पीछे नाचें।"

"पैसा जो नहीं उस्ताद!" अँगूठा दिखाते हुए अख्तर ने कहा, "पैसे बिना क्या हो?"

"पैसा पैदा तुम्हीं लोग करते हो और फिर उन लोगों से माँगते हो···।"

"यही तो सारा खेल है।" अख्तर ने बीच में टोक दिया।

"अब तो दूसरी तरह की बातें करने लगा सरदार·····रफीक की तरह। रफीक भी तो यही कहता है।"

"क्या रफीक यहाँ आता है?" हरीश ने पूछा।

"हाँ वीरा, यहाँ आता है। मुझे बड़ा डर लगता है उससे।" जमीला बीच में बोल उठी, "मुट्ठी भर का चेंटे जैसा आदमी, कतर-कतर कैंची-सी जबान चलाता है। चार-चार, पाँच-पाँच लोग इकट्ठे हो जाते हैं और हड़ताल की बातें करते हैं और खूब बीड़ियाँ फूँकते हैं। कहता है, एका करो एका और हड़ताल की बातें सुनाता है। वीरा, मुझे उस छोकरे से बड़ा डर लगता है। पहले रेलवाई में बीस आने रोज मिलते थे अच्छे भले—ग्यारह साल पहले। वहाँ हड़ताल में निकाले गये। अब मुश्किल से रोजी लगी है। फिर कहीं हड़ताल की तो कहाँ जायेंगे? वीरा, तू समझा। इसे तो जो दो बातें सुना देता है, बस उसी के पीछे चलने को तैयार!"

"बहुत बक-बक न कर!" अख्तर ने बनावटी गुस्से से कहा, "तू बड़ी सियानी है न?"

जमीला ने ठोड़ी पर उँगली रख हरीश से शिकायत की, "हाय, देख मुझे तो ऐसे ही डाँट देता है···मुझे तो बात भी नहीं कहने देता।"

"सुन तो!" अख्तर ने हरीश को सम्बोधन कर पूछा, "सोयेगा भी यहीं?"

"और कहाँ जाऊँगा अब?" हरीश ने उत्तर दिया।

"मरे तब तो जाड़े में! रजाई तो एक ही है और वह भी फटी हुई। हम दोनों तो किसी तरह गुजर कर लेते हैं अब····"

"फिटे मुँह!" हाथ फटकार जमीला ने कहा, "जरा भी तो शरम नहीं रही।"

हँसकर हरीश ने कहा, "तू अपना गुजर कर, मैं तेरा यह कम्बल लेकर पड़ा रहूँगा।"

"यह भी कोई कम्बल है!···भूसा बाँधने लायक भी नहीं।" कम्बल की ओर इशारा कर उसने कहा, "बता फिर जमीला?"

"तुम दोनों अपना गुजारा करो, मेरी फिकर छोड़ो।" मुँह फिराकर हरीश ने उत्तर दिया।

"आज तो मारा तेरे देवर ने।" घुटने हिलाते हुए अख्तर ने कहा।

"कहती हूँ, मैं उठ जाऊँगी सब छोड़कर, फिर ऐसी बात करोगे तो!" लज्जा और बनावटी क्रोध में आँखें दिखा, नाक पर दुपट्टा रख जमीला ने कहा।

"बड़ी तू दीवार फोड़ जायेगी!" हाँ सुन सरदार! इस बोतल में से एक-एक घूँट पी लें, फिर चाहे बाहर ओस में पड़े रहें···क्यों?" अख्तर ने राय दी।

"फिर बोतल की बात! यह बोतल ही तुम लोगों को बरबाद किये डाल रही है।"

"हाँ और क्या!" जमीला ने समर्थन किया।

हरीश कहता गया, "रोज पीकर सर्दी काटने से एक रजाई न बनवा ले आदमी!"

"लगा तू फिर कांग्रेसी छाँटने!" अख्तर ने चिढ़कर जवाब दिया, "बच्चा, रोज-रोज काटनी पड़े तो पता चले। यहाँ मजदूर चार पैसे में रात काटते हैं। रजाई बनती हैं पाँच रुपये में। जब तक पाँच होंगे तब तक बन्दा जहन्नुम पहुँच जायेगा।" अख्तर हरीश को सुनाकर कहता गया, "और फिर तू करतारसिंह की छुड़ा दे तो जानूँ! पट्ठे की दस आने की दिहाड़ी है, चार पिल्ले पीछे लगे हैं।"

"हाय रोटी भी खाओगे या बकते ही रहोगे?" जमीला ने टोका, "और बीवी भी उसकी कमबख्त कि हर साल ब्याय जाती है। तीन-चार महीने का क्वार्टर का किराया सिर पर रहता है। बनिया साले को अलग नोच-नोच खाये हैं। वह शेर, और जो हो, कारखाने से आया कि एक कुलिया चढ़ाकर पड़ जाता है। यह दिन कटा, अगले का अल्ला मालिक है।"

"पर बच्चे पैदा क्यों करता है?" हरीश झुँझला उठा।

"वह करता है बच्चे पैदा!···तू बता करे क्या? अब तुझे क्या बताऊँ।" जमीला की ओर संकेत कर, "अब इसके सामने क्या कहूँ···अरे दस घण्टे जानवर की तरह मजदूरी करके आदमी आये तो फिर करे क्या···अपने आपको भूले किस तरह अगर मेरा बस चले तो इन साले सब मजदूरों की घरवालियों को जहर दे दूँ और यहाँ लाइन में सौ रण्डी लाकर रख दूँ।"

"क्या कुफ्र बकते हो!" जमीला ने टोका!

"कुफ्र की बच्ची!" अख्तर ने उसे डाँटा, "पता लग जाता अगर चार-पाँच नोच-नोच खाने वाले होते! दो हैं, सो एक को अम्मा के पास छोड़ आयी है कि खा-पीकर पल जायेगा। तू ही बता, तेरे ही होने लगते तो तू कहाँ रखती?" अख्तर ने हरीश की तरफ देखा, "और तुझे मालूम है यहाँ उस कश्मीरी ने पाँच-सात फटे जूते जैसी औरतें रखी हुई हैं। साला चवन्नी-चवन्नी में भुगताता है और रात भर में अपने पन्द्रह-बीस खरे कर लेता है। छठे महीने पुरानियों को हाँककर, चार छः फटीचर और कहीं से ले आता है। इस साले ने भी सारी लाइन में सूजाक, आतशक फैला रखी है। इस साले को भी गोली मारने वाला कोई नहीं मिलता!

"अरे सुन तो, तमंचा है तेरे पास। बस मुझे तीन आदमियों को मारना है। एक इंजीनियर, दूसरा साला ये कश्मीरी और तीसरा वह हरामी जाबर![१] इनके मारे सारी लाइन बरबाद है। यह जाबर हरेक मजदूर से महीनों दुअन्नी रुपया लिये जाता है। साले ने अपना साहूकारा अलग खोल रखा है। आना रुपया रोज का सूद लेता है, और जब अपने मजदूर एक होने लगते हैं, साला दो चार को निकाल बाहर करता है और नये मजदूर ले आता है। साले ने बीसियों खुफिया लगा रखे हैं। तेरी कसम, इसने रफीक को पीटने के लिये गुण्डे छोड़ रखे हैं! मैं इन तीन को ठंडा कर दूँ तो हजारों के दिल ठंडे हो जायेंगे।"

जमीला ने दोनों हाथ कानों पर रखकर कहा, "हाय-हाय वीरा, देख तो क्या हो रहा है इसे! कैसी बातें कर रहा है!"

---

१. जाबर कारखाने के लिये मजदूर भरती करने वाला ठेकेदार।

अख्तर अधिक चिढ़ गया, "क्या कह रहा हूँ? तू ही बड़ी राण्ड हो जायेगी उन्होंने हजारों राण्डें कर दीं। बैठ जाना जाकर तू भी किसी के घर···।"

जमीला ने फिर टोका, "तौबा, तौबा, क्या बदजबान बोलते हो, खुदा नीयत की सजा देता है।"

अख्तर और बिगड़ उठा, "देता है खुदा सजा! सो रहा है क्या वो?···दिखाई नहीं देता उसे? यह साले हजारों का खून पी रहे हैं।"

"अरे बक क्यों रहा है, चुप कर।" हरीश ने डाँटा, "तू इन्हें मार देगा तो कल दूसरा इंजीनियर, कश्मीरी और जाबर आ जायेंगे, क्या बना लेगा तू?···गाजी (शहीद) होने को फिरता है! खुद तो रिश्वत देता है चला है जाबर को मारने!"

"रिश्वत न दूँ तो मर जाऊँ? ऐसे भी मरना वैसे भी मरना।"

"अकल से बात कर। मरना है तो ढंग से मर कि कुछ बने।"

"क्या करूँ? एक तो इस औरत के मारे परेशान हूँ।"

"अरे यह न होती तो तू पी-पीकर गधा बन गया होता।"

कुछ देर के लिए दोनों चुप हो गये। अख्तर दियासलाई की सींक से दाँत खोद रहा था। अपने भूत और भविष्य जीवन की समस्याएँ व्यक्तिगत और श्रेणी रूप से उसके सामने आ रही थीं।

हरीश सोच रहा था अपने साथियों से मतभेद प्रकट हो जाने पर अब उसके सामने कौन मार्ग था? अब तक अपने विचारों और साथियों का मोह ही उसे रोके हुए था।

तीनों में से संतुष्ट थी तो केवल जमीला। अपने हिस्से की रोटियाँ हरीश को खिला देने के बाद वह संतोष से अपने लिए आटा माँड़ रही थी।

कोठरी में भर गए मौन को अख्तर ने तोड़ा। एक बीड़ी जलाते हुए उसने कहा, "जिधर देखो, सब तरफ झगड़ा ही···।"

"यह सब झगड़े मिटाने के लिए ही स्वराज्य चाहते हैं। उसे तू कांग्रेसी छाँटना बताता है।" हरीश ने खाना खा हाथ धोते हुए कहा।

"सुराज हो जायेगा तो क्या यह सब नहीं होगा? तू मुझे समझा दे, मैं आज तेरे सुराज के लिये जान दे दूँ। चल, अभी चल!" अख्तर ने तैश में जवाब दिया।

"तू ही बता, क्या इलाज है?" हरीश ने पूछा।

"इलाज कोई नहीं, बस मरना है और दस बरस में देखना इतने मजदूर बेकार हो जायेंगे कि हमें कोई चवन्नी में भी नहीं पूछेगा!"

"मजदूरों का ही राज हो जाय तो?···अगर मजदूर तीन-चार रुपया रोज पाने लगें, तो फिर भी तुम लोग ऐसे पैदा करते जाओगे, तो जरूर बेकार आ खड़े होंगे और फिर तुम्हारी मजदूरी घट जायेगी!" हरीश ने कहा?

"अरे तब तो मजदूर साहब हो जायेंगे। साहबों के कहीं इस तरह पैदा होते हैं।" अख्तर ने जवाब दिया।

"तो उसी की बात ठीक है न!" हरीश बोला।

"रफीक की बात!" अख्तर ने पूछा।

"अच्छा" कहकर अख्तर उठा। चूल्हे के पास एक चटाई पर बोरी बिछाकर दोनों साथ लेट गये और दोनों कम्बल मिलाकर उन्होंने ओढ़ लिये। जमीला खाट पर जा लेटी।

अख्तर के साथ लेटकर हरीश ने पूछा, "मेरे वे विलायती कपड़े तो सँभालकर रखे हैं न?"

"हाँ हैं, तो, अलगनी पर रखे हैं। जमीना ने अपने नये दुपट्टे में लपेटकर।"

"मैं सुबह ही चला जाऊँगा। सुन, रफीक से मुझे मिला देना दोस्त!"

"पर तू तो बम वाला है···तू उससे मिलकर क्या करेगा?···नहीं, अब तो तू दूसरी जगह की बातें करता है। बम-बाजी छोड़ दी क्या?"

"नहीं, अब बम-वम कुछ नहीं···उसी से मिलूँगा! हाँ, तुम्हारे अपने कितने आदमी होंगे?" हरीश ने पूछा।

"अभी बोतल खोल दूँ तो सभी अपने हैं, नहीं तो कोई अपना नहीं।" अख्तर हँस दिया, "अभी छँटनी होने लगी, सभी जाबर के कदम चूमने चल देंगे वह भी साला चौथे-पाँचवें बेत फटकार कर सुना देता है—अब छँटनी होने ही वाली है।"

कुछ ही मिनटों में अख्तर की नाक बजने लगी। हरीश चित्त लेटा अंधेरे में अपनी बात सोच रहा था। उसका मन चाहा, अख्तर को उठाकर सलाह ले परन्तु अख्तर से वह क्या सलाह लेता? अख्तर और उसके साथी दो ही बातें जानते थे, या तो निराशा या खून!

अपने मन की दुविधा भूल हरीश सोचने लगा—मजदूरों की इस शक्ति को जो आकाश में गरजने वाली बिजली की भाँति दुर्दमनीय है, किस प्रकार के संगठन द्वारा क्रान्ति के लिए उपयोगी बनाया जा सकता है?

●

तीन रूप

शैलबाला अपने कमरे में बैठी जरूरी पत्र लिख रही थी। नौकर ने खबर दी, दो आदमी उससे मिलने आये हैं। लिखते-लिखते उसने कहा, "नाम पूछकर आओ।"

लौटकर नौकर ने उसे एक चिट दी। चिट देखते ही वह तुरन्त बाहर आई। हाथ जोड़, नमस्कार कर दोनों आदमियों को भीतर के कमरे में ले गयी। दोनों को सोफा कुर्सियों पर बैठा उसने बी०एम० की ओर देख मुस्कराकर पूछा, "बहुत दिनों में दर्शन दिये, कुशल तो है?"

सरसरी नजर से बी०एम० के साथी की ओर उसने देखा। बलवान, हृष्ट-पुष्ट व्यक्ति के चेहरे पर शारीरिक बल की गम्भीरता विराजमान थी। आँखें बड़ी-बड़ी जिनसे कोमलता नहीं, दृढ़ता टपक रही थी। शैल ने फिर बी०एम० को धीमे स्वर में सम्बोधन किया, "कब आये? हरीश का क्या हाल है?"

बी०एम० ने अपने पीछे दीवार में खिड़की की ओर संकेत कर पूछा, "यहाँ कुछ बातचीत कर सकते हैं?"

मुस्कराहट की जगह शैलबाला के चेहरे पर गम्भीरता की मुद्रा छा गयी। "हाँ," उसने सिर झुकाकर कहा, और फिर उठकर परदा के पीछे वाले कमरे में जा, उस कमरे का दरवाजा इधर से बन्द कर वह अपनी कुर्सी समीप खींच बैठ गयी।

बी०एम० ने अपने साथी की ओर संकेत कर धीमे स्वर में परिचय कराया, "आप दादा हैं।"

शैलबाला ने दादा की ओर देख फिर नमस्कार किया और आदर से मुस्कराकर बोली, "आपकी चर्चा अनेक बार सुना था, आज दर्शन हुए।"

बी०एम० ने कहा, "दादा आपसे कुछ पूछना चाहते हैं।"

दादा ने सहसा पूछा, "हरीश कहाँ है?"

कुछ आश्चर्य और आशंका से शैलबाला ने उत्तर दिया, "क्यों?···मुझे तो नहीं मालूम। लगभग तीन सप्ताह हुए वे यहाँ आये थे। यहाँ उन्हें किसी से मिलना था। वे तो शायद आप ही लोगों से मिलने गये थे। उसके बाद वह इधर नहीं आये।"

"इधर तीन सप्ताह में हरीश आपसे नहीं मिला?" बी०एम० ने पूछा।

"आपको मालूम है, वह कहाँ मिल सकता है?" दादा के प्रश्न से शैलबाला के मन में आशंका उत्पन्न हो गयी थी कि हरीश फिर गिरफ्तार न हो गया हो, परन्तु बी०एम० के प्रश्न से उसे कुछ और ही बात जान पड़ी।

दादा ने शैलबाला की कुर्सी की ओर देखते हुए कहा, "आपको बता देना चाहिए, वह कहाँ है!"

मानों दादा ठीक बात न कह सके हों इसलिए बी०एम० ने तुरन्त ही खाँसकर कहा, ''एक बहुत ही जरूरी काम है।''

शैल ने विस्मय से दोनों की ओर देखा। दादा के स्वर का क्रोध और बी०एम० की बात सम्भालने का प्रयत्न दोनों ही उससे छिपे न रहे। उसने विस्मय के स्वर में पूछा, ''यह आप लोग क्या कह रहे हैं। मैं कुछ समझ नहीं सकी?''

''बात यह है पार्टी का बहुत नुकसान हो रहा है, उसके न मिलने से। यह आश्चर्य की बात है कि वह यहाँ आये और आपसे न मिले!'' बी०एम० ने बात जारी रखते हुए कहा, ''क्योंकि यहीं से तो प्रायः हम लोगों के संदेश आते-जाते हैं।''

शैलबाला दादा को बिना देखे ही उनके मस्तिष्क में बढ़ते असंतोष को अनुभव कर रही थी। उसकी आशा के अनुकूल दादा ने कहा, ''देखिये, सीधी बात यह है कि आपके सामने पार्टी का महत्व अधिक है या हरीश का?''

आगे न जाने क्या आने वाला है, इस आशंका में शैलबाला ने विस्मय से फैली आँखों से दादा की ओर देख उत्तर दिया, ''महत्व मेरे लिये पार्टी का ही अधिक है, परन्तु मैं आपकी बात नहीं समझ पा रही हूँ।''

दादा ने और अधिक तीव्र स्वर से पूछा—''आपका हरीश से क्या सम्बन्ध है?''

अधिक विस्मित हो शैलबाला ने उत्तर दिया—''क्यों?···वे मेरे फ्रेण्ड हैं।''

दादा की आँखों के सुर्ख डोरे फैल गये। अपने आपको रोकते हुए उन्होंने कहा—फ्रेण्ड ····फ्रेण्ड के क्या माइने? लड़कियों और लड़कों की फ्रेण्डशिप के क्या माइने?''

शैलब्राला चकित रह गयी। कुछ भी उत्तर देने में असमर्थ, वह कुछ क्षण फर्श की ओर देखती रही। उसका गन्दुमी चेहरा गुलाबी हो गया। दादा को सम्बोधन कर उसने कहा, ''मेरे हृदय में आपके लिये बहुत आदर है। मैं समझती थी, आप लोगों के विचार बहुत उदार होते हैं···लेकिन मैं कुछ और ही देख रही हूँ। बी०एम० ने स्त्रियों की स्वतन्त्रता और पुराने संस्कारों के बारे में कुछ और ही कहा था।···खैर, जो भी हो। मेरे व्यक्तिगत सम्बन्धों से आपको क्या मतलब है, मैं नहीं समझ सकी।'' शैल ने विनीत स्वर में बात कहना आरम्भ किया था, परन्तु अन्तिम शब्द कहते-कहते उसका स्वर तीखा हो गया। उसी आवेश में बी०एम० को सुना, खिड़की की ओर मुखकर वह कहती गयी, ''मुझसे जहाँ तक बन पड़े मैं आप लोगों की सहायता करना चाहती हूँ, परन्तु अपने व्यक्तिगत व्यवहार की आलोचना मैं पिताजी के अतिरिक्त किसी से भी नहीं सुन सकती।''

दादा के पैरों तले जमीन खिसक गयी, वे हैरान थे। स्त्री के प्रति सभ्यता के ख्याल से वे अपमान को पी गये। अपने निश्वास को रोक मूँछों को दाँत से काटते हुए उन्होंने पूछा—''क्यों, आप क्या पार्टी की मेम्बर नहीं? पार्टी की मेम्बर होकर आपको डिसिप्लिन में रहना होगा। आप जानती हैं, आपने हमारा कितना नुकसान किया है?''

शैलबाला विस्मय से साँस रोके और बी०एम० आशंका से दादा की ओर देख रहे थे, परन्तु इस बात का कुछ भी ख्याल न कर वे कहते चले गये, ''आपने हमारी पार्टी के दायें हाथ को बेकाम कर दिया। जो आदमी एक दिन अपना सिर हथेली पर लिये फिरता था, आपकी इस फ्रेण्डशिप से आज जान बचाने के लिये जनता के संगठन का बहाना ढूँढ़ता फिरता है।···आप आयी थीं हमारी सहायता करने के लिये, आपने हमारा सत्यानाश

कर दिया और अब भी पार्टी के डिसिप्लिन को न मानकर उसका पता बताने से इंकार करती हैं।''

लज्जा, क्षोभ और अपमान से शैलबाला का गला रुँध गया। उसकी आँखों में आँसू आ गये, उनकी परवाह किये बिना ही उसने कहा, ''देखिये, आप लोग व्यर्थ मेरा अपमान कर रहे हैं।···आपके आदर का ख्याल कर मैं यह सुन गयी, परन्तु आप बढ़ते जाते हैं। कौन कहता है, मैं पार्टी की मेम्बर हूँ? मुझे मालूम नहीं, और मैं पार्टी की मेम्बर हूँ!'' शक्ति भर उसने आँसू प्रकट न होने देने की चेष्टा की। उसके शरीर में कँपकपी आ गयी और आँसू उसके हाथों पर टपक पड़े। अपने आँसुओं से लज्जित हो, दीवार की ओर मुँह कर वह उन्हें आँचल से पोछ रही थी कि बाहर पैरों की आहट सुनाई दी। अधिकारपूर्ण स्वर में उसने कहा, ''ठहरो!''

बाहर से आवाज आयी, ''बीबीजी!''

अपने आँसू पोंछ एक हाथ से उन्हें बैठे रहने का संकेत कर वह बाहर गयी।

शैल की अनुपस्थिति में दादा ने बी०एम० की ओर देखकर पूछा, ''तुमने मुझे बताया था कि वह पार्टी मेम्बर है···पार्टी के काम के लिये घर छोड़ना चाहती है?''

सूखी हँसी हँस बी०एम० ने उत्तर दिया, ''आप उसका रवैया देख रहे हैं?''

झुँझलाकर अपना हाथ माथे पर मारते हुए दादा ने कहा, ''ओह मैं कुछ नहीं समझ सकता···मेरा कितना अपमान हुआ है!''

शैलबाला के बाहर आने पर नौकर ने उसे एक पुर्जा और एक लिफाफा दिया। पुर्जे पर अँग्रेजी में केवल एक अक्षर 'एच' लिखा था। क्रोध में पागल हो शैलबाला ने कमरे की ओर कदम बढ़ाया कि कह दे—लो आ गया तुम्हारा हरीश, जिसके लिये मेरा सिर खा रहे हो, परन्तु एक अस्पष्ट आशंका ने उसके कदम रोक लिये। लिफाफा हाथ में लिये वह लौटकर बाहर आयी। उसे देख हरीश ताँगे से उतर आया।

शैलबाला ने पूछा, ''तुम कहाँ से आये हो?''

हरीश ने उसकी लाल आँखों की ओर देखकर पूछा, ''यह क्या?''

''कुछ नहीं।'' शैलबाला ने कहा, ''तुम अभी एकदम चले जाओ! कोई तुम्हारी सुरक्षित जगह नहीं है?''

शैलबाला की व्यग्रता देख हरीश ने बेपरवाही से कहा, ''अब मेरी कोई सुरक्षित जगह नहीं···पर क्यों?''

कोई मार्ग न देख शैलबाला ने हाथ में लिफाफे को मरोड़ते हुए कहा, ''जाओ, यशोदा के यहाँ चले जाओ!''

''वहाँ कैसे जा सकता हूँ?'' बेबसी से हरीश ने पूछा।

''तुम्हारे पैरों पड़ती हूँ, वहीं जाओ! आधे घण्टे में आकर तुम्हें ले आऊँगी—जाओ जल्दी करो!'' चिल्लाकर उसने कहा, ''ड्राइवर-ड्राइवर, इन्हें छोड़ आओ!''

हरीश को ले मोटर सड़क पर निकल गयी। हाथ के लिफाफे को खोलती हुई वह कमरे की ओर लौट रही थी। लिफाफे के भीतर कागज पर अँग्रेजी के टाइप में केवल

पंक्ति थी—Dada and B.M. want to shoot Harish save him—A friend of the party (दादा और बी०एम० हरीश के प्राण लेना चाहते हैं, उसे बचाओ—पार्टी का शुभचिंतक) शैल की आँखों के सामने आग की लपटें नाच गयीं। उसके कदम काँप गये। दूसरे क्षण ही उसने मुक्ति का साँस लिया—हे भगवान!

नौकर को पुकार शैल ने पूछा, "यह लिफाफा कौन दे गया था?"

नौकर ने बताया, दोनों बाबू जब आये, तभी पाँच मिनट बाद एक बाबू साइकिल पर आकर लिफाफा दे गये कि बीबीजी के हाथ में तुरन्त देना।"

गहरी साँस लेकर अभिमान से सिर उठाये वह कमरे में आयी। दादा की ओर देखकर उसने कहा, "आप अपनी पार्टी के डिसिप्लिन की बात करते हैं? आप कहते हैं, मैंने आपकी पार्टी का सत्यानाश कर दिया? यह लीजिये अपनी पार्टी का डिसिप्लिन!" कहते-कहते वह पर्चा उसने दादा के सामने कर दिया।

दादा रुककर पर्चे को पढ़ रहे थे। पर्चा उनके श्वास के प्रहार से काँप रहा था। हाथ बढ़ाकर बी०एम० ले लेना चाहता था। शैलबाला ने झपटकर पर्चा ले, मोड़कर अपने ब्लाउज में खोंस लिया।

बी०एम० ने कहा, "यह पर्चा दे दीजिये!"

शैलबाला ने रूखे स्वर में उत्तर दिया, "मुआफ कीजिये, गलती हो गयी। इससे अधिक विश्वासघात नहीं कर सकती!"

दादा उठकर खड़े हो गये। अपने दोनों हाथों की उँगलियाँ पीठ पीछे चटखाते हुए दीवार की ओर देख उन्होंने कहा, "मुआफ कीजिये, मुझसे बेअदबी हुई। मुझे कहा गया था कि आप पार्टी की मेम्बर हैं। इसी नाते मैंने आपसे इतना कुछ कहा वर्ना आपकी आलोचना करने का कोई अधिकार न था।⋯मुझे अफसोस है।"

इतना कह दादा चल दिये। बी०एम० भी "गुड बाई!" कह दादा के पीछे चला जा रहा था। शैलबाला कई कदम उनके पीछे-पीछे गयी। उनका मन चाहता था दादा से क्षमा माँग ले। उनकी कठोर बातों का उत्तर दिये बिना वह न रह सकी, परन्तु उनकी बेबसी के सामने वह पानी-पानी हो गई। उसके आत्म-सम्मान और लज्जा ने, जो एक ही वस्तु के दो रूप हैं, उसके शरीर को निश्चल कर दिया। उसका मन चाहा, खड़ी होकर रो ले परन्तु उसी समय मस्तिष्क में बिजली-सी कौंध गई—यशोदा!

शैलबाला के मकान से यशोदा का मकान अधिक दूर न था। कार से वहाँ पहुँचने में हरीश को चार मिनट भी न लगे। इसी बीच उसके दिमाग में न जाने कितनी ही बातें घूम गईं। यशोदा के पति अमरनाथ इस समय घर पर न हों तो उसकी जान बचे, लेकिन वे तो होंगे, जरूर होंगे। किस तरह आधा घण्टा वह वहाँ बितायेगा? क्यों वह इस समय यशोदा के यहाँ आया है? इससे कहीं यशोदा ही झँझट में न पड़ जाये। वह न आता तो अच्छा था। उसी समय शैलबाला का अत्यन्त व्याकुल चेहरा उसके सामने आ खड़ा हुआ—जाओ, जल्दी जाओ! मैं तुम्हारे पाँव पड़ती हूँ। आधे घण्टे में मैं आकर तुम्हें ले जाऊँगी। उसकी वह घबराहट, उसका अत्यन्त समीप आकर खड़े हो जाना, दबे हुए परन्तु

जोरदार शब्दों में बोलना, उसकी साड़ी का काला किनारा, उसको वह धीमी सी सुगन्ध! हरीश ठीक तौर पर कुछ निश्चित न कर पाया था कि गाड़ी यशोदा के मकान के सामने आकर खड़ी हुई। अमरनाथ को वह पहचानता भी तो नहीं। वह क्या करेगा··· क्या कहेगा?

ड्राइवर ने गाड़ी का दरवाजा खोल दिया। अब पीछे हटने का मौका न था। हरीश उतर पड़ा। गाड़ी फिर चल दी। वह शनैः-शनैः मकान की कुर्सी की दो सीढ़ियाँ चढ़ा। जेब में पिस्तौल को अनुभव किया। कुछ खाँसा फिर गले की नेकटाई को सीधा किया। बैठक का दरवाजा खुला ही था, चिक उठाकर वह भीतर चला गया।

मझले शरीर के एक स्वस्थ सज्जन खद्दर के कपड़े पहने बैठक में एक ओर सोफा कुर्सी पर बैठे सामने तिपाई पर कुछ लिख रहे थे। जिस समय हरीश ने प्रवेश किया वे अपना फाउण्टेन पेन तिपाई पर रख सामने रखा पानी का गिलास उठाकर पीना ही चाहते थे, एक सज्जन को भीतर आते देख गिलास फिर उन्होंने ज्यों का ज्यों रख अभ्यर्थना से कहा, ''आइये!'' और सोफा पर बैठने का संकेत किया।

हरीश ने नमस्ते कर बेपरवाही से बैठते हुए कहा, ''मेरा नाम जे०आर० शुक्ला है। मैं जिरेमी एन्ड जानसन कम्पनी में ट्रेवलिंग इंजीनियर हूँ। मकान मेरा यहाँ लाहौर में ही है, लेकिन मुझे सफर काफी करना पड़ता है।···अगर आपको एतराज न हो—मे आई हैव ए स्मोक?''

''मैं माँगता हूँ।'' उठने का उपक्रम करते हुए अमरनाथ बोले।

''नहीं-नहीं, यह देखिये मेरे पास है।'' जेब से एक नये ढंग का सस्ती कीमत का सिगरेट केस निकाल उसे अमरनाथ के सामने पेशकर हरीश ने कहा, ''आप भी लीजिये न।''

विनय से हाथ जोड़ अमरनाथ बोले—''शौक कीजिये, मुझे आदत नहीं।''

''ओह, लेकिन मेरे पीने से तो आपको बुरा न मालूम होगा?'' हरीश ने उनकी ओर देख मुस्करा दिया?

''नहीं, नहीं बिलकुल नहीं! आप शौक कीजिये!'' अमरनाथ ने विश्वास दिलाया। दियासलाई जला हरीश ने सिगरेट सुलगाया और दूसरी ओर मुखकर धुएँ का लम्बा तार छोड़ दिया। इस सब दौरान में वह यही निश्चय कर रहा था कि क्या बात करे?

''हाँ, मेरे आने का कारण यह है,'' सोफे पर आराम से पसरते हुए उसने कहा, ''कि मुझे कम्पनी के काम से सफर बहुत करना पड़ता है।···तकरीबन यह समझ लीजिये कि महीने में दो हफ्ते कम से कम···और कभी-कभी तीन हफ्ते।'' फिर एक लम्बा कश खींच उसने कहा, ''सफर में कुछ न कुछ खतरा रहता ही है। पिछले महीने मेरा सूटकेश ट्रेन से चोरी चला गया और अभी आज मैं खुद ही एक्सीडेण्ट से बचा हूँ।'' एक और लम्बा कश उसने खींचा, ''मुझे कम्पनियों के एजेण्ट्स ने इंश्योरेंस के लिये अप्रोच किया है, लेकिन मैं कुछ बेपरवाह सा आदमी हूँ और फिर आप यह भी जानते हैं कि जब कोई अप्रोच करे तो आदमी बचने की कोशिश करता है।'' हरीश हँस दिया, ''हालाँकि मुझे स्वयं भी इंजीनियरिंग या मशीनें बेचने वाली फर्मों को अप्रोच करना पड़ता है।''

उसकी हँसी में योग देते हुए अमरनाथ ने कहा, "गुड, दैट्स नाइस।" पानी का गिलास उठाते हुए पूछा, "जल पीजिये न!"

"आप पीजिये, मैं पी लूँगा, आप पीजिये!" हरीश ने कहा, "यह आप पीजिये और आ जायेगा, अभी जरूरत नहीं।" अमरनाथ ने जल पी लिया।

"हाँ तो" हरीश ने कहा, "आज मैं बाल-बाल बचा हूँ। यह समझ लीजिये कि हास्पिटल रोड से मैं एक दोस्त की गाड़ी में जा रहा था—यही गाड़ी जो मुझे अभी यहाँ छोड़कर गई है—कि सामने के मोड़ से एक लारी घूम पड़ी और बाईं ओर से एक ताँगा। मैं नहीं जानता, बस जिन्दगी ही थी। लारी और गाड़ी दोनों के मड़गार्ड टूट गये। दोस्त के यहाँ पहुँचा। उसने मुझे सलाह दी कि मरना-जीना तो भाग्य की बात है, परन्तु आज शाम से पहले अपना बीमा करा लो।" हरीश ने फिर एक लम्बा कश खींचकर दीवार पर लगी घड़ी की ओर छोड़ा—लगभग ग्यारह मिनट गुजर चुके थे।

अमरनाथ ने हँसकर कहा, "ठीक है, तो जिस बात पर दलील से आपको विश्वास न हुआ, अनुभव ने आपको समझा दिया। मेरा अपना कायदा तो यह है नहीं कि लोगों के पीछे पड़ा जाये। जैसे आपने फर्माया, लोग चौंकते हैं और दरअसल है यह एक सर्विस। चाहिए तो यह कि सोसाइटी और गवर्मेण्ट इसका प्रबन्ध करे। आप जानते हैं, रूस में हर एक का बीमा होता है, हर व्यक्ति का। यह तो एक सामाजिक आवश्यकता है। आपके लिये सब प्रबन्ध कर दूँगा। आप निश्चिन्त रहिये।"

हरीश अधमुँदी आँखों से सिगरेट पीता हुआ अमरनाथ की ओर संतोष से देख रहा था कि भला आदमी समय काटने के कठिन काम में स्वयं उसकी सहायता कर रहा है। अमरनाथ के चुप होते ही हरीश ने फिर कहा, "हाँ तो मेरी शादी भी नयी-नयी हुई है। तनख्वाह भी अभी कम ही है। कुल मिलाकर ढाई सौ। सफर में खर्च भी होता ही है और मैं चाहता हूँ दुर्घटना और चोरी के बीमे की पालिसी। सब कम्पनियाँ तो ऐसा करती नहीं। आपकी बीमा कम्पनी स्वदेशी है। कुछ स्वदेशी का भी खयाल मुझे जरूर है। आप प्रबन्ध ऐसा कर दीजिये कि कम खर्च में बालानशीं हो जाये।" हरीश हँस दिया, "एक दोस्त से आपकी कम्पनी का जिक्र सुनकर आया हूँ।"

"यह तो आपकी कृपा है, लेकिन" अमरनाथ ने उठते हुए कहा, "सर्विस आपको इस कम्पनी जैसी कहीं नहीं मिलेगी। देखिये, रेट्स और जरूरी कागज मैं आपको एक मिनट में भीतर से ला देता हूँ। मुझे इस समय एक बहुत ही जरूरी काम से एक जगह जाना है। आप इन कागजों को देख लीजिये और फिर कल या आज शाम को ही मैं आपके यहाँ आ जाऊँगा। जरा डाक्टरी मुआइना हो जायेगा।···इसमें उलझन की बात कोई नहीं है।···मैं एक मिनट में आया।"

अमरनाथ जा ही रहे थे कि हरीश ने कहा, "अगर तकलीफ न हो, एक गिलास पानी···।

"अवश्य, अभी लीजिये।···लेमोनेड मँगवाऊँ?" आग्रह से अमरनाथ ने पूछा।

"नो नो, प्लेन वाटर" हँसकर हरीश ने कहा।

"बहुत अच्छा।"

अमरनाथ दूसरे कमरे में गये और वहीं से पुकारा, "देखना, एक गिलास पानी जल्दी से और भेजना।"

"भेज रहे हैं।" ऊपर से माँ जी की आवाज आई और उन्होंने नौकर को पुकारा, "बिशन!" कोई उत्तर न पा उन्होंने यशोदा की ओर देखकर कहा, "बेटी, तू ही दे आ, उसे बाहर जाना होगा।"

यशोदा बैठी सिलाई कर रही थी। सिलाई एक ओर रख खीझते हुए उसने कहा, "यह लड़का भी बाजार जाता है तो तीन घण्टे से पहले लौटने का नाम नहीं लेता।"

पानी का गिलास लेकर वह नीचे जा रही थी। साड़ी का आँचल ठीक करते हुए उसने सोचा, इस समय बैठक में कौन होगा? वे तो बाहर जा रहे हैं। बैठक का परदा हटाने पर गैर पुरुष को देख वह ठिठक गयी। स्वयं यशोदा को जल लाते देख हरीश सहसा खड़ा हो गया। अपना आँचल सम्भालते हुए विस्मय से यशोदा ने कहा, "आप!"

उसी समय अमरनाथ भी दूसरे कमरे से कागज लेकर आ पहुँचे। यशोदा का विस्मय, उसका 'आप' कहना और हरीश का संकोच उन्होंने देखा। दोनों की ओर सरसरी नजर उन्होंने डाली। हरीश ने पतलून की जेब में हाथ डालते हुए परिस्थिति सँभालने के लिये यशोदा से पूछा, "आप ठीक हैं? मैं जरा बीमे के बारे में कुछ बात आपसे करने आया था।" फिर अमरनाथ की ओर देखकर समझाने के अभिप्राय से उसने कहा, "यहाँ हैं न वह कांग्रेस में कुछ काम करती हैं, उन्हीं के यहाँ आपको एक दफे देखा था।" इतने में यशोदा चली जा चुकी थी।

अमरनाथ अभी स्थिति समझने की कोशिश कर ही रहे थे कि बैठक की चिक से शैलबाला ने झाँका। "आइये, मैं तैयार हूँ," हरीश ने कहा और फिर अमरनाथ की तरफ देखकर बोला, "आप ही के यहाँ तो उनसे परिचय हुआ था।"

शैलबाला कुछ घबराहट और जल्दी में थी। अमरनाथ को संक्षिप्त-सा नमस्कार कर उसने हरीश से कहा, "आइये!"

अमरनाथ के हाथ से कागज ले हरीश ने कहा, "नमस्ते, फिर स्वयं आऊँगा।" और वह शैलबाला के साथ मोटर में जा बैठा।

हरीश के बाहर चले जाने पर अमरनाथ कुछ क्षण सोचते रहे। फिर बाहर जाने की बात भूल, झपटते हुए जीना चढ़ ऊपर पहुँचे, "देखना!" उन्होंने यशोदा को पुकारा, "इस आदमी का क्या नाम था?"

यशोदा ने अपनी आशंकित बड़ी-बड़ी आँखें झपका उत्तर दिया, "इन्हें हरीश कहते हैं।"

सिर खुजाते हुए अमरनाथ ने दोहराया, "हरीश!" और कुछ सोचते हुए वे फिर नीचे उतर गये और अचकन पहन जहाँ जाना था चले गये, परन्तु यशोदा का विस्मय, जे०आर० शुक्ला का संकोच और हरीश—यह तीनों वस्तुएँ एक-एक कर उनके मस्तिष्क में चमकने लगीं। बार-बार वे सोचते : जे०आर० शुक्ला—हरीश!

शैलबाला ड्राइवर को साथ न ला खुद ही गाड़ी चला रही थी। कुछ ही दूर वे गये होंगे, हरीश ने चिंता के स्वर में कहा, "एक और मुसीबत!"

शैलबाला की नजर सामने सड़क पर थी। उसने पूछा, "क्या?"

हरीश ने कहा, "यहाँ उसके पति को मैंने अपना नाम बताया था जे०आर० शुक्ला। मुझे क्या मालूम था, यशोदा जल लेकर नीचे आयेगी। अमरनाथ ने उसे मुझे पहचानते देख लिया। अब उसने मेरा जिक्र करेगा तो वह नाम बतायेगी—हरीश।"

"छोड़ो उसे!" शैलबाला ने कहा, "तुम मेरा पर्स खोलकर देखो।"

"क्या है?" हरीश ने पूछा और उसका बटुआ खोलकर कहा, "यह कागज?"

हरीश ने पढ़ा और चिन्ता से माथे पर त्योरी चढ़ाकर पूछा, "यह क्या?"

"यह अभी मुझे मिला है। जब तुम आये थे, दादा और बी०एम० भीतर बैठे थे, इसीलिये मैंने तुम्हें यहाँ भेज दिया।" सड़क की ओर नजर टिकाये शैलबाला ने उत्तर दिया।

"अब कहाँ हैं वे लोग? मैं उनसे मिलूँगा।" हरीश ने झुँझलाकर कहा।

"क्या हो रहा है तुम्हें हरीश! क्या लाभ होगा इससे?" क्षुब्ध हो शैलबाला सामने देखती रही।

"तुम समझती हो, मैं जान बचाने के लिये भागता फिरता हूँ?···मैं उन लोगों से एक दफे फैसला करूँगा।" हरीश ने जोर दिया।

बाजार में भीड़ अधिक थी। शैलबाला ने कहा, "चुप रहो, डिस्टर्ब मत करो, एक्सीडेण्ट हो जायेगा।" चौक के सिपाही को दाहिनी तरफ घूमने का इशारा कर उसने कार घुमा दी।

अपेक्षाकृत भीड़ कम होने पर नाराजगी के स्वर में हरीश ने कहा, "शैल, तुम सुनती नहीं हो?"

"सुनती हूँ।" कहकर शैल ने गाड़ी को मालरोड की तरफ घुमा दिया। दो मिनट में वे मालरोड से फिरोजपुर रोड की सुनसान में पहुँच गये। यहाँ गाड़ी धीमी कर उसने हरीश से पूछा, "अब कहो, क्या कहते हो? क्या तुम लड़ना चाहते हो?···उन्हें शूट करना चाहते हो?···बदला लोगे?"

"नहीं!" हरीश ने उत्तर दिया, "मैं उनसे बात करना चाहता हूँ।"

"और यदि उन्होंने बात सुने बिना तुम पर गोली चला दी? फिर तो लड़ाई होगी। यह तुम्हारी पार्टी के लिये बहुत अच्छा होगा, क्यों? जिस आदमी ने तुम्हें यह संदेश भेजा है, वह विश्वासघाती बनेगा, मैं विश्वासघाती बनूँगी। इससे लाभ!" शैल ने पूछा।

हरीश चुपचाप सामने गाड़ी के डैशबोर्ड की ओर देखता रहा।

शैलबाला फिर बोली, "तुम्हारा क्या ख्याल है, इन सबका कारण क्या है?"

हरीश ने बिना सिर उठाये कहा—"यह सब बी०एम० की शरारत है। वजह है, ईर्ष्या! वह चाहता है, अपना महत्त्व बढ़ाना और फिर मेरा ख्याल है, तुम भी इसकी वजह हो।" हरीश ने उत्तर दिया।

"तुम यों करो, तुम्हारी राय के लोग भी तो कोई होंगे, तुम उनसे सलाह कर लो। यह पर्चा तुम्हारे ख्याल में किसने भेजा है? उसी से सलाह कर लो! तुम कुछ दिन के लिए टल जाओ!" शैलबाला ने सलाह दी। कुछ उत्तर न दे हरीश ने अपना सिर शैलबाला के कँधे पर रख दिया। दायें हाथ में गाड़ी का स्टेयरिंग थामकर शैलबाला ने अपने बायें हाथ से उसका सिर सम्भाल लिया।

गाड़ी शहर के बाहर बहावलपुर रोड पर चली जा रही थी। बच्चों के से अधीर स्वर में हरीश ने पूछा, "मुझे कहाँ लिये जा रही हो शैल?"

"यही तो सोच रही हूँ।" शैल ने उत्तर दिया, "यहाँ पास ही मेरे एक मित्र का बँगला है। यहाँ तुम सुरक्षित भी रहोगे और तुम्हें आराम भी मिलेगा।"

हरीश ने पूछा, "तो वहाँ भी मुझे नाटक करना होगा?"

"वे भाई-बहन हैं, क्रिश्चियन्स! उस लड़की से तो तुम्हें नाटक करना ही होगा। हाँ, मर्द से तुम बेशक खुल सकते हो, परन्तु कह नहीं सकती, वह इस समय मिलेगा या नहीं ....परवाह नहीं, चलो! उस मोड़ से मुड़ चलें।"

"परन्तु यह है कौन ऐसा विश्वासपात्र?" हरीश ने पूछा।

"कहा तो एक मित्र है।" शैल ने मुस्कराकर उत्तर दिया, "तुम्हें उसी के हाथ सौंपूँगी जिसके हाथ अपनी जान सौंप सकूँ, समझे!"

"तुम्हारे मित्रों की गिनती का भी तो अन्त नहीं।" हरीश ने विस्मय से कहा।

"तुम भी यह कहने लगे?" उसकी ओर देख शैल ने पूछा, "लेकिन हरी अब सब समाप्त है। अब तो यही एक है और एक तुम हो।"

"मैं भी हूँ!" हरीश ने पूछा, "वह भी मेरे जैसा ही है।"

"नहीं।" शैल ने कुछ झेंपते हुए कहा, "तुम-तुम हो, वह-वह है। हरी, अब जीवन की इस नौका को ठिकाने लगा ही दूँगी। बहुत ठोकरें खाईं। और सब तो सुना ही था, आज तुम्हारे क्रान्तिकारियों से भी सुन लिया।" शैल के स्वर में उदासी भर गयी।

"कैसे?"

"न पूछो! तुम्हारे दादा कहते थे, लड़कियों और लड़कों की फ्रेंडशिप कैसी?"

"उनकी बात जाने दो, वह ठहरे दादा। उन्हें केवल एक ही चीज दिखाई देती है, पर यह क्रिश्चियन कौन है?"

"उसका नाम है राबर्ट।" दीर्घ निश्वास लेकर शैल ने कहा, "यदि भाग्य में हुआ तो उसी से विवाह करूँगी। क्यों, तुम्हें एतराज है?"

"नहीं, मुझे क्या एतराज, मैं तो उम्मीदवार नहीं हूँ। परन्तु तुम्हारे पिताजी!"

"देखा जायेगा।" एक लम्बी साँस लेकर शैल ने उत्तर दिया, "परन्तु मनुष्य का सौदा करने वालों की अपेक्षा एक आदमी के पल्ले पड़ूँगी।"

एक बँगले के अहाते में जाकर ड्योढ़ी में गाड़ी खड़ी हो गयी। बँगले के बीच के कमरे में पर्दों की आड़ से प्रकाश दिखायी दे रहा था। आस-पास संध्या का अन्धकार छा गया था। शैल ने पूछा, "हाँ क्या नाम बताऊँ?"

"जी०एम० मिराजकर, महाराष्ट्र!"

"नैनसी-नैनसी!" शैल ने पुकारा और मोटर का हार्न बजा दिया।

जनाने जूतों की खटखट आवाज कमरे से सुनाई दी और एक बीस-बाईस बरस की लड़की ने आकर उत्तर दिया, "हलो, शैल?"

"हाँ!" शैल ने उत्तर दिया, "रूबी हैं?"

"तुम भी क्या कहती हो? आज शाम को चार दफे उन्होंने तुम्हारे यहाँ फोन किया ...तुम थी कहाँ? पाँच बजे से गये हुए हैं। कुछ सामान लाना था। हम मंसूरी जा रहे हैं न कल!"

"मंसूरी? इस मौसम में? मरेगी क्या?" कमरे में प्रवेश करते हुए शैल ने पूछा।

"तुम क्या जानो! तार आया है, खूब बर्फ गिरी है। इंजाय करेंगे, मजा लेंगे।"

"खैर!" शैल ने हरीश की ओर इशारा करते हुए कहा, "मेरे दोस्त मिस्टर जी० एम० मिराजकर। आप जिरेमी एण्ड जानसन कम्पनी में इंजीनियर हैं।"

नैनसी ने हाथ आगे बढ़ा दिया। हरीश ने तुरन्त पतलून की जेब से हाथ निकालकर उससे हाथ मिलाया।

शैल ने कहा, "नैनसी, यह तुम्हारे मेहमान रहेंगे एक-दो दिन। मेरे यहाँ इन्हें काफी आराम नहीं मिल सकेगा, इसलिये तुम्हारे यहाँ ले आई हूँ।"

"जी हाँ!" नैनसी ने कहा, "हमारे यहाँ तो बड़ा भारी महल है न!" फिर हरीश की ओर देखकर, "सर माथे पर आइये, फ्रेंड्स फ्रेंड इज बेटर फ्रेंड।"

"सामान इनका सब मेरे यहाँ ही पड़ा है। अब इस समय नहीं आ सकेगा, परन्तु इन्हें कोई तकलीफ न हो!" शैल ने फिर ताकीद की।

"अरे आप भी यहीं रहिये।" नैनसी ने हँसकर कहा, "सामान की क्या जरूरत है?"

नैनसी ने उन्हें सोफा और कुर्सियों पर बैठाते हुए कहा, "शैल, खाना खाकर जाना, करीब आधा घंटा तो है ही। राबर्ट भी आ जायेंगे।"

"अच्छा तो घर फोन कर दूँ!" शैल ने कहा।

शैल दूसरे कमरे में फोन करके लौट रही थी। नैनसी ने हरीश से अंग्रेजी में पूछा, "कुछ पीजियेगा, प्यास लगी होगी?"

"एक गिलास जल जरूर पी सकता हूँ।" हरीश ने अंग्रेजी में उत्तर दिया।

"जल? सोडा-ह्विस्की लीजिये...या दो घूँट ब्राण्डी! डिनर से पहले अच्छा रहेगा।" नैनसी ने पूछा।

"नहीं, इस समय कुछ तबीयत नहीं चाहती। बस भगवान का आशीर्वाद जल ही दीजिये।" हरीश ने उत्तर दिया।

शैल ने टोककर कहा, "ले क्यों नहीं लेते आधा पैग ब्राण्डी! परेशानी दूर हो जायेगी।"

"हरीश ने सिर हिलाकर इनकार कर दिया। शैल ने मजाक किया, "महाशय ही रहे। डर लगता है?"

हरीश ने स्वीकार किया—"हाँ, नई चीज से डर ही लगता है तुम लो तो मैं भी ले लूँ?" शैल ने भी सिर हिलाकर इनकार कर दिया।

नैनसी के लौटने पर शैल ने कहा, "मिराजकर, यह तो आपको मैंने बताया ही नहीं कि नैना—मैं इसे नैना कहती हूँ—बहुत बड़ी आर्टिस्ट है। वायलिन तो ऐसा बजाती है कि पत्थर भी हिल उठते हैं और नाचने का कहना ही क्या? एक तो आवाज कमबख्त की

कोयल को मात देती है। हाँ, नैना कुछ सुनाओ, मिराजकर बड़े शौकीन हैं! भई सुनाओ कुछ, इस समय बड़ी तबीयत है। जरा दिमाग से परेशानी दूर हो!"

नैनसी ने सिर हिलाकर कहा, "सब कुछ पैक करके भेज दिया आज सुबह की गाड़ी से।"

"कहाँ?"

"तुमसे कहा न, मंसूरी! तुम भी चलोगी न! राबर्ट तो तुमको इसीलिये फोन कर रहे थे। चलो शैल, सब इन्तजाम है, कोठी भी है। चलो, सचमुच!"

"चलूँ? तुम चलोगे मिराजकर?"

निश्चिन्तता से हरीश ने हाथ फैलाकर कहा—"मुझे तो महीना भर की छुट्टी है। गौरीशंकर, कंचनजंगा, नंगा पर्वत जहाँ कहो चल सकता हूँ।"

"लेकिन मैं पिताजी से पूछे बिना क्या कह सकती हूँ?"

"अरे फादर से कह दो, स्वास्थ्य को बहुत फायदा होगा। और होगा भी! तुम्हारे पिता तो तुम्हारे स्वास्थ्य के लिये आसमान से तारे भी तोड़ ला सकते हैं।" नैनसी ने उत्तर दिये।

"परन्तु अकेले?"

"हाय, बिलकुल बेबी है न?" नैनसी ने ताना दिया, "कहना, मैं जा रही हूँ। सब इन्तजाम है। पिताजी कभी इन्कार नहीं करेंगे।"

हँसकर शैल ने हरीश की ओर देखा, "चलो, अच्छा रहेगा, जरा चेंज हो जायेगा!"

नैनसी ने उत्सुकता से कहा, "रात में तैयारी कर लो। हम लोग सुबह ही कार से चलेंगे, चार आदमियों के लिये जगह है ही, सचमुच बड़ा मजा रहेगा।"

बाहर से जूतों की आहट आई और राबर्ट ने कमरे में प्रवेश किया। प्रसन्नता के स्वर में उसने कहा, "वाह, तुम यहाँ हो और मैं तुम्हारे यहाँ जाकर आया हूँ।"

नैनसी ने पुलकित होकर कहा, "रूबी, शैल मंसूरी चलेगी।"

"अभी मैंने कहाँ कहा है···अभी तो मेरे मेहमान की ही बात हो रही थी।"

शैल ने राबर्ट से मिराजकर का परिचय कराया। आखिर तय हो गया कि अगले दिन वे लोग बरफ देखने के लिये मंसूरी जायेंगे।

●

मनुष्य!

दिन-रात और अगले दिन संध्या तक बरफ गिरती रहने के बाद रात में बादल फटकर उस पर पाला पड़ गया। सुबह से स्वच्छ नीले आकाश में सूर्य चमक रहा था। नीचे बिछे अनन्त श्वेत से प्रतिबिम्बित धूप की उज्ज्वलता आँखों को चकाचौंध कर रही थी। वह कोठी पहाड़ी की चोटी थी। आँख उठाकर देखने पर सब ओर श्वेत ही श्वेत दिखाई देता था। एक विचित्र श्वेत, दूध की सफेदी और चाँदी की उज्ज्वलता का मिश्रण! मामूली ऊँचाई-नीचाई उस श्वेत के विस्तार में लुप्त हो गई थीं। केवल बहुत नीचे, गहरी तराई में, बरफ से लदे वृक्षों के बीच से उसकी हरियाली की छाया दिखाई दे जाती थी। पहाड़ की ऊँची ढलवानों पर खड़े विशाल देवदारों की टहनियाँ बरफ के बोझ से झुक गई थीं। वे अस्थि-अशिष्ट महाकाय दानवों के श्वेत पंजर के समान जान पड़ते थे। बरफ के बीच से कहीं-कहीं दिखाई दे जाने वाली उनकी हरियाली ही उनके अदृश्य हो गये वानस्पतिक जीवन की याद दिला देती थी। बाँझ (Oak) के पत्ते भी बरफ का आवरण चढ़ जाने से श्वेत हो गये। जिन वृक्षों के पत्ते हेमन्त में झड़ चुके थे, उनके तने और टहनियाँ सब सफेद स्थानों में ढक गये। विराट प्रकृति के इस खेल में मनुष्य के सब प्रयत्न लोप हो गये मानों प्रकृति ने मनुष्य-बालक की शक्ति का उपहास कर अपने श्वेत आँचल में, उसके तैयार किये सब घरौंदों को छिपा लिया है।

राबर्ट, शैल, नैनसी और हरीश कोठी के बरामदे तक चढ़ी बरफ पर खड़े विस्मय से उस दृश्य को देख रहे थे। रात में पाला पड़ जाने से बरफ की सतह कड़ी पड़ गई थी इसलिये बिना विशेष कठिनाई के वे उस पर खड़े हो अपने चारों ओर के दृश्य को देख रहे थे। कोठी की छत पर जमी हुई बरफ धूप से पिघलकर छत के किनारों से सहस्त्रों धाराओं में टपक रही थी और जल टपकने के स्थानों पर काँच के बड़े-बड़े सींगों जैसी झालरें बन गई थीं। हीरे की कणियों से छितराया श्वेत का वह विस्तार, उनके कदमों के नीचे से फैलता हुआ, सुदूर क्षितिज पर हिमालय की निरन्तर बनी रहने वाली हिम की दीवार तक पहुँच रहा था जिसके कंगूरे नीले आकाश में चाँदी के उज्ज्वल टीलों के समान खड़े थे। उसमें कहीं व्यवधान थे तो अनेक पर्वत श्रेणियों में घाटियों की भूरी-भूरी रेखाओं के या समीप नीचे की घाटियों की तलहटी पर हरियाली।

गरमी और बरसात के मौसम की घनी हरियावल को, बँगलों की लाल छतों से चित्रित करने वाली कलरव-पूर्ण मंसूरी और उजली रुई से ढकी इस नीरव मंसूरी में कोई समानता और सादृश्य न था। बरफ की उस सफेदी में, बरफ से ढके बँगलों और कोठियों को दूर से पहचानना कठिन हो गया था। चौंधियाती आँखों पर छाया के लिये हाथ रखे नैनसी बाँह फैलाकर उँगली से उस पहेली-सी अबूझ मंसूरी में दिखा रही थी, "वहाँ चार्लीविला है, वहाँ मैलाकाफ! वहाँ ऊपर हाइलैण्ड···" ताली बजाकर पुलक और विस्मय

विस्मय से उसने कहा, "रूबी, देखो! वहाँ डिपो की पहाड़ी पर तो कुछ पहचाना ही नहीं जाता।"

इतनी गहरी बरफ पर भी तीखी धूप होने और वायु थमी रहने के कारण बाहर घूमने में सर्दी अनुभव हो रही थी, बल्कि पैरों के नीचे बरफ की पपड़ी टूटने और पैरों के कुछ दूर तक स्वच्छ श्वेत बरफ में धँसने से चलने में भला जान पड़ता था। कोठी के समीप एक टीले पर चढ़कर वे दूर-दूर का दृश्य देखने लगे। चढ़ाई चढ़ते समय पैर धँसने से शैल और नैनसी हाँफने लगीं। राबर्ट शैल को सहारा दिये ऊपर ले जा रहा था। शैल कभी उसकी बाँह और कभी कँधे का सहारा लेती। हरीश की ओर देख नैनसी ने निस्संकोच स्वर से पुकारा, "मिस्टर मिराजकर, आप मुझे हेल्प नहीं देंगे?"

"आई एम सारी, क्यों नहीं!" हरीश पीछे लौट आया। राबर्ट और शैल की ओर देख वह सोच रहा था कि किस सीमा तक वह नैनसी को सहायता दे सकता है?

कुछ ही घंटों में उस वैचित्र्य की उग्रता धीमी पड़ गई। उत्तर-पूर्व की वायु तेज हो जाने से धूप में भी कँपकपी छूटने लगी। मोटे-मोटे कपड़ों को छेदकर वह वायु तीखी बर्छी की तरह शरीर में चुभने लगी। वे लोग भीतर जा बैठे। आग जलाई गई। कँपकपी बन्द ही न होती थी। कमरे में आग जला लेने पर भी उसके समीप ही बैठने में आराम अनुभव होता। शेष कमरा खूब सर्द था इसलिये सोफा और कुर्सियों को आग के बिलकुल समीप खींचकर वे एक साथ ही बैठे।

सर्दी सबसे अधिक नैनसी को अनुभव हो रही थी, परन्तु उससे अधिक असुविधा वह अनुभव कर रही थी सबके समीप बैठने में। उसका मन उचाट हो रहा था—एक प्रकार की अशान्ति सी जिसका कारण वह स्वयं न समझ पा रही थी। राबर्ट और शैल आह्लाद की आत्म-विस्मृति में खोये थे। मिराजकर अपने ध्यान में यों मग्न था जैसे दूसरों की उपस्थिति से उसे कुछ प्रयोजन ही नहीं। कभी किसी बात की ओर संकेत पा या शैल से आँखें मिल जाने पर अपने ख्याल से जागकर वह मुस्करा देता। उसकी आँखें चमक उठतीं और फिर दूसरे ही क्षण अपनें ध्यान में डूब जाता।

नैनसी ने कई बार मिराजकर की ओर देखा, परन्तु उसे अपने ध्यान में मग्न पाया। सब ओर से उपेक्षा की चोट खाकर वह कहीं दूर भाग जाना चाहती थी। उस अद्भुत दृश्य और यात्रा की उमंग से हृदय की नदी में आयी आह्लाद की बाढ़ का जल कम होकर तली में बैठे कंकर-पत्थर प्रकट होने लगे। यह थे उसके जीवन की न्यूनता और कमी के चिह्न। वह देख रही थी कि राबर्ट और शैल नशे की सी अवस्था में थे। उनके ध्यान में किसी तीसरे के लिये स्थान न था। और मिराजकर? उसकी दृष्टि में तो सब लोग जड़ प्रकृति के ही अंग थे। नैनसी ने अनेक बार उसकी ओर देखा, मतलब-बेमतलब उससे बात की। मिराजकर ने अत्यन्त भद्रता से, आवश्यकता से अधिक विनय से संक्षिप्त उत्तर देकर बात समाप्त कर दी, जैसे वह अपरिचित हो और परिचय बढ़ाना न चाहता हो। एकांत की उदासी ने नैनसी का दिल मुँह को आने लगा। एक अज्ञात अभाव की अनुभूति से मन बेचैन हो रहा था, जिसकी कोई स्पष्ट रूपरेखा नहीं बतायी जा सकती थी।

हरीश अपने खेल या चिन्ताओं में खोये बालक के समान था, जिसे अपनी स्थिति या अवस्था की भी परवाह न थी। शैल की ममता भरी दृष्टि निरन्तर उसकी ओर थी। राबर्ट

के अधिकार को कृतज्ञतापूर्वक स्वीकार करके भी वह हरीश की उपेक्षा कैसे कर सकती थी? उसकी दृष्टि में हरीश एक घायल बालक के समान था।

नैनसी खिड़की का पर्दा हटा उत्तर-पूर्व की हिमश्रेणी की ओर देखने लगी। बरफानी चोटियों के पीछे अस्त होते सूर्य की किरणें मयूर पंख की भाँति फैल रही थीं। चोटियाँ उज्ज्वल सिंदूरी अग्नि की स्थिर लपटों की भाँति नीले आकाश में सिर उठाये खड़ी थीं। कुछ भाग जो सूर्य की किरणों की ओट में थे, नीले हरे कुहासे में ढके थे। उनकी ओर देखकर शैल को सम्बोधन कर राबर्ट ने कहा, "ओफ, क्या शोभा है!"

नैनसी को जान पड़ा कि उसके मन की व्यथा को उकसाने के लिए ही यह बात कही गयी थी। खिड़की का पर्दा छोड़ वह हट गयी। शैल ने अनुरोध किया, "नैना, कुछ सुनाओ!"

नैनसी को शैल का यह अनुरोध दुखते अंग पर ठेस के समान जान पड़ा। कुछ उत्तर न देकर कोट की दोनों जेबों में हाथ डाले वह दीवार की ओर देखने लगी।

शैल ने हरीश से पूछा—"मिराजकर, कुछ सुनोगे?"

अपनी विचार तन्द्रा से जाग उसने उत्तर दिया, "जरूर!" और मुस्कराकर नैनसी की ओर देखकर दोहरा दिया, "जरूर सुनाइये!"

हरीश की इस मुस्कराहट से व्यथा की गहरायी में गिरती हुई नैनसी को सहसा सहारा मिल गया। जेब में हाथों को और गहरा गड़ाकर उसने हरीश से ही पूछा—"क्या सुनाऊँ?"

नैनसी के स्वर से निराशा दूर हो गयी। उत्तर दिया शैल ने, "उस रोज देवी के यहाँ जो तुमने सुनाया था···मूनलाइट सोनाटा! वही सुनाओ।"

"वाकई सुनाओ।" राबर्ट ने समर्थन किया।

मुस्कराहट से नैनसी बोली, "मिराजकर तो भारतीय राग के पारखी हैं। इन्हें कोई देशी चीज ही सुनाऊँ। विहाग सुनियेगा?"

"जरूर, जरूर!" मिराजकर ने समर्थन किया।

वायलिन निकालकर नैनसी ने उसके तारों पर कमान चलानी शुरू की। उसका हाथ और वायलिन की कमान तरंगित गति से हिलने लगे। वायलिन के तारों से स्वर की लहरें छूटने लगीं। कुछ देर में उसका सिर भी हिलने लगा। उसके चेहरे पर लाली आ गयी। उसका श्वास अपनी स्वाभाविक गति छोड़ विहाग की लहरों पर चलने लगा। आठ-दस मिनट बजाने के बाद वह उठ खड़ी हुई और विलम्बित के बाद द्रुत बजाने लगी। कमर से ऊपर उसके शरीर का भाग राग की गति पर डोलने लगा। तीनों जने एकटक उसकी ओर देख रहे थे। राबर्ट का सिर हिलने लगा। नेत्र मूँद वह तन्मय हो गया। एक दफे उसके मुख से निकला, "बहुत खूब!" शैल भी मंत्रमुग्ध-सी उसकी ओर देख रही थी। राग समाप्त कर थकावट से साँस लेते हुए हरीश की ओर देख नैनसी ने पूछा, "कहिये पसन्द आया!"

"बहुत खूब! आपको खूब अभ्यास है।" हरीश ने मुस्कराकर प्रशंसा की।

"और सुनिये!" उत्साहित हो नैनसी ने कहा और वायलिन ले उसने श्यामकल्याण बजाना शुरू किया। गत समाप्त होने पर तीनों उसकी भरपूर प्रशंसा की। नैनसी अपनी शिथिलता भूल गई। शैल ने अनुरोध किया, "नैना, गाकर सुनाओ कुछ!"

दोनों हाथ फैलाकर नैनसी ने उत्तर दिया, "बिना साज गाना कैसे? यहाँ क्लासिकल म्यूजिक के महाराष्ट्री पण्डित बैठे हैं, झट गलती निकाल देंगे।"

हँसकर हरीश बोला, "महाराष्ट्रीय होने से ही तो संगीत नहीं आ जाता। मैं गलती समझूँगा ही नहीं; टोकूँगा क्या!"

नैनसी ने आँख का कोना शैल की ओर दबाया, "कुछ लोगों की वीरता कुछ न समझने में ही रहती है। हाँ, तो क्या सुनाऊँ?" हरीश ने उसने पूछा।

"कोई मौके की चीज।" राबर्ट ने उत्तर दिया।

नैनसी ने शैल की ओर दुबारा आँख का कोना दबाकर ताना दिया, "मौका तुम्हारा है, सबका तो नहीं।"

शैल और राबर्ट एक-दूसरे की ओर देख हँस दिये। कुछ गुनगुनाकर नैनसी ने गाना शुरू किया—

लगता नहीं है दिल मेरा उजड़े दयार में,
किसकी बनी है आलमे नापायेदार में।
कह दो इन हसरतों से कहीं और जा बसें,
इतनी जगह कहाँ है दिले बेकरार में।
बुलबुल को बागबाँ से न सैयाद से गिला,
किस्मत में कैद थी लिखी फस्ले-बहार में।
उम्रेदराज माँग कर लाया था चार दिन,
दो आरजू में कट गये दो इन्तजार में।

नैनसी आँखें छत की ओर उठाये, खूब ऊँचे स्वर में खुले दिल से गा रही थी। कमरा उसके स्वर से गूँज उठा। गजल समाप्त होने पर उस जनहीन प्रदेश का सुनसान और भी बोझिल जान पड़ने लगा। शैल ने उसे कुछ और सुनाने के लिए कहा।

"वाह, भाड़े पर आई हूँ?" उलाहने से नैनसी ने उत्तर दिया, "तुम भी गाओ!" अपने गले और कला के चमत्कार के गर्व से उसका हृदय इस समय उत्साह की हिलोरें ले रहा था।

"अरे, इतना जानते तो तुम्हें कहने की जरूरत होती?" शैल बोली।

"आओ दोनों मिलकर पंजाबी ढोलक का गीत गायें?" नैनसी ने प्रस्ताव किया। शैल तैयार हो गयी। उसी समय नैनसी ने मिराजकर की ओर देखकर पूछा, "पर यह क्या समझेंगे?"

"मैं समझता हूँ, काफी समझता हूँ।" हरीश ने उत्तर दिया, "आप गाइये, कम से कम स्वर तो सुनूँगा।"

नैनसी राबर्ट का हैटकेस उठा लाई और उसे ढोलक की तरह घुटनों में दबाकर बजाने लगी—

"मैं तेरी ते तू मेरा फुल्लवे, चन्नावे···" गाते-गाते रुककर हरीश की ओर देख, उसने पूछा, "क्या मतलब समझे आप?"

हरीश ने कहा, "समझ गया—मैं तेरी हूँ, तू मेरा है, तू फूल है।"

शैल को सम्बोधन कर नैनसी ने कहा, "ठीक है लेकिन ग्रामर जरा कम जानते हैं।"

तीनों हँस पड़े। हरीश झेंप से मुस्करा दिया। नैनसी पर उत्साह का नशा चढ़ रहा था। एक गीत समाप्त कर शैल के साथ उसने दूसरा गीत शुरू किया—

"चीची वाला छल्ला मैनूँ दे जा निशानी···।"

इस बीच में हरीश का ध्यान दूसरी जगह पहुँच गया था। वह सोच रहा कि साहबी ढंग से रहने वाली, अंग्रेजी बोलने वाली यह मिस साहब सलवार पहने और घुटनों में ढोलक दबाये पंजाबी गीत गा रही है। पश्चिम की सभ्यता का इतना मुलम्मा होने पर भी इसकी भारतीयता और पंजाबीपन उसके खून में वैसे ही मौजूद हैं।

सहसा रुककर नैनसी ने फिर हरीश से पूछा, "इसका मतलब बतलाइये, क्या समझे?"

"हाँ-हाँ," हरीश बोला, "अँगूठी माँगती है निशानी।"

"चीची का क्या मतलब? अगर आप यह बता दें तो जो आप कहें दे दूँ।"

शैल ने कहा, "मौका है मिराजकर, इसी को माँग लो।"

राबर्ट ने हँसकर कहा, "प्राचीन भारत में ऐसे ही तो स्वयंवर हुआ करते थे।"

नैनसी ने बिना झेंपे ललकारा, "यह बताएँ तो?···क्या मतलब है साहब चीची का?···क्या चाची?" उसने उँगली ठोढ़ी पर रखकर पूछा।

चिन्ता का भाव दिखा हरीश ने उत्तर दिया—"देखिये, इसका मतलब···नग, नगवाली अँगूठी; नहीं क्या?"

नैनसी ने शैल और राबर्ट की तरफ देखकर कहा—"बस जीत लिया स्वयंवर!

शैल हँसी से लोट-पोट हो गई। उससे रहा न गया। राबर्ट के पास से उठकर हरीश का हाथ पकड़ उसे खींचकर वह दीवार के पास ले गई और आहिस्ता से कहा—"खूब बनते हो, कमाल कर दिया!"

उसी तरह आहिस्ता से हरीश ने हँसकर उत्तर दिया—"न बनूँ तो अभी भेद खुल जाये!"

हँसते-हँसते शैल वापस आकर बैठ गई! मिराजकर कुछ झेंप दिखाते हुए आकर बैठा ही था कि नैनसी ने उसे संबोधन कर कहा, "ए हजरत!" चीची का मतलब चाची नहीं और न नगवाली अँगूठी है। इसका मतलब है यह उँगली!" अपनी छोटी उँगली हिलाते हुए दिखाकर उसने कहा, "समझे! अरे कुछ भी तो नहीं समझते!"

राबर्ट और शैल आपस में बात कर रहे थे। उस ओर संकेत कर नैनसी ने मिराजकर से कहा—"कुछ समझा कीजिए···इन्हें बात करने दीजिए! आइये, आपको चाँद दिखाऊँ! सर्दी लगती है?···ओवरकोट जो नहीं है! यह लीजिए इसे पहन लीजिये!" अपना ओवरकोट उसने उतार दिया।

हरीश के मना करने पर भी उसने एक शाल लेकर ओढ़ लिया और फिर हरीश की ओर देखकर बोली, "वाह कैसे अच्छे जँचते हैं! एक साड़ी और निकाल दूँ···चलिये अब तो!"

शैल हँसने लगी।

वे दोनों बरामदे के काँच से बरफ पर चाँद की रोशनी देख रहे थे। हरीश ने कहा, "कितनी शान्ति है!"

नैनसी ने उत्तर दिया. "भयंकर सुनसान!···सर्दी!"

लगभग दस मिनट तक दोनों उस शान्ति, सुनसान और ठंड को सहते रहे। हरीश मस्तिष्क में एक शून्य का अनुभव कर रहा था। नैनसी हृदय में शून्य का अनुभव कर रही थी। निराशा ने उसे फिर आ घेरा। मिराजकर को बरामदे में छोड़कर वह लेटने के लिए चली गई।

"रूबी, जब जीवन में कोई रुकावट अनुभव नहीं होती तो जिंदगी ढाल पर बहते जल की तरह बहती चली जाती है। कभी अनुभव भी नहीं होता कि हम जी रहे हैं, जीवन की क़ोई समस्या या अधिकारों का भी कोई प्रश्न है? और जब जीवन में चाह और इच्छा पूरी नहीं होती, तब सब बातों की ओर ध्यान जाने लगता है। समाज में अव्यवस्था दिखाई देने लगती है।" शैल अपनी अंधमुँदी आँखों के सामने कल्पना में जाने क्या-क्या देखते हुए बोली।

अपना दाईं बाँह शैल के कँधे पर रख राबर्ट ने शांत तटस्थ भाव से लम्बा श्वास ले उत्तर दिया, "समाज और संसार का आरंभ होता है व्यक्ति से। जब व्यक्ति अपने जीवन में रुकावट अनुभव करता है तभी वह सामाजिक संकटों के प्रति चिन्ता अनुभव करने लगता है, व्यक्तिगत और सामाजिक अधिकार की बात सोचने लगता है।"

"पर यह बात हरीश···मेरा मतलब मिराजकर के जीवन में कहाँ है···उसका अपना जीवन है ही क्या···वह जीवन में कुछ पाने की आशा कर ही नहीं सकता!" शैल ने कहा।

"यह बात···" राबर्ट ने मुस्कराकर शैल की ओर देखा, जो आदमी देश और समाज के लिए अपने आपको मिटा देना चाहता है, वह भी एक प्रकार से स्वार्थी ही है। वह सन्तान से मोह करने वाली माँ की तरह है जो अपनी संतान के बिना जी नहीं सकती। कुछ लोग ऐसे भी हैं जो मनुष्य-मात्र के हित में मर जाना चाहेंगे। वास्तव में उन्हें निःस्वार्थ न कहकर समझदार ही कहना चाहिये, क्योंकि वे समझते हैं कि उनका स्वार्थ सामूहिक हित में है। मैंने तो अपने जीवन में यही देखा है।"

राबर्ट की बाँह पर हाथ रख शैल ने दरवाजे के काँच से बरामदे में झाँककर पूछा, "रूबी, मिराजकर को भी बुला लूँ! वह देखो, पागल जैसा सिर उठाये, अकेला कोल्हू के बैल की तरह चक्कर काट रहा है।"

राबर्ट ने सिर हिलाकर अनुमति दे दी। शैल ने मिराजकर को भीतर पुकार लिया।

मिराजकर ने भीतर आकर पूछा, "कहिये क्या है?"

शैल बोली—"होने को क्या है, यहाँ आदमियों में बैठो!—क्या कटघरे में बन्द जानवर की तरह चक्कर काट रहे हो। तुम क्रान्ति-क्रान्ति चिल्लाते फिरते हो, व्यक्ति के मार्ग में आने वाला सामाजिक अत्याचार तुम्हें नहीं दिखाई देता? जीवन के स़ब मार्ग समाज में बन्द पाकर मुझे तो सबसे अधिक खिजलाहट समाज के प्रति ही होती है···।"

राबर्ट ने सहयोग दिया, "जैसे ईंटों के बिना इमारत नहीं बन सकती, उसी तरह बिना व्यक्तियों के समाज भी नहीं बन सकता। समाज अपनी रक्षा या व्यक्तियों के विकास के लिये ही व्यवस्था करता है, परन्तु मनुष्य के जीवन में परिवर्तन आ जाता है, उसकी आवश्यकताएँ बदल जाती हैं और पुरानी व्यवस्था में उसे रुकावट अनुभव होने लगती है।

जैसे बचपन में कोई कपड़ा शरीर पर सी दिया जाये तो उम्र बढ़ने पर दम घोंटने लगेगा, वही हालत हमारी सामाजिक व्यवस्थाओं की भी है।···स्वयं अपने अनुभव की बात देखिये! मैं अपनी पत्नी को ही क्या दोष दूँ? जिस समय कालेज से एम०ए० पास किया, मुझ पर बाइबिल का रंग इतना गहरा था कि संसार को प्रभु मसीह के चरणों में ले आने के सिवा और कोई चिन्ता नहीं थी। मेरी धर्मनिष्ठा देख मेरे विशेष चिन्ता न करने पर भी मिशन कालेज में मुझे काम दे दिया गया। मेरा यह हाल कि सब काम छोड़ सुबह-शाम मजदूरों और भंगियों में जा, मसीह के भजन गाये बिना, उन्हें मसीह का उपदेश सुनाये बिना चैन न था।

''उन्हीं दिनों फ्लोरा से मेरा परिचय हुआ। मेरे धर्मोपदेश में उसे अमृत बरसता जान पड़ता था। वह प्रायः मेरे साथ भजन गाने जाती, मेरे व्याख्यानों में हाजिर रहती। धर्म के प्रति उसके प्रेम से मैं उसका आदर करने लगा। मुझे मालूम नहीं हुआ किस दिन उस आदर ने प्रेम का रूप धारण कर लिया। मानसिक प्रेम और शारीरिक आकर्षण की सीमा एक-दूसरे से दूर-दूर नहीं रहती। इस पार श्रद्धा, प्रेम और भक्ति हैं, दूसरी ओर तृप्ति की चेष्टा और फिर यह सीमा कोई ठोस पदार्थ नहीं। भावना और विचारों में ही यह सीमा रहती है इसीलिये भावना, विचार या इच्छा की यह तरंग इसे कहीं पहुँचा सकती है, मिटा भी सकती है।

''मैंने स्वयं ही फ्लोरा से विवाह का प्रस्ताव किया। मेरे प्रति उसकी श्रद्धा और प्रेम—जो केवल चाह और पसन्द का दूसरा नाम है—इतना प्रबल था कि इनकार कर सकना उसके लिये सम्भव न था। मेरा ख्याल है, उस समय यदि हम दोनों में से कोई एक मर जाता तो दूसरा भी, जीवन असंभव समझ, मर जाता या मरने की चेष्टा करता, परन्तु जब प्रेम और आकर्षण का कारण न रहा, प्रेम और आकर्षण भी न रहा।

''फ्लोरा ने मुझे जो कुछ समझकर प्रेम किया था, उसकी दृष्टि में मैं वह नहीं रह गया तो फिर क्यों न वह मेरे प्रति विरक्त हो जाती? उन दिनों मुझे गाँधीवाद का चस्का लगा। गाँधी मुझे ईसा के सबसे बड़े क्रियात्मक भक्त जान पड़ते थे। कई दफे गाँधीजी को ईसाई बनाने की धुनसवार हुई। उनका आचरण ईसाई धर्म के अनुसार आदर्श है; केवल भगवान के पुत्र मसीह में विश्वास न होने के कारण वे स्वर्ग और मुक्ति न पा सकेंगे, यह सोच मुझे दुख होता था राम, कृष्ण आदि मिथ्या अवतारों में मुझे उनकी श्रद्धा सह्य न थी। अहिंसा और प्रेम में ही मुझे सब धर्मों का सार दिखाई देता था और अहिंसा एवं प्रेभ का सार मुझे दिखाई देता था। भगवान के पुत्र मसीह में। उन्हीं दिनों, भला हो एक मेरे प्रोफेसर मित्र का, उसने मुझे बुखारिन की एक पुस्तक 'हिस्टोरिकल मैटिरियलिज्म' पढ़ने के लिये दी। उस पुस्तक को दो दफे पढ़ा। उसके बाद हीगल की एक पुस्तक 'रिडल आफ दी यूनिवर्स' पढ़ी। फिर यत्न करने पर भी मैं बाइबिल न छू सका।

''मेरी यह नास्तिकता फ्लोरा के लिए असह्य थी। मैं उसे अपने विचार समझाने का यत्न करता, परन्तु धर्म के विषय में तर्क करना ही उसकी दृष्टि में पाप था। एक नास्तिक को पति मानकर मेज पर भोजन करना उसे नागवार था। मेरे गिरजा न जाने पर वह दुःख से उपवास करती। कई दिन तक उसके संतोष के लिए मैं फालतू कुत्ते की तरह उसके साथ गिरजा गया भी, परन्तु इससे मन में ग्लानि होती थी। मुझे यह कायरता जान पड़ती थी।

"एक दिन हद हो गयी। मेरी मेज के नीचे एक पुस्तक काले चमड़े की जिल्द की पड़ी थी। नजर पड़ने पर फ्लोरा ने पुस्तक को उठाकर चूमा, सिर से लगाया और मुझे क्रोध में सम्बोधन कर कहा—अब तुम्हारा पतन इस सीमा तक पहुँच गया है कि बाइबिल पैरों तले ठुकराई जाती है!

"उसकी आँखों में आँसू देख मैंने हँसकर उत्तर दिया—यह बाइबिल नहीं, यह वह चीज है जिसका सत्य जूतों की ठोकरों से भी अपवित्र नहीं हो सकता। यह कार्ल मार्क्स का 'कैपिटल' है! क्रोध में उसके होंठ फड़फड़ाने लगे। यह नास्तिक मार्क्स! उसने कहा—और मैंने इसे सिर से लगाया, चूमा?

"तुम्हारे भगवान की ऐसी ही इच्छा थी"—खिल-खिलाकर मैंने उत्तर दिया।

"भगवान की नहीं, शैतान की! तुम शैतान हो!...भगवान मसीह के भोले मेमने का रूप धारण कर तुमने मुझे धोखा दिया है। वह क्रोध से पैर पटकती हुई पुस्तक लिए रसोईघर की ओर चली गयी। वहाँ से पुकारकर उसने कहा—यह देखो!

"मैंने जाकर देखा कि भभकती हुई अँगीठी पर से देगची उठाकर वह पुस्तक रख दी गई है और उसमें से लपटें उठ रही हैं। मेरी ओर घृणा से देख फ्लोरा ने ललकारा—यह देखो, तुम्हारे मार्क्स की आत्मा दोजख की आग में जल रही है।

"फ्लोरा की असहिष्णुता और कट्टरपन दिन-प्रतिदिन असह्य होता गया। मैं कुछ कह न सकता था। कुछ दिन पूर्व की अपनी धर्मान्धिता मेरी स्मृति में आ खड़ी होती। उस दिन इस घटना से मुझे क्रोध आ गया। कोशिश की कि चुप रहूँ, पर रह न सका। कहा—तुम्हारे भगवान की इच्छा से एक दिन नीरो के दरबार में ईसाई सन्तों को इसी तरह जलाया जाता था। मुहम्मद गोरी ने भी इस देश में वेदों को इस प्रकार जलाया था, परन्तु वे दोनों आज भी जीवित हैं और मार्क्स के विचार भी जीवित रहेंगे। आज जल गई केवल हमारी आपस की सहानुभूति! अब हम दोनों एक साथ नहीं रह सकते। उसी दिन वह कपड़े-लत्ते सम्भाल, घर से चली गयी।

"खबर मिली कि वह काँगड़ा जिला में अछूतों में ईसाइयत का प्रचार करने वाले मिशन में चली गयी है। अस्पताल में नर्स का काम करके कठिन जीवन बिता रही है। सोचा, अपने गुरूर की वजह से यदि वह कष्ट उठाती है तो मेरा क्या कुसूर! फिर ख्याल आया कि यदि रोटी-कपड़े के लिए मेरी मुँह-देखी कहती रहती तभी क्या मुझे उसका आदर करना चाहिए था? उसे मैंने एक पत्र लिखा—कानूनन तुम्हें मेरी आमदनी पर अधिकार है। अनावश्यक आर्थिक कष्ट सहने की तुम्हें जरूरत नहीं, परन्तु मेरा सौ रुपये का मनीआर्डर इस उत्तर के साथ लौट आया—नास्तिकों के पैसे पर मुझे श्रद्धा नहीं।

"उन दिनों ईसाई समाज में मेरी खूब निन्दा हुई। लोगों ने कहना शुरू किया, नौकरी और बीवी के लिए मैंने धर्मात्मा का ढोंग किया था। उस निन्दा से डरकर नौकरी से इस्तीफा दे दिया। शायद न देता, परन्तु जानता था कि गुजारा चल ही जायेगा। पिता ठेकेदारी कर कई मकान बना गये हैं। समाज का यह माना हुआ कायदा है कि बाप की कमाई या स्वयं सम्पत्ति जमा कर लेने से हम बिना हाथ-पैर हिलाये भी मजे में जिन्दगी गुजार सकते हैं।

"किसी समय यदि यह कायदा न बनाया जाता तो लोग न सम्पत्ति इकट्ठी करते और न पैदावार के बड़े-बड़े साधनों का विकास हो पाता, लेकिन आज भी वह कायदा चला

आ रहा है। व्यक्तिगत रूप से मैं उससे लाभ उठा रहा हूँ, लेकिन यह भी देखता हूँ कि जब अधिक से अधिक मुनाफा कमाने के लिए सम्पत्ति या पैदावार के अधिक से अधिक साधन व्यक्तिगत रूप से जमा किये जाते हैं और लाखों करोड़ों लोग बिना किसी साधन के ही रह जाते हैं। ऐसे लोग साधनों के मालिकों या सम्पत्तिशालियों के उपयोग की वस्तु-मात्र ही बन सकते हैं···तुम हमारे दोनों नौकरों को ही देख लो! यदि अपने आराम के लिए हमें इनकी जरूरत न हो और पैसे वाले दूसरे आदमी भी हमारी तरह सोचें तो इस श्रेणी के लोग जीवित कैसे रहेंगे?···जीवित रहने का कोई साधन इनके हाथ में नहीं यदि इनकी सेवा की हमें आवश्यकता न हो? लेकिन जनाब यह न समझ लीजिये कि मैं मार्क्सवाद का प्रचार करने चल दूँगा! अब तो मैं बहुत सुविधा और आराम से जीवन बिताना चाहता हूँ···।

"हाँ, तो फ्लोरा का यह हुआ कि पिछले अगस्त में उसका एक रजिस्टर्ड पत्र आया। वह चाहती है मैं हिन्दू-धर्म ग्रहण कर लूँ, ताकि उसका और मेरा विवाह सम्बन्ध टूट जाये। आज डेढ़ बरस से हम दोनों एक-दूसरे से अलग हैं। उसे मैंने लिख दिया कि वह मुझे अदालत में तलाक दे सकती है। इसमें उसे अपमान जान पड़ता है। वह मुझसे पीछा छुड़ाना चाहती है, परन्तु सम्मानजनक उपाय से। समाज का यह दूसरा नियम है कि स्त्री का सम्बन्ध जीवन भर एक पुरुष से रहे। बताइये; अब यह नियम मेरे, फ्लोरा और उस पुरुष, जिससे फ्लोरा विवाह करना चाहती है और उस स्त्री, जिससे मैं विवाह करना चाहता हूँ, के जीवनों को मुसीबत में डाल रहा है या नहीं? जब तक स्त्री पुरुष की सम्पत्ति समझी जाती थी, उसका एक पुरुष की बने रहना जरूरी था, परन्तु आज जब स्त्री को पुरुष के समान अधिकार देने की बात आप कहते हैं तो इस प्रकार के नियम या कानून की जरूरत?···स्त्री-पुरुषों का जीवन सुख-शान्ति से चले, इसीलिए तो समाज नियम, कानून बनाता है! आप इन्कार नहीं कर सकते कि विवाह एक बन्धन है। बन्धन उस समय लागू किया जाता है जब अव्यवस्था का डर रहता है। हैरान हूँ कि समाज में इस बन्धन का इतना आदर क्या है? दूसरे बन्धनों की तरह इसे भी आजादी का शत्रु समझना चाहिये। तमाशा यह है कि लोग इस बन्धन में बँधने के लिये बेताब रहते हैं।"

"ना, न, विवाह बन्धन नहीं।" बीच में टोककर हरीश ने कहा, "विवाह एक लाइसेंस या परवन्ना है। बन्धन तो वास्तव में यह है कि समाज कोई पुरुष किसी स्त्री से कोई सम्बन्ध नहीं रख सकता, परन्तु जब इस ढंग से काम नहीं चलता यह एक पुरुष को एक स्त्री के लिये परवन्ना या लाइसेंस दे दिया जाता है कि वे परस्पर सम्बन्ध पैदा कर सकते हैं।"

राबर्ट और शैल हँस दिये। राबर्ट ने स्वीकार किया, "हाँ, आपने अधिक अच्छे ढंग से कहा या यों कहिये जिस तरह पराई सम्पत्ति लेना पाप है, उसी तरह दूसरे की औरत से सम्पर्क भी पाप है, परन्तु औरत ऐसी सम्पत्ति है, जिसके हाथ-पैर और सिर हैं, इसलिये उसे समझाया गया है कि अपने मालिक से चिपके रहने में ही तेरा कल्याण है, तू पतिव्रता बनी रहना।"

शरीर को कुर्सी पर ढीला छोड़कर एक सिगरेट सुलगाकर हरीश ने कहा, "स्त्री की पूर्ण स्वतन्त्रता का अर्थ है, विवाह की प्रथा को दूर कर देना···।"

"वाह! तो फिर हो गया?" शैल ने आशंका से चौंककर पूछा।

"क्यों होने को क्या है?" उत्तेजित हो हरीश ने उत्तर दिया, "तुम्हारे देश के यदि दमनकारी कानून दूर कर दिये जायें तो क्या होगा? इसी तरह विवाह का दमनकारी सम्बन्ध दूर कर देने पर स्त्री-पुरुष अपनी-अपनी स्वाभाविक अवस्था में रहेंगे।"

"यह मैं नहीं मानती।" शैल ने विरोध किया, "एक सीमा तो होनी ही चाहिए।"

"मैं जानता हूँ, तुम क्यों नहीं मानती।" मुस्कराते हुए हरीश ने उत्तर दिया, "बुरा मत मानना, तुम चाहती हो पति बनाकर पुरुष का शोषण करना, उससे काम निकालना। तुम चाहती हो कि पति कमाकर लाये और तुम उड़ाओ। मैं पूछता हूँ कि यदि स्त्री संतान चाहती है तो उसके पालन की जिम्मेदारी से क्यों डरती है।"

"कैसे गुस्ताख है यह।" राबर्ट को सम्बोधन कर वात्सल्यपूर्ण स्वर में शैल ने कहा और फिर भँवें टेढ़ी कर हरीश को सम्बोधन किया, "क्यों सन्तान के प्रति पिता की जिम्मेदारी नहीं होनी चाहिए?"

"है क्यों नहीं, होनी चाहिये, परन्तु उतनी ही तो जितनी कि माँ की है। पुरुष सन्तान पैदा करता है, इसका अर्थ नहीं कि वह उम्र भर बच्चे और उसकी माँ का पेट भरा करे!" हरीश ने उत्तर दिया।

"स्त्रियाँ जैसे कुछ करती ही नहीं?" शैल ने नया प्रश्न किया।

"स्त्रियाँ तीन तरह की होती हैं।" कुर्सी पर आगे बढ़ हरीश ने कहा, "एक किसान-मजदूर श्रेणी की औरतें हैं जो पति के बराबर ही काम करती हैं और पति की गुलामी करती हैं घाते में। दूसरी हैं सफेदपोश लोगों की औरतें। ये स्त्रियाँ घर का वह काम करती हैं, जिसे आठ-दस रुपये माहवार का नौकर बखूबी कर सकता हैं। हाँ वंशधर पैदा करने का काम अतिरिक्त जरूर है।"

संकोच से मुँह पर हाथ रख राबर्ट की ओर देख शैल ने पूछा, "क्यों, वह कुछ काम ही नहीं?"

"काम है जरूर।" राबर्ट ने स्वीकार किया, "परन्तु सन्तान की इच्छा से ही हमारे समाज में आजकल कितने लोग विवाह करते हैं। सन्तान हो जाती है, फिर प्राकृतिक मोह उसे पालने के लिए विवश कर देता है। इस देश में साधारणतः विवाह होता है इसलिये कि विवाह होना ही चाहिये। विवाह की जरूरत महसूस होने से पहले ही वह हो जाता है जैसे आग लगने से पहले, आशंका के ख्याल से ही सरकारी इमारतों में आग बुझाने के लिये लाल रंग की बाल्टियाँ लटका दी जाती हैं या रात में सोने से पहले सिरहाने पानी का गिलास रख लिया जाता है। उसी प्रकार समाज में विवाह हो जाता है, फिर लोग अपने प्रेम या आसक्ति को तृप्त करने के लिये जब अपने आपको भूल जाते हैं, उस समय भी उसके सामने पलने में चाँद से हँसते-खेलते बालक का चित्र नहीं होता। संतान तो बाद में आ कूदती है। असल बात तो यह है कि आज का सभ्य समाज संतान से डरता है, परन्तु प्रकृति उन्हें धोखा देती है, ठीक उसी तरह जैसे चिड़ीमार जाल में चारा फैलाकर पक्षियों को धोखा देता है। प्रेमियों को दिखाई देता है, केवल शारीरिक आकर्षण का चारा, परन्तु इस चारे में छिपे रहते हैं सन्तान के जाल में फंदे!"

"मुझे अपनी बात कह लेने दीजिये।" अपनी कुर्सी पर असंतोष से और आगे खिसकते हुए हरीश ने कहा, "हाँ, तीसरी हैं अमीर श्रेणी की औरतें। पुरुष के मन बहलाव और संतान प्रसव करने के अतिरिक्त वे कुछ नहीं करतीं। अमीर लोग इन्हें बैठा-

बैठाकर अपने शौक और शान के लिए खिलाया करते हैं जैसे तोता, मैना या गोद के पालतू कुत्ते को खिलाया जाता है। आप बताइये, ऐसी स्त्री समाज के उपयोग के लिए क्या करती है और समाज उसका पालन-पोषण क्यों करे? वह समाज पर बोझ है इसलिए वह पुरुष की कृपा पर निर्भर रहती है, उसकी गुलामी करती है। इस समाज की स्त्रियाँ यदि छतरी और बटुआ हाथ में लेकर मनमानी साड़ियाँ और जेवर खरीदने की स्वतन्त्रता पा जाती हैं तो अपने आपको स्वतन्त्र समझती हैं, परन्तु यदि वे स्वतन्त्रता से अपना घर बसाना चाहें या स्वतन्त्रता से सन्तान पैदा करना चाहें तो क्या वे स्वतन्त्र हैं?''

''यह तो मैं नहीं मान सकती कि भद्र श्रेणी की औरतें कुछ करती नहीं।'' शैल ने एतराज किया और फिर हँसकर कहा, ''हाँ, तुम तो ऐसा कहोगे ही, समाजवादी जो बन रहे हो।''

अँगड़ाई लेते हुए राबर्ट ने मजाक किया, ''करती क्यों नहीं; नौकरों पर शासन करती हैं, घर सम्भालती हैं, पति से रूठती हैं और पति के दोस्तों से हाथ मिलाती हैं। इस जमाने में तो औरत बनने में ही फायदा है, शर्त इतनी है कि पति भद्र और अमीर हो और जरा शक्ल अच्छी हो।'' और आँख से शैल की ओर संकेत कर दिया।

राबर्ट के मजाक से बहस में आती उत्तेजना दूर हो गई। हँसकर हरीश ने कहा, ''अच्छा, आप ही बताइये, क्या यह उचित है कि एक आदमी की सेवा के लिये चार-पाँच आदमी रहें। इसका अर्थ हो जाता है कि उस आदमी का जीवन सेवा करने वाले चार-पाँच आदमियों के जीवन से अधिक महत्व का है। यदि हमारे समाज में सब आदमियों के लिए शिक्षा और पढ़ाई का अवसर समान रूप से रहे तो केवल रोटी पर तमाम जिन्दगी बिताने के लिये कोई तैयार न होगा। ऐसी अवस्था में स्त्री की स्थिति क्या होगी? क्यों न स्त्री भी पुरुष के समान ही काम करे और ब्याह कर साथ ही रहना हो तो कमाकर परिवार की सहायता करे।''

हरीश को निरुत्तर करने के लिए कुछ विद्रूप के स्वर में शैल ने कहा, ''और परिवार के भोजन का क्या प्रबंध हो?''

''चाहे जैसे करिये!'' विद्रूप की परवाह न कर हरीश ने उत्तर दिया। ''होटल में खाइये या दोनों मिलकर पकाइये और बर्तन मलिये। मैं आप ही से पूछता हूँ—यदि प्रति नौकर सौ रुपये मासिक पड़े तो आप कितने नौकर रख सकेंगी?''

''ऐसा भी कहीं हो सकता है?'' शैल ने बेपरवाही से कहा।

''हो क्यों नहीं सकता! आप तो चाहती होंगी न हो पर होगा जरूर।'' हरीश ने उत्तर दिया, ''फर्ज कीजिये, देश में बहुत से रोजगार खुल जायें, मुनाफे में भाग पाने से मजदूरों की आमदनी बढ़ जाये तो फिर चोंचलों के लिये आपको नौकर कैसे मिलेंगे! इंग्लैंड में ही कितने भले आदमियों के घर नौकर रहते हैं!''

''वाह रे तुम्हारा समाजवाद!'' शैल ने मुस्कराते हुए ताना दिया।

राबर्ट ने नींद को दूर रखने के लिये खुजाते हुए कहा, ''समाजवादी विचार दो तरह के हैं। समाजवाद एक रूप हो सकता है कि बड़े आदमी गरीबों पर दया कर अपनी स्थिति कायम रखते हुए उसकी अवस्था सुधारने की बात सोचें। दूसरा यह कि गरीब आदमी शासन और अधिकार स्वयं अपने हाथ में ले लें। पहला हुआ संतों का या

गाँधीवादी-समाजवाद और दूसरा है मार्क्सवादी-समाजवाद। तुम्हारा 'दादा' अब 'कामरेड' बन रहा है, बचा सकती हो तो बचा लो।''

''सुनो हरीश!'' शैल ने कहा, ''तुम अपनी पहले वाली क्रान्ति ही जारी रखो। दो गोलियाँ इधर चलाओ, दो बम उधर। लोग तुम्हारे साहस की तारीफ करेंगे और शहादत के गीत गायेंगे। अगर तुमने यह नई क्रान्ति चलाई कि नौकर को मालिक के खिलाफ, स्त्री को पुरुष के खिलाफ भड़काया तो भले आदमियों में तुम्हारे लिये जगह नहीं।''

''हाँ, कांग्रेसी तो तुम्हारा साथ देने से रहे।'' हँसकर राबर्ट ने भी समर्थन किया।

राबर्ट की बात से शैल का विद्रूप और ताने का स्वर बदल गया, ''रूबी, इसका भी क्या जीवन है! सरकार इसे जंगली जानवर की तरह खोजती फिरती है। साथी इसकी जान के पीछे पड़े हैं।'' वह एकटक हरीश की ओर देखती रह गई।

हरीश कुर्सी से उठ खड़ा हुआ, ''तो तुम्हें भी मुझ पर दया ही आती है, मेरे विचारों से कोई सहानुभूति नहीं है।''

''नहीं, नहीं।'' राबर्ट ने विरोध किया, ''दया नहीं मुझे तुम्हारे विचारों से पूरी सहानुभूति है, परन्तु क्या करूँ! मैं केवल सोचा करता हूँ, कर कुछ नहीं सकता।''

हरीश ने मुस्कराकर शैल की ओर संकेत कर कहा, ''नहीं, मैं इनकी बात कर रहा था।''

''यदि स्त्रियाँ इतनी चैतन्य हो जायें तो फिर पुरुष उन्हें प्यार करना छोड़कर उनसे डरने लग जायेंगे।'' कहकर राबर्ट जोर से हँसकर उठ खड़ा हुआ।

''सुन लिया?'' हरीश ने कहा और वह अपने कमरे की ओर चल दिया।

''सो जाओगे या सुला जाऊँ थपकी देकर?'' शैल ने पुकारा।

हरीश उत्तर देने के लिए लौट आया। सब विद्रूपों का बदला लेने के लिये उसने कहा, ''जब तक स्त्रियाँ और किसी योग्य नहीं हो पातीं तब तक अपना सम्मोहन उन्हें इसी प्रकार बनाये रखना चाहिये।''

शैल कोई उत्तर दे पाती, इससे पहले ही वह लम्बे कदम रखता हुआ चला गया। वह बरामदे में ही था तो उसने सुना शैल राबर्ट से कह रही थी—देखो तो, कैसे चिड़-चिड़ाकर काटने को दौड़ता है। हरीश ने शैल की बात सुनी, परंतु उसके स्वर में वात्सल्य की स्निग्धता अनुभव न कर सका।

अपनी बात पूरी कहते-कहते शैल का मनोभाव बिलकुल बदल गया। राबर्ट के सम्मुख दूसरे युवक के प्रति अपने वात्सल्य का भाव प्रकट कर सकने की स्वतन्त्रता के कारण वह कृतज्ञता में डूब-सी गई। वह सोचने लगी, क्या यह उचित होगा; समझदारी होगी··· विवाह के बाद भी?

चौथे दिन तक बरफ बहुत कुछ पिघल गई थी। मंसूरी के आस-पास के हरियावल से शून्य पहाड़, नीचे घाटी से ऊपर चोटी तक केवल चट्टानें और पाले से जगी हुई घास का विस्तार दिखाई पड़ने लगे थे। नैनसी लाहौर लौट जाने के लिये व्याकुल होने लगी। राबर्ट के कहने से वह दो दिन और ठहरी। फिर राबर्ट को ही उसके कारण लौटने के लिये

तैयार होना पड़ा। शैल को राबर्ट के इतनी जल्दी लौट जाने से दुःख हुआ, परन्तु उसने हरीश के साथ कुछ दिन और ठहरने का निश्चय कर लिया।

नैनसी और राबर्ट बँगले से कुलियों के सिर पर अपना सामान लदवा करके चले गये तो शैल के आँसू बहुत यत्न करने पर भी न रुक सके। हरीश रुमाल से पोंछकर शैल के आँसू सुखाने का यत्न करने लगा। वह शैल के आँसुओं को जितना पोंछता आँसू उतनी ही मात्रा में निकलते चले आते। सहसा हरीश को समझ आया, इन आँसुओं को रोककर वह अन्याय कर रहा है। उसने हृदय में एक गहरी वेदना अनुभव की। शैल को देवदार के तने के समीप अकेले छोड़कर यह बँगले के दूसरी ओर जा एक पत्थर पर बैठ गया। उसकी नजर संध्या के इंगुर से रँगे पहाड़ों के ढलवानों में दूर गहरी खाईं पर टिकी थी। उसकी दृष्टि कोई भी लक्ष्य न पाकर अधर में ही रह जाती। वह बेसुधी में सूखी लम्बी घास के तिनके तोड़ दाँतों से कुतर-कुतर कर फेंक रहा था।

मनुष्य का कोई आचरण निरर्थक नहीं होता। आचरण भाव का प्रकट रूप है। जैसे हरीश के दाँत घास के तिनको को कुतर रहे थे, उसी तरह उसके हृदय को स्मृति के दाँत कुतर-काट रहे थे। बरसों से दबी हुई एक स्मृति उसके मन में जाग उठी थी···आखिर वह भी तो मनुष्य है। उसके मनुष्य शरीर में भी तो हृदय है, दबा देने से भी उसका अस्तित्व मिट नहीं गया है। हरीश की खुली आँखें उस समय जड़ थीं, परन्तु मन की आँखों के सामने भुलाई हुई स्मृति सजीव हो रही थी। आज जैसे राबर्ट चला गया। वैसे ही एक दिन वह भी···।

अपने कंधे पर बोझ अनुभव कर उसने सुना, ''उठो, यहाँ क्यों आ बैठे हो?··· क्या सोच रहे हो?''

''कुछ नहीं।'' हरीश ने सिर हिला दिया।

''कुछ कैसे नहीं!'' उसकी बाँह झिंझोड़कर शैल ने कहा, ''बताते क्यों नहीं!''

''तुम क्या सोच रही थी!'' हरीश ने पूछा।

''सोचने में ही तो मनुष्य स्वतन्त्र है और सब जगह तो परिस्थितियों के बन्धन हैं······ इसीलिये मैंने तुम्हारे सोचने में विघ्न डालना उचित न समझा।''

''हाँ···और आकर खुद भी सोचने लगे।''

''हाँ।''

''क्या सोच रहे थे, सच बोलो!····यही बी०एम०, दादा····आगे काम कैसे होगा।''

''नहीं···तुम क्या सोच रही थी?''

एक गहरा श्वास ले शैल ने कहा, ''सोच रही थी पिछली ठोकरें और आने वाली रुकावटें।''

''मैं भी कुछ ऐसा ही सोच रहा था।'' हरीश ने उत्तर दिया।

''बताओ, तुम्हें बताना होगा!'' शैल ने उसकी बाँह खींचकर आग्रह किया।

हरीश उठकर टहलने लगा। शैल चुपचाप उसके साथ-साथ चल रही थी। वह हरीश का ध्यान कभी इस पहाड़ पर कभी उस पहाड़ पर कोई वस्तु दिखाकर उलझा देती। हरीश देखकर केवल 'हूँ' कर देता। शैल ने उपालम्भ के स्वर में कहा, ''क्या आदमी हो, बात का उत्तर भी नहीं देते।''

"देखो शैल, दुनिया के सामने अपने आपको छिपाकर जो वे चाहते हैं, वही मुझे बनना पड़ता है। आज तुम्हारे समीप अपने को छिपाने की मजबूरी न होने से बिना आडम्बर किये मैं अपनी ही बात सोच रहा हूँ।"

"क्या?" शैल ने उसके हाथ को अपने दोनों हाथों में लेकर पूछा।

"यही, व्यक्ति का जीवन भी एक चीज है। तुम तो जानती हो हरीश मेरा असली नाम नहीं।"

"हाँ, पहले तो तुम सिख थे। यह तो जेल से भागने के बाद का नाम है··· बी०एम० ने मुझे बताया था।"

"हाँ देखो, सात बरस पहले ऐसे ही एक जाड़े की रात में गाँव का अपना घर चुपचाप छोड़ चला आया था। मेरा विवाह हुए दो बरस हुए थे और मेरा गौना अगले दिन होने जा रहा था।"

"तुम बड़े निष्ठुर हो।"

"मैं निष्ठुर; शायद···।"

"तुम्हें उसकी याद आती है?"

"यही तो मैं सोच रहा था। आती भी है और नहीं भी। जब सोचता हूँ पुरुष के जीवन में स्त्री का एक प्राकृतिक स्थान है, तब याद आती है, मेरी भी एक थी। तब बहुत याद आती है···वरना नहीं आती!"

"अच्छा तुम उससे कैसे व्यवहार करते?" कुछ सोचकर शैल ने पूछा।

"तुम पागल हो!"

"नहीं बताओ!"

"ठीक नहीं कह सकता।···शायद मैं देखता कि वह सुन्दर है।"

"और यदि वह सुन्दर न होती?"

"ऐसा भी होता है कि स्त्री सुन्दर न हो।"

"क्या सभी स्त्रियाँ सुन्दर होती हैं···इधर देखो!"

"देख जो नहीं सकता।"

हरीश सूर्य की अंतिम किरणों में सुदूर हिमश्रेणी के शृंगों की ओर देख रहा था जो अग्नि की स्थिर ज्वालाओं की भाँति दीप्त थे। खूब ठंडी हवा चल रही थी, परन्तु उसे परवाह न थी।

शैल ने उससे भीतर चलने को कहा। हरीश ने उसकी ओर बिना देखे ही जवाब दिया, "तुम जाओ।"

शैल उसके समीप ही खड़ी रही। देखते-देखते हिम शिखरों पर से सूर्य की किरणें विलीन होकर श्यामल नीलिमा छा गयी। शैल ने फिर कहा, "अब तो चलो!"

"चलो!"

"अब क्या है?···वह शोभा तो गई।"

"हाँ, जिन वस्तुओं में आकर्षण नहीं रहता, वे उपेक्षित रहती हैं।"

"जैसे?"

"मैं स्वयं।"

कुछ देर चुप रह शैल ने दुहराया, "चलो आओ, सर्दी लग जायेगी। नौकर खिलाने के लिये इन्तजार कर रहा है।"

हरीश का मौन शैल के दिल का बोझ बन रहा था। वह सोच रही थी, न जाने कौन दु:ख इसके दिल को कोंच रहा है। खाने के बाद कुछ देर चुपचाप बरामदे में चहलकदमी कर हरीश अपने बिस्तर पर जाना चाहता था, परन्तु शैल उसे अपने ही कमरे में ले आई। उसने कहा, "तुम्हें एक बात सुनाऊँ, तुमने नैनसी को नाराज कर दिया। वह कहती थी बड़ा गरूर है। इतनी दफे इससे बोलने का यत्न किया पर सदा ऐसे बात करता है जैसे एहसान कर रहा हो। मैं बरफ में फिसलने लगती तो ऐसे बाँह थामता था मानों मेरी बाँह में छूत का रोग हो।"

"अच्छा यह बात!" हरीश ने उत्तर दिया, "मैंने खास ध्यान नहीं दिया। दरअसल मेरा ध्यान था तुम्हारी तरफ।"

"क्या?" शैल ने उसकी आँखों में देख पूछा।

"हाँ, दीवार की ओर देख हरीश ने कहा, "मुझे राबर्ट से ईर्ष्या होती है··· द्वेष नहीं। ···तुम मेरा मतलब शायद गलत तो नहीं समझोगी! देखो शैल, तुमने जीवन में प्यार करके देखा है। तुम्हें कोई अच्छा लगता है तो उसके लिये चाह होने लगती है और चाह होने पर उसे प्राप्त करने की चेष्टा की जाती है। तुमने यह सब अनुभव किया। इसमें जब बाधा आती है तो उस व्यथा को भी तुम जानती हो।···अच्छा अब मैं जाऊँगा।"

शैल ने हरीश का हाथ थाम बैठा लिया, "नहीं, बैठो।" उसे चुप होते देख शैल ने आग्रह किया, "बोलो!···आगे कहो!"

"कुछ नहीं।" हरीश ने कहा, "मैं सोचता हूँ, क्या चाह जीवन का आवश्यक अंग है?"

"शायद···।" शैल ने जवाब दिया, "देखो, पिछली दफे ठोकर खा मैंने सोचा था, अब मन में चाह का अंकुर उगने न दूँगी। राबर्ट के कालेज से इस्तीफा देने की बात पर सहानुभूति प्रकट करने गयी थी। वहाँ फ्लोरा की बात सुनी। राबर्ट की उदारता और महत्ता ने मन पर कुछ ऐसा प्रभाव डाला कि उसके यहाँ रोज जाने लगी। उसकी उदासी का ख्याल आते ही उसे देखे बिना मन न मानता था। जब सोचा क्यों जाती हूँ, उत्तर मिला—इस शांत तटस्थ व्यक्ति की शान्त गति के साथ ही मेरे जीवन की यह शिकस्ती गाड़ी चल सकेगी। यह मेरे कलंकों की लिस्ट में एक और वृद्धि हुई। उसे ही मैंने अपना लक्ष्य बना लिया और उसके बाद, किस्मत का मारा बी०एम० जाने कहाँ से तुम्हें ले आया। तुम्हें पहचानने के बाद ऐसा जान पड़ा, मानों बहुत दिन से तुम्हारी प्रतीक्षा में थी। जैसे पूर्व का बिछड़ा कोई साथी आ मिला। समझ नहीं सकी, भाई, मित्र, संतान या पति तुमसे कौन सम्बन्ध था! बी०एम० की वह बात कि 'कर लो किसी को अपना या हो रहो किसी के' मैं तो सम्भव देख नहीं पाती। क्या संसार भर की सब अच्छाई एक ही व्यक्ति में समा सकती है? और जगह अच्छाई दिखाई देने पर उसे कैसे अस्वीकार कर दिया जा सकता है? क्या मनुष्य हृदय का स्नेह केवल एक ही व्यक्ति पर समाप्त हो जाना जरूरी है?···हरी, चुप हो गये, क्यों? दुखी क्यों होते हो?" उसके सिर पर गाल रख शैल ने पूछा।

"सिर कुछ भारी जान पड़ रहा है।" अपने केशों को पकड़ हरीश ने कहा, "तुम्हारी गोद में सिर रखकर लेटूँगा।"

"लेट जाओ न!" शैल ने उसके माथे पर हाथ रख दिया।

"देखो, यदि सात वर्ष पूर्व उसकी जगह तुम होती और मैं तुम्हें यों जान पाता तो क्या मैं तुम्हें छोड़कर जा सकता था?" हरीश ने आँखें मूँदें पूछा।

"जरूर! नहीं तो तुम, तुम न होते!"

आँखें खोल हरीश ने देखा, शैल की पलकों से दो बूँदें लटक रही थीं।

"तुम रो रही हो।" हरीश ने पूछा।

शैल ने सिर हिलाकर इनकार कर दिया।

हरीश ने दोनों बाँहें उठाकर उसके गले में डाल दी। उसका माथा झुकाकर अपने होंठों पर रख लिया। शैल ने उसे न रोका। हरीश ने अपने माथे पर शैल के आँसुओं की बूँदें बहती अनुभव कर उसका सिर उठाकर कहा, "यह क्या?⋯तुम तो रो रही हो!"

शैल ने फिर इनकार से सिर हिला दिया।

हरीश ने व्याकुल हो उसके होंठ चूम लिये। शैल के शरीर में बिजली-सी दौड़ गई, वह काँप उठी।

हरीश भी झेंपकर उठ खड़ा हुआ। लज्जा से आँखें झुकाकर बोला, "क्षमा करना⋯ मुझसे ज्यादती हो गई⋯मेरा अभिप्राय तुम्हें कष्ट देने का नहीं था।"

शैल की आँखों से मोटे-मोटे आँसू गिर रहे थे। उसकी गालें लाल हो रही थीं। शैल की ओर देख लज्जा से संकुचित हो हरीश अपने कमरे में चला गया।

हरीश क्षोभ और घबराहट की अवस्था में कपड़े पहने ही अपने बिस्तर पर लेट गया। वह बिजली के तीव्र प्रकाश में सामने की सफेद दीवार पर टकटकी लगाये पड़ा था। मीलों दूर तक के उस सुनसान में केवल अपने सिर की नाड़ियों के रक्त के वेग की साँय-साँय ही उसे सुनाई दे रही थी। बरामदे में शैल के कदमों की चाप भी उसे सुनाई न दी। दरवाजा खुलने की आहट से उसने देखा, शैल मुस्कराती हुई आ रही थी। अत्यन्त मधुर स्वर में उसने पूछा, "नाराज हो गये?"

"मैं?" हरीश ने विस्मय प्रकट किया। उसे अनुभव हुआ मानों अथाह जल-प्रवाह में डूबते हुए अचानक उसके पैर पृथ्वी पर लग गये हों।

"उठ क्यों आये?" शैल उसके बिस्तर पर बैठ गयी।

"तुम डर गयी थी!"

"पागल!" शैल उसके बालों में उँगलियाँ चलाने लगी।

हरीश ने उसके मुख की ओर देख प्रश्न किया, "स्त्रियों को पुरुषों से डर क्यों लगता है?"

"कौन कहता है डर लगता है!⋯शायद लगता भी हो, जब पुरुष पशु रूप धारण कर लें।"

"क्या मैं पशु बन गया था?"

"पागल!⋯इसीलिये मैं यहाँ आई हूँ?"

हरीश ने सान्त्वना का साँस लिया, "देखो शैल, ऐसा जान पड़ता है, सात वर्ष पूर्व तुम्हें छोड़ आया था और अब फिर तुम्हारे पास आ पहुँचा हूँ। मेरा अभिप्राय है, नारी के रूप में···" उसने संकोच अनुभव कर बात सम्भाली, "पति के रूप में नहीं···साथी के रूप में। तुम पूछती थी, मुझे उसकी याद आती है। जरूर आती है, परिपूर्ण सुन्दर नारी के रूप में, जो अग्नि की सिन्दूरी लपट के समान मेरे सामने खड़ी है और मैं उसमें समा जाना चाहती हूँ। शायद यही है नारी···और तुम हो उसकी प्रतीक।"

शैल के गाल और आँखें गुलाबी हो रही थीं, मुख से शब्द निकलना कठिन था। केवल मुस्कराती नजर से हरीश की ओर देखकर उसने प्रकट किया कि वह गदगद है।

भयंकर उलझन में से निकलने के लिये हरीश ने कहा, "सुनो शैल, क्या स्त्री हमेशा ही पुरुष को पीछे हटाती है? फर्ज करो यदि उन दोनों का मार्ग एक ही हो, उन दोनों का उद्देश्य एक ही हो?"

"क्यों; आगे भी ले जा सकती है।" शैल ने उत्तर दिया।

"स्त्री को तो पुरुष के जीवन की पूर्ति करनी चाहिये। उन दोनों को एक साथ आगे बढ़ना चाहिये। नहीं क्या?"

"जरूर!" शैल ने स्वीकार किया।

"यदि पुरुष के जीवन-विकास में स्त्री का आकर्षण विनाशकारी होता तो प्रकृति यह आकर्षण पैदा क्यों करती? जिन वस्तुओं से मनुष्य के जीवन को भय है, उनसे वह डरता है, दूर भागता है, परन्तु स्त्री की ओर पुरुष आकर्षित होता है मानों उसके जीवन में कोई कमी है, जिसे वह स्त्री से पूर्ण करना चाहता है। क्या स्त्री भी पुरुष के प्रति ऐसा ही अनुभव नहीं करती?" हरीश ने पूछा। उसके स्वर से भावोद्रेक की तरलता दूर होकर विचार की दृढ़ता आती जा रही थी। उसका रुख व्यक्तिगत से सैद्धान्तिक होता जा रहा था।

"क्या मालूम?" आँखें झुकाकर शैल ने उत्तर दिया। शैल के इस उत्तर ने हरीश के सैद्धान्तिक तर्क को फिर व्यक्तिगत अनुभूति में बदल दिया।

"तुम नहीं अनुभव करती···इसीलिए मैं सोचता हूँ, मैं अच्छा आदमी नहीं हूँ।" निराशा से हरीश चुप हो गया।

नारी की स्वाभाविक प्रवृत्ति से शैल को जहाँ शक्ति की प्रत्याशा थी, वहाँ उदासी देखकर उसने करुणा से अपना सम्पूर्ण साहस एकत्र कर आँखें झुका लीं और झिझककर बोली, "शायद स्त्रियाँ कहती नहीं।"

हरीश ने सहारा पा कहा, "तुम्हें बुरा तो नहीं मालूम होगा यदि मैं एक बात कहूँ?"

शैल ने सिर हिलाकर इनकार किया। हरीश काँपते हुए स्वर में बोला, "यदि यह कहूँ मुझे तुम्हारे प्रति आकर्षण अनुभव होता है तो तुम नाराज तो नहीं होगी? बोलो!"

शैल की आँखों में फिर आँसू आ जाना चाहते थे; परन्तु ऐसे व्यक्ति के सामने जो क्रोध और संतोष के आँसुओं में अन्तर नहीं समझता हो उसे ओंठ दबाकर कहना पड़ा, "आदर से भी कोई नाराज होता है!"

हरीश के नेत्र विजय के आह्लाद से चमक उठे, "शैल, मेरी एक बात मानोगी?"

"क्या?"

"पहले वायदा करो!"

शैल ने सिर झुकाकर स्वीकार किया।

हरीश बोला, "देखो शैल," उसके स्वर में कम्पन था, "मैं कुछ भी न करूँगा।··· मैं केवल जानना चाहता हूँ, देखना चाहता हूँ, स्त्री कितनी सुन्दर होती है? मैं एक बार स्त्री के आकर्षण को पूर्ण रूप से देखना चाहता हूँ।"

शैल ने रोमांच के स्वर में पूछा, "कैसे?"

हरीश ने श्वास के वेग से अटककर कहा—"तुम्हें···बिना कपड़ों के देखना चाहता हूँ।"

शैल ने दोनों हाथों से मुख को छिपा लिया।

हरीश अवरुद्ध स्वर में बोला, "जीवन में एक बार देखकर जान लेना चाहता हूँ, 'वह' प्रबल आकर्षण है क्या? मेरे जीवन में किसी अन्य स्त्री से ऐसी प्रार्थना करने का न तो अवसर आयेगा और न मुझे साहस ही होगा?"

शैल मुख को दोनों हाथों से छिपाये थी।

हरीश ने काँपते हुए स्वर में पूछा, "नाराज हो गयीं?"

मुख को हाथों से ढाँपे सिर हिलाकर शैल ने फिर इनकार किया।

हरीश आगे बढ़कर उसके मुख से हाथ हटाने लगा।

शैल ने अपनी दोनों बाँहें हरीश के गले में डाल दीं।

हरीश ने अनुरोध किया, "क्या नहीं कर सकती इतना?"

शैल ने मुख दूसरी ओर कर लिया, "कैसे करूँ?" और हरीश की ओर देखकर बोली, "बड़ा कठिन है, नहीं कर सकूँगी।"

हरीश ने निराशा से सिर झुका लिया, "तुम्हारी इच्छा!"

"पर मैं कैसे करूँ?" शैल ने गर्दन झुकाकर, अपनी बाँहों को आपस में बल देते हुए पूछा। उसी समय उसे स्मरण हो आयी हरीश की वह बात; जीवन में किसी अन्य स्त्री से तो···। "तुम तो सामने बैठे हो।" शैल ने बेबसी से कहा।

हरीश ने उत्तर दिया, "मैं बरामदे में चला जाता हूँ। तुम बुलाओगी तो आ जाऊँगा।" वह उठकर चला गया।

हरीश बरामदे में चला गया। शैल को शरीर से कपड़े उतारना अपनी त्वचा उतारने के समान कठिन जान पड़ा, परन्तु हरीश के निराशा से सिर लटका लेने की बात सोचकर वह स्वयं अपने ऊपर जबर्दस्ती करने के लिए विवश हो गयी। मृत्यु के मुख में फँसा हुआ यह लड़का जो बात कहता है, उसकी उपेक्षा कैसे की जाये? उसने एक-एक कर अपने कपड़े उतार दिये और शरीर को शाल में लपेट लिया, परन्तु हरीश को बुलाये वह किस तरह? उसने बिजली का स्विच दबाकर अँधेरा कर दिया।

हरीश संकेत समझकर शनैः-शनैः कदम रखते हुए स्विच के पास पहुँचा। प्रकाश होने पर उसने देखा शैल के वस्त्र उसके बिस्तर पर पड़े हैं और वह सिर झुकाये, दीवार के सहारे शाल में लिपटी बैठी है।

हरीश ने शैल से दो कदम दूर खड़े होकर कहा, "यह शाल काँच का बना नहीं है।"

शैल की आँखें मुँदी थीं। शाल का एक छोर उसने छोड़ दिया। उसकी पीठ दिखाई देने लगी।

"खड़ी हो जाओ!" हरीश ने अनुनय किया।

हरीश के दो दफे अनुरोध करने पर शैल धुएँ की बलखाती लट की तरह झुकी हुई सी खड़ी हो गई। उसकी आँखें मुँदी हुई थीं।

"एक दफे आँखें खोलो!" हरीश ने कहा।

शैल ने अधमुँदी आँखों से हरीश की ओर देखा और फिर तुरन्त बैठकर शाल ऊपर लेकर बोली, "जाओ बाहर!"

हरीश चला गया।

शैल दो मिनट में पूरे कपड़े पहनकर अपने कमरे की ओर जा रही थी। हरीश उसके पीछे गया। वह अपने बिस्तर पर लेट गयी जैसे वह बहुत थक गयी थी।

हरीश शैल के तकिये के पास खड़े होकर बोला, "देखो शैल, मुझे ऐसा अनुभव होता है, जैसे बहुत कुछ पा लिया। एक तृप्ति सी।…जैसे तुम मेरी हो और मैं तुम्हारा। मैं इसी भरोसे अपने बीहड़ मार्ग पर बढ़ता चला जाऊँगा, नहीं तो तुम्हारे सामने अपराधी होऊँगा।"

शैल ने उसका हाथ थामकर अपने बिस्तर पर बैठा लिया और उसकी गोद में सिर रख दिया।

हरीश ने धीमे से कहा, "अब यदि अन्य कोई मुझे न समझ सके तो तुम्हारी सहानुभूति तो मेरे साथ रहेगी न!"

एक-दूसरे की उपस्थिति से आत्मतुष्ट और संतोष अनुभव करते हुए वे चुपचाप बैठे रहे।

हरीश ने शैल के सिर पर हाथ रखकर पूछा, "मैंने जो पाया, वह तो मैं जानता हूँ… तुमने क्या पाया?"

"क्या बताऊँ…शायद सब कुछ; जो कुछ चाहा जा सकता है।…अपने अस्तित्व को अनुभव करने की तृप्ति।…अवरुद्ध भावना के लिये मार्ग।" शैल ने एक बहुत गहरी साँस छोड़ दी, "देखो, तुम चाहते हो केवल शासन में क्रांति, परन्तु परिवार और समाज की व्यवस्था के बन्धन में अवरुद्ध प्राण कैसे छटपटाते हैं, यह क्यों नहीं सोचते? क्या व्यक्ति को जीवन में कामना पूर्ति का अधिकार नहीं चाहिये…? मैं तो सबसे अधिक इसी को अनुभव करती हूँ!"

●

गृहस्थ

'जे०आर० शुक्ला' और 'हरीश' यह दो नाम अमरनाथ के मस्तिष्क में बारी-बारी से चमक जाते थे। अपनी स्मरण शक्ति पर सन्देह करने की कोई गुंजाइश न थी। उन्हें बिलकुल ठीक याद था, उसने अपना नाम जे०आर० शुक्ला बताया था और यशोदा उसका नाम बताती है, हरीश। वे सोचते रहे कि यह आदमी यशोदा से परिचित है और इनका परिचय शैलबाला के मकान पर हुआ है। यशोदा शैलबाला के यहाँ आती-जाती है, इस बात का जिक्र उसने पहले कभी क्यों नहीं किया! शहर भर में पाँच-सात परिवारों में ही यशोदा का आना-जाना था, उन्हें वे जानते थे। शैलबाला से उसका क्या सम्बन्ध, कहाँ का परिचय? शैलबाला कांग्रेस के जलसों में आती-जाती है। दूसरे सार्वजनिक कामों में भाग लेती है। सार्वजनिक कार्य के लिहाज से वह चाहे जैसी काम करने वाली हो, लेकिन गृहस्थों के घर में आना-जाना उसका कुछ बहुत ठीक नहीं। फिर मुझसे जिक्र न करने की वजह? हरीश या शुक्ला को यहाँ देखकर यशोदा सकपका क्यों गयी!

उस घटना को चार-पाँच दिन बीत चुके थे। जे०आर० शुक्ला बीमे के लिये स्वयं उनके यहाँ आने का वायदा करके गया था पर आया नहीं। अपना पता बताने की बात वह टाल गया था। बीमा स्वयं उनके यहाँ कराने कोई व्यक्ति आया हो, ऐसा भी यह पहली बार ही हुआ था। उन्होंने यशोदा से तीन-चार बार पूछने की कोशिश की, "तुम उसे कब से जानती हो। शैलबाला के यहाँ कितनी बार उससे मिली हो?"

"एक बार।" यशोदा ने संक्षिप्त उत्तर दिया था।

"कितने दिन की बात है?"

"महीना भर हुआ होगा।"

"क्या बातचीत हुई थी?"

"यही कांग्रेस के काम की।"

अमरनाथ हैरान थे; शहर में कांग्रेस का काम करने वाला ऐसा कौन है, जिसे वे नहीं जानते। अपने पार्टी के सभी आदमियों को वे जानते थे; सोशलिस्ट और गरम दल के लड़कों को भी। शैलबाला तो जिधर आठ-दस जवान लड़के रहते थे, उसी ओर रहती थी। लफँगे लड़कों को भी वे जानते ही थे, परन्तु इस नौजवान को उन्होंने कभी नहीं देखा था। कांग्रेस का काम करने वाला यह आदमी; सूट, नेकटाई पहने हुए! वह अपने आपको जिरेमी एण्ड जानसन कंपनी का ट्रैवलिंग इंजीनियर बताता था।

अमरनाथ ने फिर एक दिन यशोदा से पूछा—"तुम भी कांग्रेस में काम करती हो, तुम तो कांग्रेस की मेम्बर नहीं हो!"

"मैं हूँ!" यशोदा ने उत्तर दिया।

"कब से?"

"कई दिन से।"

यशोदा जो उत्तर देती बहुत संक्षिप्त; आँखें झुकाकर। पिछले आठ वर्ष में यशोदा का ऐसा भाव उन्हें कभी अनुभव नहीं हुआ था। यशोदा के व्यवहार से जान पड़ता था जैसे उसके मन में कुछ भार हो, वह अपने आपको कुछ समझने लगी हो। अमरनाथ मन की अशांति से उद्विग्न से रहने लगे। उनके पड़ोसी गिरधारीलाल को बैंक की मार्फत प्रायः सभी बड़ी-बड़ी कम्पनियों के नाम-धाम मालूम थे। अमरनाथ ने जिरेमी एण्ड जानसन की बाबत उससे पूछा। गिरधारीलाल ने कई दूसरी इंजीनियरिंग कम्पनियों का नाम बताकर कहा—जिरेमी एण्ड जानसन का नाम तो कभी नहीं सुना। अमरनाथ ने कई दूसरे परिचित लोगों से जिरेमी एण्ड जानसन के बारे में पूछा। टेलीफोन की डायरेक्टरी में भी देखा परन्तु यह नाम उन्हें कहीं न मिला।

यशोदा स्वभाव से ही कम बोलती थी, अलबत्ता अमरनाथ से बात करते समय वह सदा आँखों से मुस्कराती रहती, परंतु जिस दिन से अमरनाथ ने हरीश के बारे में खोद-खोदकर प्रश्न पूछे, बात करते समय एक संकोच का भाव यशोदा के चेहरे पर आ जाता, आँखें झुक जातीं। अमरनाथ भी जहाँ तक संभव था, कम बोलते। दोनों के बीच एक अदृश्य अन्तर आ गया था।

एक सप्ताह और गुजरने पर अमरनाथ ने फिर पूछा, "उसका नाम हरीश था, मुझे तो उसने अपना नाम बताया था, जे०आर० शुक्ला।"

"होगा, मुझे शैल ने और उसने हरीश ही नाम बताया था।" अपराधी के स्वर में यशोदा ने उत्तर दिया।

"कांग्रेस के कैसे काम की बाबत तुम लोगों में बातचीत हुई थी?" अमरनाथ ने पूछा।

"ऐसे ही, जैसे कांग्रेस का काम होता है, स्वराज्य की बात।" यशोदा ने सिर झुका लिया।

अमरनाथ इससे अधिक और क्या पूछते, परन्तु उनकी उदासी और स्वर के संकोच ने इन प्रश्नों के नीचे मन में छिपी गहरी आशंका यशोदा के सामने प्रकट कर दी। इनके मन में मेरी बाबत सन्देह हो गया है—यशोदा दाएँ हाथ की मुट्ठी पर ठोड़ी रखे बैठी सोच रही थी। सन्देह का विचार आते ही भय और ग्लानि से उसके होंठ काँप उठे और अन्याय की अनुभूति से क्रोध की भावना ने उठते हुए आँसुओं को दबा दिया—सन्देह आखिर क्यों? मैंने क्या किया है? किस बात का सन्देह? घंटों छत की ओर देख-देख वह सोचती—यह मेरा अपमान क्यों कर रहे हैं—मुझ पर यह ज्यादती क्यों कर रहे हैं?··· आखिर मैंने किया क्या है? यही न कि इन्हें एक आदमी से मेरे परिचय का पता लगा है···मैंने इन्हें नहीं बताया कि मैंने कांग्रेस में काम करने की बाबत बातचीत की है।···यह आठ बरस से कांग्रेस का काम कर रहे हैं। मैंने तो कभी इनसे नहीं पूछा कि वे क्या और क्यों कर रहे हैं।···इतनी सी बात पर सन्देह! केवल इसीलिए न कि मैं स्त्री हूँ। मानों स्त्री सन्देह के काम के सिवा और कुछ कर ही नहीं सकती। हरीश को रात भर नीचे के कमरे में टिकाने की बात उसे याद आ जाती, परन्तु यह तो वे जानते नहीं और जानें तो वे जाने क्या समझें, परन्तु मैंने कौन बुरा काम किया है?

यशोदा कई दफे खूब रोयी भी, परन्तु इस ढंग से कि कोई देख न सके। वह अन्याय अनुभव कर रही थी और सह जाने के सिवा चारा न था। उपाय था ही क्या? वह मुआफी माँगे तो किस बात की! यही उसके भाग्य में था, सो हो रहा है। जैसे विवाह, सन्तान आदि और बातें हुईं उसी तरह यह भी होना था, हो रहा है। उसे केवल दुख था, आठ बरस में इन्होंने मेरा ऐसा कौन काम देखा कि यह मुझ पर सन्देह करने लगे।

यशोदा को अपने घर से बाहर जाने का अभ्यास नहीं था। कभी महीने-दो-महीने में किसी के बुलाने पर घंटे-दो-घंटे के लिए कहीं चली जाती। अब तबीयत चाहती थी कि इस घर को छोड़कर कहीं चली जाये या फिर इस जुल्म से उसकी मुक्ति मृत्यु से ही हो सकती है। वह मर ही क्यों न जाये? उसके मर जाने से हानि ही क्या होगी? स्त्रियों का मरना-जीना ही क्या? जब तक पति प्रसन्न हैं, वे जीती हैं, पति अप्रसन्न हो गये, मरना हो गया, सास ने कई दफे उससे सुस्त रहने का कारण पूछा। समय-समय पर सोंठ या कुछ और गरम या ठण्डी चीज खाने की सलाह भी दी। एक-आध दफे डाक्टर के पास ले जाने की तैयारी की, परन्तु यशोदा ने टाल दिया कि उसे कोई तकलीफ नहीं।

उदय आकर यशोदा से चिपट जाता। वह बेटे को गोद में ले लेती। पहले उदय किसी बेमतलब बात के लिये जिद्द करता था तो यशोदा उसे गोद में लेकर समझाया करती, परन्तु अब संकट से छुट्टी पाने के लिए वह उसकी जिद्द मान लेती या फिर आतुर स्वर में कहती, "बेटा देखो, अब तो तुम बड़े हो गए हो, क्यों सताते हो!" उदय को फुसलाने और मनाने से अब संतोष न होता, परन्तु जब उदय जिद्द में कहता कि वह पिताजी के पास चला जायेगा तो वह उसे गोद में ले उसके सिर पर हाथ फेरने लगती।

यशोदा उदय से पूछती, "बेटा, तुम बहादुर बनोगे?" उदय माँ की गोद से छूटने की कोशिश कर कहता, "हाँ, अपनी बन्दूक ले आऊँ।" उसके पास एक हवाई तमंचा था। यशोदा ने हरीश के हाथ में देखे हुए पिस्तौल की याद में बेटे के लिए खरीद दिया था। कभी-कभी यशोदा के मन में इच्छा होती कि जाकर शैल से मिल आए। इस भय से कि पति कहीं इस बात से अधिक नाराज न हो जायें, वह मन मार लेती। वह पीली पड़ती गयी। उसे निश्चय हो गया, अब इसी तरह बिसूर-बिसूर कर वह एक दिन समाप्त हो जायेगी।

अमरनाथ को अपने घर का जीवन बिलकुल नीरस जान पड़ने लगा था। बीमे के काम में ही वे अपना सब समय लगा देते। ऊपर अब वे भोजन और सोने के लिये ही जाते। काम करते समय भी प्रायः फाउन्टेनपेन दाँतों में दबाकर खिड़की से बाहर देखने लगते। हरीश सूट पहने, सिगरेट पीते हुए उनकी आँखों के सामने नाच जाता। यह शख्स कौन है? वे सोचने लगते। उसका हँस-हँसकर बातें बनाना, शैल के साथ गाड़ी में बैठकर चले जाना, सब उन्हें उसके छटे हुए बदमाश होने का सुबूत जान पड़ता।

अमरनाथ सोचते कि आठ बरस तक मैंने यशोदा पर अंध-विश्वास किया। आखिर हरीश से उसका एक ही दिन का परिचय है। फिर वह उसकी याद में इतनी उदास क्यों रहती है। मैं आठ वर्ष में कुछ न हुआ और वह एक ही दिन में इतना हो गया! अपनी ही नजर में वे अपने आपको अपमानित और निकृष्ट अनुभव करते। जिस मनुष्य की स्त्री उसे निकम्मा समझे, उस मनुष्य का जीवन भी क्या। उसे मायके भेज दें और कभी न

बुलायें या घर से निकाल दें। दूसरे आदमियों से दोस्ती करने का मजा उसे मिल जाये। अनेक असती स्त्रियों के दंड पाने की बातें उन्हें याद आ जातीं, परन्तु इससे भी अन्त में उन्हीं का तो अपमान था।

यदि स्त्री असती है तो इसमें स्त्री का जितना अपमान है उससे सौगुना अधिक उसके पति का। वे सोचते—स्त्री स्वभाव से ही चंचल होती है। यशोदा तो कभी चंचल दिखायी नहीं दी, परन्तु स्त्री का क्या विश्वास! स्त्री पतन और अनाचार का मूल है, उसका कभी विश्वास नहीं करना चाहिये। वे इस प्रकार की बातों पर पहले विश्वास नहीं करते थे, परन्तु अब उन्हें मालूम पड़ा कि उनकी गलती थी। अब उनकी आँख खुली है और अब उन्होंने दुनिया को पहचाना है। स्वयं अनेक सुन्दर स्त्रियों को समय-समय पर देखा था। उसके प्रति आकर्षण भी अनुभव किया तो क्या, अपने मन को उन्होंने सदा वश में रखा, परन्तु स्त्री भी क्या है? एक लड़के को देखा, वह कुछ सुन्दर भी नहीं, बातूनी जरूर है और उसके साथ फँस गयी।

कभी अमरनाथ के मन में विचार आता कि जो हुआ सो हुआ वे यशोदा को समझायें कि उस लड़के का खयाल छोड़ दें। फिर सोचते—न जाने उनका सम्बन्ध कहाँ तक बढ़ चुका है? यदि सम्बन्ध केवल मानसिक हो तो एक बात है और यदि वे आगे बढ़ चुके हैं?⋯परपुरुष से अपनी स्त्री के शारीरिक सम्बन्ध की बात सोचते ही सिर चकराकर उनकी आँखों में खून उतर आता। इसके बाद केवल एक ही बात दिखाई देती⋯मृत्यु⋯यशोदा की⋯अपनी⋯दोनों की।

हरीश से यशोदा के मानसिक और शारीरिक सम्बन्ध की कल्पना मस्तिष्क में आने पर वे सोचने लगते कि इन दोनों में से कौन अधिक पाप है? तर्क ने उत्तर दिया—मानसिक सम्बन्ध का क्या है; विचार आते हैं और चले जाते हैं, परन्तु शरीर तो एक स्थूल पदार्थ है। शरीर के साथ जो कुछ हो गया वह तो मिटाया नहीं जा सकता। इसके बाद तर्क कहता—शरीर का क्या है; अनेक पदार्थों को हम छूते हैं हाथ साफ कर सकते हैं। छुए पदार्थ हमारे शरीर का अंग तो नहीं बन जाते! मनुष्य भावों और विचारों का पुतला ही तो है। जब भावों और विचारों में परिवर्तन आ गया तो व्यक्ति बदल गया। अकेले में बैठकर वे प्रायः लम्बी साँसें लेते, परन्तु व्यवहार में सामर्थ्य भर उन्होंने अन्तर न आने दिया। उन्होंने सोचा, क्यों न एक दिन वे यशोदा से इस विषय में बात करें, परन्तु इसके साथ ही ख्याल आता, क्या वह मुझे सच्ची बात बतायेगी। यदि मेरे प्रति उसका विश्वास कायम रहता तो परपुरुष के प्रति उसका आकर्षण ही क्यों होता?

अमरनाथ और यशोदा अँधेरे में अपने-अपने पलंग पर पड़े छत की ओर आँखें लगाये रहते। नींद दोनों को ही बहुत देर से आती, परन्तु वे बात न कर सकते। अनेक बार अमरनाथ के होंठों तक बात आकर रह जाती। एक-दो बार कह डालने के लिये उन्होंने पुकार भी लिया—"देखो!"⋯यशोदा ने उत्तर दिया, "जी" परन्तु फिर अमरनाथ को साहस न हुआ। सोचा—बात करने से क्या लाभ! टाल गये।

"उदय को अब स्कूल में भरती करा देना ठीक होगा।" अमरनाथ ने कहा।

"जैसा ठीक समझें!" यशोदा ने उत्तर दिया।

यशोदा किसी भी काम में उत्साह और रुचि न होने के कारण एक शाल ओढ़कर खाट पर पड़ी पतंगों से भरे आकाश की ओर आँखें गड़ाये सोच रही थी, आखिर इस जीवन का क्या होगा? बिशन ने खबर दी—

''बीबीजी, नीचे एक बीबीजी मिलने आयी हैं?''

''कौन बीबीजी?'' यशोदा ने आलस्य से लेटे-लेटे पूछा। उसे शैल का खयाल आया, परन्तु उसके आने की कोई सम्भावना न समझ वह अपने दूसरे सम्बन्धियों की बात सोच रही थी कि शैल ने ऊपर आकर प्रश्न किया, ''कहो, कैसे लेटी हो?''

यशोदा तुरन्त उठ बैठी, ''ऐसे ही कुछ नहीं, आओ!''

यशोदा ने आत्मीयता से शैल को चारपाई पर बैठा लिया, ''बहुत दिनों बाद दर्शन दिये। कई दफे सोचा कि तुम्हारे यहाँ जाऊँ पर जा नहीं सकी। अच्छी हो! दीख तो रहा है, अच्छी हो।''

शैल यशोदा से बिलकुल सटकर बैठी, ''मैं कुछ दिनों के लिये पहाड़ चली गयी थी। तुम कैसी हो, बिलकुल ही पीली पड़ गयी! बात क्या है?'' शैल ने यशोदा को चुप देख, उसका हाथ अपने हाथ में ले अनुरोध किया, ''बोलो!''

यशोदा का निराश हृदय आँखों की राह बह जाना चाहता था, परन्तु उसने कृत्रिम हँसी से मन को रोक लिया। शैल ने हाथ उसके कँधे पर रख पूछा, ''अच्छा, उस रोज कोई बात तो नहीं हुई, जब तुम जल लेकर गयी थी।''

यशोदा कुछ उत्तर न दे सिर नीचे किये मुस्कराने का यत्न कर रही थी। शैल ने प्रश्न दोहराया तो बोली, ''होना क्या था? क्यों, तुम्हें कैसे खयाल आया?''

''ऐसे ही पुरुषों के मन में सन्देह बहुत जल्दी पैदा हो जाता है।'' शैल ने कहा, ''हरीश को बहुत चिन्ता हो रही थी। कई दफे उन्होंने तुमसे मिलकर पूछने के लिए कहा, परन्तु कुछ ऐसे झमेले में रही कि आ नहीं सकी। हाँ बताओ, उस रोज मेरी ही भूल समझो। हरीश तुम्हारे यहाँ आने को तैयार नहीं थे। एक तरह से मैंने ही उन्हें वहाँ आधे घण्टे के लिये भेज दिया था और ऊपर से आ गयी तुम!…कोई बात तो नहीं हुई? हरीश ने अमरनाथजी को अपना नाम जे०आर० शुक्ला बताया था। तुमसे उन्होंने बाद में पूछा होगा?''

यशोदा ने एक गहरी साँस ले कहा, ''हाँ।''

''अच्छा तुमने बताया हरीश!…फिर?''

''फिर क्या, ''यशोदा ने मुँह फेर लिया, ''स्वयं ही कह चुकी हो, पुरुष सन्देह के लिए बहाना चाहते हैं।''

''तुमसे और कुछ नहीं पूछा?…संदेह कैसा? तुमसे यह नहीं पूछा, हरीश कौन है? क्या समझ गये कि क्रान्तिकारी है?'' शैल ने चिन्ता से पूछा।

''नहीं?…बस मन में घुला करते हैं।'' यशोदा नजर बचाकर बोली, ''बस यही कि हरीश एक जवान मर्द है।''

''उसी गम में तुम्हारा यह हाल हो गया? अगर तुम्हें गलत समझ ले तो इसमें तुम्हारा क्या कुसूर!'' शैल ने दुखी होकर कहा, ''उसके लिये तुम अपने आपको गलाये डाल रही हो।''

"इतना गलत समझ लेने पर ही क्या जाता है।"

"बहन, दुनिया में क्या केवल मर्द का रूठना-हँसना ही सब कुछ है? और मर्द ज्यादती करे तो?"

"शैल, ज्यादती तो हो ही रही है, परन्तु समझ नहीं आता, क्या करूँ?" यशोदा की आँखों में आँसू आ गये।

शैल उसका हाथ अपनी गोद में लेकर बोली, "मैं तो कहती हूँ, परवाह मत करो या फिर उन्हें बता दो हरीश कौन है। झगड़ा समाप्त हो।"

यशोदा के आँसू टपकने लगे। उसने कहा, "क्या मुझे आठ बरस में पहचान नहीं सके? मैं उन्हें अब एक दिन में क्या समझा दूँ? बताने को कहती हो···सन्देह और ईर्ष्या ही जाग उठी है, जानकर यदि वे कहीं बदला लेने का ही ख्याल कर बैठे! और बताऊँ भी क्या?···तुम्हें शायद हरीश ने बताया नहीं, जिस रात जेल से भागे थे, अचानक यहाँ आ गये थे। रात भर नीचे के कमरे में छिपे बैठे रहे। यदि यह भी बताऊँ तो फिर सिवा सन्देह बढ़ने के और क्या होगा?"

शैल यह बात सुनकर चकित रह गयी। यशोदा के प्रति भक्ति प्रकट करने के लिये उसका हाथ अपने हृदय पर रखकर बोली, "बहन, यों तो तुम बड़ी हो, परन्तु एक बात कहूँगी। पुरुषों के सन्देह और बेमतलब नाराजगी की बहुत परवाह करने से या तो केवल उनके जेब के रुमाल की तरह रहो; स्वयं सोचना, अपने जीवन की बात करना छोड़ दो या फिर उन्हें सोचने दो। अपने आप समझ जायेंगे!···मैंने अपनी बाबत कम बातें नहीं सुनी हैं। तुम्हारी तरह चिंता करने लगती तो कभी की मर गयी होती, परन्तु उसमें सचाई कितनी है, यह तो मैं जानती हूँ। अब तक स्त्रियाँ रही हैं मर्दों के व्यक्तिगत इस्तेमाल की चीज। यदि वे अपने व्यक्तित्व को अलग से खड़ा करने की जरा भी चेष्टा करेंगी तो उँगली तो जरूर उठेगी, लेकिन थोड़े दिन बाद नहीं।···जरा हिम्मत करो। पुरुषों को सहने का अभ्यास होना चाहिये कि स्त्रियाँ भी अपना व्यक्तित्व रखती हैं। जो कोई उन्हें देख लेगा या छू लेगा, वे उसी की नहीं हो जायेंगी।···जरा घर के बाहर भी निकलो। जरा दूसरी तरफ भी ध्यान दो। फिर केवल पुरुष के सन्देह पर ही प्राण दे देने की मजबूरी न रहेगी। वे जो समझते हैं, क्या वह ठीक है? तुम भी तो कुछ समझो!"

"क्या करूँ?" यशोदा ने बेबसी से पूछा।

"बस यही, बेमतलब बातों की परवाह कम और कुछ मतलब की बात करो! मालूम तो हो, तुम भी कुछ हो! मर्द की नाराजगी के सिवा किसी और बात की भी चिन्ता होनी चाहिये!" शैल हँस दी।

"बताओ न, क्या करूँ?"

"आज ही मेरे साथ चलो। हम सभा में माँग कर रहे हैं कि कांग्रेस के कार्यक्रम में जनता की आर्थिक माँगों को स्थान दिया जाये। मेरे पास एक भाषण लिखा रखा है, तुम उसे पढ़ देना। एक-दो दफे पहले पढ़ लेना।···झिझको नहीं। शुरू ऐसे ही होता है। मैं भी बोलूँगी।"

"ये न जाने क्या समझ बैठें?" यशोदा ने घबराकर कहा।

"बस यही तो चाहिये। सुनो, दो औरतें सभा में बोलने वाली होंगी तो पचास की जगह पाँच सौ आदमी आयेंगे। इसी तरह हमारा काम चल निकलेगा।"

यशोदा ने संकोच से मुस्कराकर कहा, "बड़ी वैसी हो तुम। आदमियों को खींचने के लिये मुझे ले जा रही हो!"

"उससे क्या होता है! खा थोड़े ही लेंगे। वे तुम्हें देखेंगे, तुम उन्हें देख लेना। हमें अपनी बात सुनाने से मतलब। सौ सुनेंगे दस समझेंगे, एक करने भी लगेगा।···तुम्हारा क्या जायेगा? आखिर कुछ करोगी कैसे?···आज, कल, परसों जब भी तुम मर्दों के सामने निकलोगी, वे घूरेंगे पर किया क्या जाये।"

"बहन, यह तो मुझसे न हो सकेगा" यशोदा ने हँसकर हाथ हिलाते हुए इनकार कर दिया।

"मैं तुम्हें लेकर जाऊँगी।···हरीश ने भी कहा।"

"मुझे इनसे बहुत डर लगता है।"

"कुछ चोरी करने तो जा नहीं रही हो। उन्हें ठीक करने का यही तरीका है।"

शैल के जिद्द करने पर यशोदा को उठना पड़ा—इस शर्त पर कि वह सभा में बोलेगी कुछ नहीं, केवल चली चलेगी। अमरनाथ घर पर थे नहीं। यशोदा की सास से शैल ने स्वयं कहा—"माँ जी, मैं इन्हें जरा लिये जा रही हूँ आकर छोड़ जाऊँगी।"

यशोदा शैल के साथ जाने के लिये साड़ी बदल रही थी, परन्तु उसका शरीर बीच-बीच में काँप उठता था, मानों वह पति के विरुद्ध घोर विद्रोह करने की तैयारी कर रही हो···परन्तु वह करे क्या? इस समय मानों उसने अपनी नाव शैल के हाथों सौंप दी थी। चलते समय उसने आदत से साड़ी पर शाल ओढ़ लिया।"

शैल ने कहा, "यहीं से माताजी बनकर चलो। शरीर ढकने के लिए यह साड़ी काफी है। शाल ओढ़ना है तो इसमें गठरी तो न बनो।" यशोदा ने शैल की बात न मानी। वह अपने ही ढंग से चली।

यशोदा अपनी विद्रोह यात्रा पर कदम उठाकर घर की कुर्सी की सीढ़ियाँ उतर रही थीं। उसने देखा, अमरनाथ शैल की मोटर के ड्राइवर से कुछ पूछ रहे थे। यशोदा को अनुभव हुआ, वह गिर पड़ेगी। उसी समय शैल को निस्संकोच आवाज सुनाई दी। वह बेतकल्लुफी से अमरनाथ से कह रही थी, "भाई साहब, इन्हें जरा लिये जा रही हूँ। खुद आकर छोड़ जाऊँगी।"

अमरनाथ के कुछ कह सकने के पहले ही शैल ने यशोदा को मोटर में धकेल दिया और खुद उसके साथ बैठकर ड्राइवर को गाड़ी चलाने का हुक्म देकर अमरनाथ को 'नमस्ते' कह दी।

यशोदा को जब होश आया तो अनुभव हुआ कि उसकी नाव लंगर तुड़ाकर प्रवाह धारा में बही चली जा रही थी। किसी एक दूसरे संसार में, जिसका उसके पूर्व परिचित संसार से कोई सम्बन्ध नहीं। अब उसका क्या होगा?···पीछे लौट चलने का कोई उपाय नहीं। लौटने की इच्छा भी उसे न थी।

शैल ने अपने घर पहुँचकर लिखा हुआ भाषण यशोदा को पढ़ने के लिये दे दिया। जैसे जज के मुख से मृत्युदण्ड का फैसला सुन लेने के बाद छोटे-मोटे कष्टों की ओर अभियुक्त का ध्यान नहीं जाता, उसी तरह यशोदा एक सीमा तक अनुभूतिहीन और संज्ञाहीन हो चुकी थी। दो-तीन बार भाषण को पढ़ने के बाद उसे अनुभव होने लगा कि

यह सब बातें सही हैं; उसे वे कहनी ही चाहिये। वह पति के सामने साहस करके चली आई है तो उसे कुछ करना ही होगा।

यशोदा सभा में भाषण पढ़ने के लिये खड़ी हुई तो उसे अनुभव हो रहा था कि उपस्थित लोगों की आँखें उस पर प्रहार कर रही हैं, परन्तु निश्चय था, यह सहना ही है। उसने भाषण पढ़ दिया। उसका शरीर और मस्तिष्क इतने विक्षिप्त थे कि अपने मुख से निकले शब्द स्वयं को सुनाई न दे रहे थे। अपना भाषण पढ़ चुकने के बाद जब वह बैठ गयी तब दूसरे व्यक्तियों द्वारा कही जाने वाली बातें उसे समझ आने लगीं। दूसरे व्यक्तियों ने जो तर्क दिये, वह भी उसे समझ आये। उसे अनुभव हुआ कि कुछ और भी कहा जाना चाहिये, परन्तु वह उसके सामर्थ्य के बाहर की बात थी। शैल को बिना किसी संकोच के बोलते देखकर उसे संतोष हुआ कि वह स्वयं अत्यन्त भयानक अवस्था में नहीं आ पड़ी है।

सभा के बाद शैल यशोदा को घर पहुँचाने के लिये गाड़ी में ला रही थी तो उसे जान पड़ा सबसे बड़ी कठिनाई अब सामने आयेगी, परन्तु अब तो कठिनाई से बच सकने का प्रश्न ही नहीं था। वह तो आ ही चुकी थी। पति क्या कहेंगे?···अधिक से अधिक क्या कहेंगे? यशोदा का मन चाह रहा था कि वे उसे अधिक से अधिक कड़ी बातें कहें और वह उन्हें सहे। अब तो उसे सहना ही है।

यशोदा ने बैठक में पहुँचकर देखा अमरनाथ कुर्सी पर बैठे थे। मानों वे उसके लौटने की प्रतीक्षा घण्टों से कर रहे थे। वास्तव में अमरनाथ यशोदा को शैल के साथ जाते देख विक्षिप्त हो गये थे। क्या यशोदा हरीश से मिलने जा रही है, इस विचार से घोर प्रतिहिंसा उनके मन में जाग उठी थी। उनसे न रह गया। वे मामला स्पष्ट कर देने के लिये शैल के घर पहुँचे। बहुत देर तक कोठी के सामने टहलने के बाद भीतर गये। दरयाफ्त करने पर मालूम हुआ कि शैल एक सभा में गंगा हाल गयी है। अमरनाथ विक्षिप्त अवस्था में हाल में पहुँचे और उन्होंने यशोदा को वक्तव्य पढ़ते हुए देखा, सुना।

लोग उन्हें पहचान कर क्या कहेंगे—इस विचार से वे तुरन्त लौट आये। घर आकर वे सोचने लगे कि अब यशोदा उससे कितनी दूर पहुँच गई है। जो काम उनके लिये अत्यन्त कठिन था, उसे भी वह हरीश की उँगलियों के इशारे पर कर रही है और वे स्वयं कितने अकिंचन हैं!···अपनी क्षुद्रता का यह भाव बदलकर फिर उन्हें क्रोध आया! ···अगर उसे इस घर में रहना है तो जैसे कहूँगा, वैसे ही रहना होगा।

पति से बिना कुछ कहे ही यशोदा ऊपर कैसे चली जाती! यह होता पति का अपमान, विद्रोह और वैमनस्य का ऐलान, परन्तु उसने तो विद्रोह और वैमनस्य किया नहीं। उसने आज सभी काम साहस के किये थे। उसने एक दफे और साहस किया। पति की ओर देखकर पूछा, "क्या तब से यहीं बैठे हो? ऊपर चलो न! बहुत थके जान पड़ते हो।···दूध गरम कर दूँ?"

प्रायः तीन मास बाद यशोदा ने पति से इस तरह की बात की थी। अमरनाथ बहुत कुछ कहने के लिये तैयार बैठे थे, परन्तु यशोदा के पहले इतना अधिक कह जाने से वे निर्बल पड़ गये। फिर पहल करने का मौका अपने हाथ में लेने के लिये उन्होंने स्वीकार किया, "अच्छा चलो!"

यशोदा जितनी देर तक दूध गरम करके लाये, अमरनाथ पलंग पर बैठ अपना वक्तव्य दृढ़ निश्चय से तैयार करने लगे। यशोदा दूध का गिलास ले आयी। अपनी दृढ़ता

कायम रखने के लिये अमरनाथ ने गिलास साथ की तिपाई पर रख दिया और दोनों हाथों की मुट्ठियाँ बाँधकर बोले, "तुमसे कुछ कहना है।"

यशोदा इसी समय की प्रतीक्षा कर रही थी, उत्तर दिया, "जी!"

"बैठ जाओ।" अमरनाथ बोले। यशोदा नीचे की ओर देखती सामने बैठ गयी।

"तुम कहाँ गई थी?"

"शैलबाला के साथ एक जलसे में।"

"यह कैसा जलसा था?"

"इन्हीं लोगों ने किया था।"

"हूँ,···पहले तो तुम जलसों में नहीं जाती थी।"

"जी हाँ। अब सोचा है जाया करूँ···कुछ करूँ।" सिर झुकाये ही यशोदा ने उत्तर दिया।

"हूँ, वहाँ वह जे०आर० शुक्ला···हरीश भी आया होगा?" तिर्छी नजर से यशोदा के मुख की ओर देख अमरनाथ ने पूछा।

"कह नहीं सकती···देखा नहीं।" यशोदा ने उत्तर दिया और हृदय में उठता ज्वार रोकने के लिये होंठ चबा लिये।

"हूँ, मैं समझता हूँ।" अमरनाथ ने फिर दृढ़ता से हाथों की मुट्ठी बन्द कर कहा, "स्त्रियों का स्थान घर के भीतर है। एक मर्यादा के भीतर रहने से सब काम ठीक चलता है। खासतौर पर यह लड़की शैलबाला शहर में कितनी बदनाम है, शायद तुम्हें नहीं मालूम···और तो मैं कुछ नहीं कहना चाहता, परन्तु हमारे समाज का आचार जैसा है, वह मैं जानता हूँ। स्त्रियाँ यदि सार्वजनिक कामों में भाग लें तो उनके बारे में कितनी बातें बनती हैं, उनकी ओर कितनी उँगलियाँ उठती हैं इस बात का भी ध्यान रखना चाहिये। मैं अपनी पत्नी की बाबत ऐसा देखना-सुनना पसन्द नहीं करता।"

अमरनाथ के चुप हो जाने पर यशोदा ने कहा, "घर के काम के बारे में कोई त्रुटि न हो इस बात का मुझे ध्यान है। शैलबाला को तो मैं बहुत अच्छा समझती हूँ। यों तो किसी भी स्त्री पर लोग खामुखाह सन्देह कर सकते हैं···स्त्रियों पर पुरुषों को सदा ही अविश्वास रहता है।···कोई यों ही उँगली उठाये या बातें बनाये तो उसके लिए क्या किया जा सकता है?···जब मुझे पिताजी ने पढ़ने के लिये स्कूल भेजना शुरू किया था तब भी कितने ही लोगों ने बातें बनायी थीं। आप कांग्रेस में काम करने वाली स्त्रियों की प्रशंसा करते थे। यदि मुझमें ही कोई खास बात आपने देखी हो तो बताइये! आप यह चाहें कि दूसरों की स्त्रियाँ कांग्रेस का काम करें, परन्तु मैं न करूँ तो मुझमें ही कोई दोष बताइये! इज्जत तो सभी की एक-सी है।···यदि आप समझते हैं कि स्त्रियाँ इस विश्वास के योग्य नहीं कि वे घर से बाहर निकल सकें तो घर में ही उनका क्या विश्वास है? यदि आपको मुझ पर विश्वास नहीं तो कारण बताइये···!"

अब भी यदि अमरनाथ यशोदा पर बन्धन लगाते तो यह बन्धन केवल शारीरिक हो सकते थे। उसका मतलब होता कि इन्होंने स्वीकार कर लिया है कि उन्हें यशोदा से भय है। वे उसकी आँखों में गिर गये हैं। उन्हें अपने ऊपर विश्वास नहीं। केवल एक ही राह थी। उन्होंने कहा, "नहीं, मेरा यह मतलब नहीं। मेरा मतलब केवल इतना था कि सोच लो, मेरी और तुम्हारी भलाई एक ही बात में है।"

यशोदा जितनी देर पति के सामने बैठी रही उसने अपने होंठ काटकर आँसुओं को रोके रखा। फिर गुसलखाने में जा वह खूब रोयी। उसने निश्चय कर लिया कि कदम उठा लेने के बाद वह पीछे नहीं हटेगी वर्ना उसका अब तक का यह सब काम पापाचरण हो जायेगा।

अमरनाथ सोच रहे थे, क्या हरीश की बाबत उसका सन्देह निराधार ही है।··· अनेक प्रकार अपने आपको समझाने पर भी उसका समाधान न होता। एक बात से इनकार की गुंजाइश न थी कि अब यशोदा के हृदय के एकमात्र स्वामी वे नहीं रहे। जो हो, अब यशोदा अपने आपको पति के चरणों की धूल न बनाकर स्वयं मनुष्य बनने की बात सोच रही है···। यशोदा में दोष कुछ न पा सकने पर भी अब यशोदा केवल मात्र उनकी ही वस्तु नहीं रह गयी थी। अब यशोदा के लिए वही सब कुछ नहीं रह गये थे। घर में पैर रखने पर सभा-सोसाइटी और जुलूस में शामिल होने वाली यशोदा को अपने सुख की सामग्री समझकर उसे पुचकारने की हिम्मत न पड़ती। उन्हें जान पड़ता कि अब वे पत्नी के सामने मालिक न रहकर, एक साधारण व्यक्ति रह गये हैं।

●

पहेली

बँगले के सामने फुलवाड़ी में बेंत के सोफा पर राबर्ट और शैल बैठे हुए थे। राबर्ट के एक हाथ में सिगरेट था और दूसरे हाथ में एक पत्र। अनेक दिन के बाद फ्लोरा का पत्र आया था। राबर्ट पत्र शैल को सुना रहा था—

"यद्यपि जीवन को मैंने मसीह के चरणों में अर्पित कर दिया है, परन्तु भगवान की इच्छा को टाल नहीं सकती। तुमने मुझे धर्मसंकट में डाल दिया है। मैं अपने पहले दो पत्रों में तुम्हें लिख चुकी हूँ कि जब भगवान और उनके पुत्र मसीह के उपदेश में तुम्हें विश्वास नहीं रहा तो तुम्हारा क्रिश्चियन बने रहना केवल एक धोखा है। मेरा और तुम्हारा शारीरिक और आत्मिक सम्बन्ध टूट चुका है, उसे बनाये रखने के आडम्बर से कोई लाभ नहीं। जीवन एक साथ बिताने की जो शपथ बाइबिल हाथ में लेकर हम लोगों ने ली थी, उसे पहले तुमने ही बाइबिल में अविश्वास करके तोड़ दिया। मैंने तुमसे छः मास पूर्व ही प्रार्थना की थी कि तुम हिन्दू बनकर हमारे विवाह सम्बन्ध को समाप्त कर दो। मसीह में श्रद्धा न रहते हुए भी मुझ पर अपना कानूनी अधिकार बनाये रखने के लिये तुमने मेरी इस प्रार्थना को स्वीकार नहीं किया। तुम्हारी यह जिद्द मेरे लिये जीवन-संकट हो गई है। जीवन का उद्देश्य धर्म की सेवा होते हुए भी मैं स्त्री हूँ। आर्थिक कठिनाइयों की परवाह मैंने नहीं की, परन्तु उससे भयंकर कठिनाई मेरे लिये थी, अपने उस साथी के भावों को ठुकराना जिसने अपना जीवन प्रभु के प्यारे दीनों और दुखियों की सेवा में अर्पण कर दिया है। मुझे भी जीवन में एक साथी की जरूरत है। मसीह को अपना साथी मानकर भी इस पृथ्वी पर बहुत कुछ शेष रह जाता है, जिससे मुख मोड़ने पर हृदय की प्रवृत्ति से मनुष्य विवश हो जाता है।

"तुम मुझे दोषी और पापिन कह सकते हो, परन्तु वास्तव में दोष तुम्हारा ही है। यदि छः मास पूर्व तुम मेरी प्रार्थना स्वीकार करके हिन्दू बन गये होते, मैं शान्तिपूर्वक दूसरी जगह विवाह कर सकती थी, परन्तु तुमने निर्दयता दिखाई आज मैं तीन मास से गर्भवती हूँ। तुम मुझे लिखते हो कि स्वयं तुम्हें तलाक दे सकती हूँ। तुम जानते हो कि ऐसी अवस्था में मेरा यहाँ रहना भी कहाँ तक सम्भव है! इससे मेरी और मेरे साथी की जो बदनामी होगी उससे भविष्य में समाज में रहकर धर्म की सेवा करना भी मेरे साथी के लिये असम्भव हो जायेगा। मुझे अपने जीवन की विशेष चिन्ता नहीं। मुझे मृत्यु का भी भय नहीं, परन्तु आत्महत्या करके मैं निरन्तर नरक की ज्वालाओं में नहीं जलना चाहती। इससे अधिक मुझे ख्याल है, प्रभु के उस प्यारे का जिसे इन सब कारणों से अपमान और कष्ट भोगना पड़ेगा। उसने मसीह की सेवा में जीवन अर्पण कर दिया है। आज उसके पास इतना धन नहीं है कि मेरी सहायता इस समय कर सके।

"मेरे गर्भ की सन्तान को लोग गैरकानूनी और पाप की सन्तान कहें, यह मैं सहन नहीं कर सकती। तुम्हारे हिन्दू न होने की जिद्द के कारण ही यह सब कुछ हुआ। मेरी आत्मा, मेरे साथी की आत्मा और प्रभु मसीह जानते हैं कि मेरे गर्भ की यह सन्तान निर्दोष है। हमारी परिस्थितियों और कठिनाइयों में उसका कुछ भी अपराध नहीं। फिर उसकी हत्या का पाप अपने सिर क्यों लूँ? मैं चाहती हूँ कि उसके उत्पन्न होने तक कानूनी तौर पर मुझे तुम्हारी पत्नी कहलाने का हक रहे और इस कठिनाई के समय तुम किसी एकान्त स्थान में रहने के लिये मेरा प्रबंध कर दो। सन्तान के जन्म के बाद हम लोग तलाक दे दें। सन्तान के पालन के लिये मैं तुमसे किसी प्रकार का दावा न करूँगी। इससे पूर्व तुमने मुझे आर्थिक सहायता देनी चाही थी, परन्तु मैंने उसे स्वीकार नहीं किया था। आज मैं स्वयं उधार के लिये भीख माँग रही हूँ, केवल उस निर्दोष सन्तान की रक्षा के लिये जो मेरे गर्भ में है। आशा है तुम मुझे निराश न करोगे। प्रभु मसीह तुम्हारे हृदय में दयाभाव उत्पन्न करेंगे…"

राबर्ट को अनुभव हुआ कि उसकी उँगली जल रही है। सिगरेट समाप्त होकर उसकी उँगली को जला रहा था। सिगरेट फेंककर वह अपनी उँगली की ओर देखने लगा।

उसकी उँगली अपने हाथ में ले शैल ने पूछा, "जला ली उँगली? हाय…।" और फिर उँगली को अपने मुँह में ले पूछा, "कुछ ठण्ड पड़ी?"

राबर्ट हँस दिया, "यहाँ तो दिल ही जला पड़ा है।"

शैल ने राबर्ट के गले में बाँह डाल उसके कँधे पर सिर टिकाकर पूछा, "रूबी, अब क्या करोगे?"

"क्या करना चाहिये?" शैल की ठोड़ी को ऊपर उठा उसने पूछा, "सोचो तो सही इस समय वह कितने संकट में है।"

"हूँ…परन्तु इसका मतलब यह है कि अभी आठ-दस मास तक हम अपने विवाह की बात नहीं सोच सकते।" शैल उदास स्वर में बोली।

"हाँ, यदि मैं उसकी बात मानूँ तो नहीं सोच सकते।" दूसरा सिगरेट जलाकर राबर्ट ने उत्तर दिया।

"लेकिन रूबी, इसमें तुम्हारा क्या कुसूर है? तुमने उसे तभी तलाक दे देने के लिए राय दे दी थी।" शैल ने भँवें चढ़ाकर कहा!

"शैल, कुसूर होता क्या है!" लम्बा कश छोड़ राबर्ट ने उत्तर दिया, "किसी को मुसीबत में देख उसकी परवाह न करना भी तो कुसूर है। यदि फ्लोरा मेरी जगह होती और मैं फ्लोरा की जगह, तो यह कहती, तुमने पाप किया है, तुम उसकी सजा भोगो और वह स्वयं भगवान से प्रार्थना कर लेती—हे भगवान, तू दयामय और न्यायकारी है, मुझे संकट से बचा और उसका कर्तव्य समाप्त हो जाता। उसका आत्मा और मन शान्त हो जाते, परन्तु मैं क्या करूँ? मैं तो इस बात को अस्वीकार नहीं कर सकता कि वह भयंकर संकट की परिस्थिति में है। न्याय की बात कहो तो न्याय के विचार से किसी भी व्यक्ति को दूसरे के संकट से कोई मतलब नहीं। न्याय केवल स्वार्थ की रक्षा के लिये हैं।"

"मेरे जीवन में तो सदा कोई न कोई रुकावट आती ही रहेगी।" शैल उदास हो गयी, "अच्छा करोगे क्या?"

"कर यह सकता हूँ कि मंसूरी, नैनीताल या शिमला में फ्लोरा को एक मकान किराये पर ले दूँ और खर्च देता रहूँ, लेकिन नैनसी को यह सब मालूम नहीं होना चाहिये वर्ना वह शोर मचा देगी। उसने अभी तक जीवन की कठिनाइयों को देखा नहीं, इसलिये उचित-अनुचित की धारणा उसके मन में बहुत कठोर है। फ्लोरा से वह नाराज भी कम नहीं, क्योंकि उसकी वजह से हम लोगों की बदनामी भी बहुत हुई है।"

राबर्ट का दायाँ हाथ हाथों में लेकर शैल ने कहा, "तुम्हारी बाबत जब मैं सोचती हूँ, हैरान रह जाती हूँ...तुम्हारा हृदय कितना विशाल है।"

"जरा फ्लोरा से पूछो!" राबर्ट हँस दिया।

"डैम फ्लोरा।" सिर झटककर शैल ने कहा और कुछ देर चुप रहकर पूछा, "रूबी, आत्महत्या क्या सचमुच पाप है?"

"पाप क्या है, यह तो मैं अभी तक समझ नहीं सका। यदि एक व्यक्ति अपने जीवन से घृणा करने लगता है तो वह जिये क्यों? कम-से-कम मैं यदि जीवन में कोई उत्साह न पाऊँ तो जीना नहीं चाहता।"

"और रूबी, गर्भपात?" शैल ने पूछा।

"किसी भी जीव को समाप्त कर देना निर्दयता ही है। यह सोचो, फ्लोरा की सन्तान उसकी गोद में खेलेगी तो उसे जीवन में कितना उत्साह, कितनी शांति मिलेगी, परन्तु यह भी सोचो, यदि वह सन्तान फ्लोरा के जीवन को केवल संकटमय बना दे और स्वयं उसके जीवन के लिये समाज में कोई स्थान न हो तो उसे केवल घृणा और धिक्कार का पात्र बनाने के लिये संसार में लाना कितना अन्याय है? सब कुछ समाज की अवस्था पर निर्भर करता है। ईसा मसीह को पूजकर भी समाज आज और मसीह पैदा होना सहन नहीं कर सकता, क्योंकि उसके लिये समाज में कोई स्थान जो नहीं। मैं समझता हूँ, मौजूदा समाज में बर्थ कन्ट्रोल के बिना निर्वाह नहीं।

"यदि समाज की अवस्था पहले जैसे होती अर्थात् एक पुरुष कई-कई स्त्रियाँ रखता और समाज में यूनान, भारत और दूसरे देशों की प्राचीन सभ्यता के अनुसार पुरुषों के विनोद के लिये मंगलामुखियों की सेनाएँ होतीं। समाज में बेकारी का भय न होता तो जितनी सन्तान हो जाती, ईश्वर का वरदान ही होता, परन्तु अब वह अवस्था तो है नहीं! मनुष्य की अवस्था ऐसी नहीं होनी चाहिए कि दिन भर पेट भरने के सिवा और बात के लिये उसे अवसर न मिले। प्रकृति उसे भोग की ओर ढकेलती है। मनुष्य के पास साधन और समय है तो वह भोग की ओर क्यों न जाये! तुम व्यर्थ संकोच मत करो। बताओ—एक स्वस्थ युवती यदि प्रत्येक बार गर्भवती होने लगे तो उसके लिये जीवन में भोग का अवसर कितनी बार आ सकता है। या तो वह प्रति वर्ष एक सन्तान उत्पन्न करेगी, जिसके लिये पृथ्वी पर जगह नहीं या जीवन भर केवल दो-तीन दफे से अधिक उसे इस ओर ध्यान न देना चाहिये। ब्रह्मचर्य का उपदेश देने वाले कितने महात्मा हैं जो स्वयं इस कसौटी पर पूरे उतरेंगे। इसी आवश्यकता को पूरा करने के लिये सभ्यता ने वेश्याओं को जन्म दिया था।

"इस नई सभ्यता के जमाने में जब स्त्री को पूर्ण समानता का अधिकार देने की बात कही जाती है, तो उसकी भोग की स्वाभाविक प्रकृति को कैसे रोका जा सकता है। हमारे समाज में गर्भवती हो जाना ही तो स्त्री की सबसे बड़ी पराधीनता और कमजोरी है। पुरुष

तो हाथ झाड़कर, सिगरेट पीता हुआ चल देता है, परन्तु स्त्री को मुसीबत पड़ जाती है।…वह क्या करे। भोग की इच्छा प्रबल प्राकृतिक प्रवृत्ति है। संसार के सब धर्मों ने इसका निषेध किया है, परन्तु यह बलवान ही बनी है। जब तक जीवन में गति है इसे रोका नहीं जा सकता। इसके जो परिणाम हमें भोगने पड़ते हैं, वे सामाजिक परिस्थिति के कारण हैं। जब-जब भोग की प्रवृत्ति होती है तब सदा ही सन्तान की इच्छा नहीं होती फिर सन्तान क्यों हो? जिस सन्तान का स्वागत करने के लिये परिस्थितियाँ न हों, उसे संसार में लाना ही अन्याय है! जीवन में ऐसा समय भी आता है जब संतान की इच्छा होती है तबी उसे आना चाहिये। बहुत से लोग कहते हैं कि गर्भ-निवारण प्रकृति-विरुद्ध है। मैं पूछता हूँ कि जब प्रकृति तीव्र इच्छा उत्पन्न करती है तो उसे रोकना प्रकृति-विरुद्ध है या नहीं? और जिन जीवों के लिये समाज में स्थान नहीं, उन्हें पैदा कर देना भी प्रकृति विरुद्ध है या नहीं…?''

राबर्ट की बातों से संकोच अनुभव कर, उससे आँखें न मिलाने के लिये शैल उसका सिगरेट केस खेल रही थी। एक सिगरेट निकाल उसने मुँह से लगा लिया। राबर्ट ने कहा, ''जलाओ तो!''

सिर हिला शैल ने कहा, ''नहीं, तुम बात कहो…फिर राह कौन-सी है? तुमने तो सभी ओर से प्रकृति का घेरा डाल दिया है।''

राबर्ट ने अनुरोध के स्वर में कहा, ''नहीं पहले सिगरेट जलाओ। खूबसूरत स्त्री को सिगरेट पीते देखने में बहुत भला मालूम होता है।''

''मैं खूबसूरत हूँ।'' आश्चर्य प्रकट करने के लिये शैल ने भँवें तानकर पूछा।

''तुम जानती हो कि तुम मुझे बहुत खूबसूरत मालूम पड़ती हो।''

''चक्कर आ जायेगा।'' शैल ने कुछ बेबसी से कहा, ''तुम अपनी बात कहो। मैं स्वयं कई दफे सोचा करती हूँ…''

''तुम सिगरेट जलाओ। धुआँ भीतर न खींचना। चक्कर नहीं आयेगा। अब तुम्हें सिगरेट पीते देखने का शौक सवार हुआ है तो मेरी जिद्द माननी पड़ेगी।''

शैल ने झेंपते हुए सिगरेट जलाया। धुएँ का एक क्षीण-सा चक्कर उसके चेहरे के चारों ओर छा गया। राबर्ट ने कहा, ''बहुत खूब, ऐसे ही किये जाओ! सुन्दर जान पड़ने में भी एक संतोष है न; इसी के लिये तो स्त्रियाँ नाक-कान छिदाती हैं।''

सिर हिलाकर शैल बोली, ''तुम प्रकृति की बात कहो।''

''हाँ; तो क्या कह रहा था? हाँ, प्रकृति हमें इस बात का प्रबन्ध करने के लिये विवश करती है कि हम ऐसी राह निकालें कि भोग को उसके परिणाम से अलग किया जा सके। जब हम न चाहें, सन्तान न हो। सन्तान दुख का कारण न बनकर सुख का ही कारण बने। तुम विश्वास रखो कि बिना आवश्यकता के मनुष्य कुछ नहीं करता। गर्भ-निवारण प्राकृतिक आवश्यकता है। प्रकृति में यह काम दूसरे तरीके से चलता है। साँपिनी एक हजार अण्डे देती है, परन्तु जब एक हजार बच्चे निकलते हैं तो स्वयं ही उन्हें पूँछ से घेरकर खाने लगती है। जो एक दो बच जाते हैं, वे ही दूसरे जीवों के लिये आफत हो जाते हैं। यदि सभी बच जायें तो प्रकृति में दूसरे जीव समाप्त हो जायें। यही हाल मछलियों और दूसरे जीवों का है। कुछ जीव अपनी संख्या स्वयं कम कर देते हैं, कुछ की दूसरे जीव, परन्तु मनुष्य की संख्या कौन कम करे? बीमारियाँ आती हैं उनका इलाज

मनुष्य कर लेता है। अलबत्ता युद्ध की बीमारी का इलाज मनुष्य अभी तक नहीं कर पाया, परन्तु लड़ाई भी तो तभी शुरू होती है जब जातियाँ और देश अपने देश में जनसंख्या बढ़ने पर भूखों मरने लगते हैं या जनसंख्या के भूखे मरने का बहाना करते हैं। गर्भ-निवारण भी मनुष्यों को उचित संख्या में रखकर उनके जीवन को सुखी बनाने का उपाय है।''

शैल ने धुएँ से घबराकर कहा, ''मैं इस सिगरेट को फेंकती हूँ।''

अपने हाथ का समाप्त सिगरेट फेंककर राबर्ट ने कहा, ''लाओ मुझे दे दो।''

''हाय जूठा?''

''जूठा नहीं वह मीठा हो गया है। यों तो तुम अपने होंठों को दूर रखती हो। इस सिगरेट के नाते ही सही।''

मुस्कराती हुई आँखों से शैल ने अपना सिर राबर्ट ने कंधे पर रख दिया। धीमे स्वर में राबर्ट ने कहा, ''यह मंजूरी है?''

''तुम बड़े शरारती हो।'' शैल पीछे हट कह रही थी कि राबर्ट ने उसे चूम लिया।

दरवाजे पर मोटर के भोंपू की आवाज सुनकर शैल ने उस ओर देखा।

''नैनसी आई होगी।'' राबर्ट ने बताया, ''बाजार गई थी। हरीश और उसके साथियों के आने में भी देर नहीं है। साढ़े छः बज रहे हैं।''

नैनसी बरामदे में ड्योढ़ी की ओर जा रही थी।

शैल ने पुकारा, ''यहाँ आओ न नैना!'' और राबर्ट से पूछा, ''बड़ी चुप-सी रहती हो नैना आजकल!''

''उसकी अपनी उलझने हैं।'' राबर्ट ने उत्तर दिया, ''बीस बरस की हो गई है। आशा और कल्पना के संसार में मन चला जाने पर जाहिरा विरक्ति और चुप्पी आ ही जाती है। मुझसे कई दफे मिराजकर का पता पूछा। तुमसे भी तो पूछा था न! मैंने उचित समझा कि बात बहुत आगे बढ़ने से पहले ही समझा दूँ इसलिये बता दिया कि मिराजकर की असल अवस्था क्या है। पत्र उसे लिखा नहीं जा सकता। ऐसे ही घूमते-घामते जब आ निकले।''

''ठीक तरह समझा दिया है न! कहीं कुछ कह न बैठे।'' शैल ने चिन्ता से पूछा।

''खूब अच्छी तरह! वह जानती है कि मिराजकर के खतरे में पड़ने का अर्थ है, हमारा खतरे में पड़ना लेकिन असर और ही हुआ है। अब वह उसकी बहादुरी और त्याग की बात सोचा करती है। पहले इसकी मित्रता डेविड से थी। अब उसने मिलना बन्द कर दिया है। आजकल वायलिन भी बन्द है। और जानती हो, आजकल कौन जुमला जुबान पर चढ़ा है—''जो किसी के काम न आ सके वह मैं एक मुश्त गुबार हूँ!''

दो-तीन मिनट में नैनसी आ गई, कुछ दिन से गाउन पहनना छोड़कर उसने निरन्तर साड़ी पहनना शुरू कर दिया था और साड़ी का आँचल भी इस बेपरवाही से गले में डाल रखा था कि मानों घर के काम में बहुत व्यस्त रही हो। उसे सम्बोधन कर शैल ने कहा, ''नैनसी, तुम्हारे ये स्वीटपीज गजब के हुए हैं।''

''क्या हैं, अच्छे हैं बेचारे!'' नैनसी ने बेपरवाही से कहा।

"चाय के लिये कह दिया है नैन! हमने भी तुम्हारी प्रतीक्षा में नहीं पी।" राबर्ट ने कहा।

"पाँच-सात मिनट और न ठहर जाओ, मिराजकर भी आते ही होंगे।" शैल ने सलाह दी, "पौने छः से पहले आने की बात थी?"

"जल्दी क्या है?" कहकर नैनसी सामने की कुर्सी पर बैठ गई।

उसी समय हरीश साइकिल पर आता दिखाई दिया। ड्योढ़ी में साइकिल रखकर हरीश इन लोगों की ओर आ गया। आते ही उसने पहले नैनसी से पूछा, "कहिये मजे में हैं?"

"जी हाँ, बहुत मजे में।"

हरीश, राबर्ट और शैल से हालचाल पूछ रहा था। नैनसी ने उठते हुए कहा, "मैं चाय के लिये कह आऊँ!"

हरीश ने शैल और राबर्ट की ओर देखकर कहा, "वे लोग सात बजे के बाद आयेंगे। मिस्टर राबर्ट, मेरा मतलब जरा जल्दी आने का यह था कि मैं आपसे पहले ही अपने विचार कह दूँ। रफीक मजदूरों और दूसरे लोगों में केवल आर्थिक प्रश्नों को उठाने पर ही जोर दे रहा है। मजदूर लोग यदि इस ढंग पर चलेंगे तो उन लोगों में राष्ट्रीय चेतना नहीं आ सकेगी और उनका आन्दोलन बिलकुल संकुचित हो जायेगा। मैं चाहता हूँ कि भिन्न-भिन्न पेशों के मजदूरों की केन्द्रीय कमेटी में कुछ आदमी मध्यम श्रेणी के भी रहें जो उनके आन्दोलन को राष्ट्रीय रूप दिये रहें। क्यों, ठीक है न शैल!"

"अरे सब ठीक है, तुम्हारा काम तो हमने शुरू कर ही दिया। तीन जलसे हम तुम्हारे करा चुके हैं। कपड़े की मिलों के मजदूरों और बिजलीघर के मजदूरों के साथ सहानुभूति के प्रस्ताव पास करा दिये हैं। यशोदा भी अब तो जलसों में जाती है और नैनसी भी! कालेज के बीसियों लड़के आने लगे हैं। तुम अपना हाल बताओ। नये मकान में ठीक से बस गये!"

"हाँ!" हरीश जेब से एक कागज निकालकर देखने लगा।

शैल ने मुस्कराती हुई आँखों से राबर्ट की ओर देखकर कहा, "अरे नैना···"

राबर्ट ने आँखों से इशारा कर उसे चुप कराकर स्वयं बात पूरी कह दी, "नैना ने बड़ी देर कर दी···आती ही होगी, यह मटर के फूल देखे हैं इधर!"

हरीश ने कागज जेब में रख उत्तर दिया, "इन्हें तो आते ही देखा था। कमाल है, कैसी सुगन्ध फैल रही है।" हरीश उठा और दो बहुत सुन्दर फूल लाकर उसने एक राबर्ट को दिया और दूसरा शैल को। शैल ने फूल अपने बालों में लगा दिया।

नैनसी बैरे के हाथों चाय की ट्रे लिवाये आ रही थी। उसके आते ही राबर्ट ने शिकायत की, "नैन देखो, तुम्हारे दो फूल मिराजकर ने तोड़ लिये।"

"क्या फूल तोड़ने की मनाही है?" हरीश ने नैनसी की ओर देखा।

"लाओ मैं चाय बनाऊँ।" शैल ने ट्रे अपनी ओर खींच ली।

नैनसी मटर के फूलों की बेलों की ओर चली गयी। उसने हरीश से पूछा, "आपको कौन रंग पसन्द है?"

"सभी अच्छे हैं।" हरीश ने उत्तर दिया।

नैनसी को हतोत्साह होते देख राबर्ट ने कहा, "इसे तो अपना लाल रंग ही पसंद आयेगा, क्यों मिराजकर?"

कुछ झिझककर नैनसी ने केवल लाल रंग के फूल लम्बी-लम्बी टहनियों से तोड़कर, एक गुलदस्ता बनाकर चुपचाप हरीश के सामने कर दिया।

"धन्यवाद!" फूलों को एक हाथ में आदर से लेकर हरीश अपना प्याला पीता रहा। प्याला समाप्त कर उसने नैनसी को सम्बोधन कर कहा, "अब इन फूलों को जहाँ चाहूँ रख सकता हूँ?"

"क्यों नहीं।" नैनसी ने अपने प्याले से घूँट लेकर कहा।

हरीश उठा और नैनसी की पीठ पीछे जा उसने एक-एककर वे फूल नैनसी के केशों में मयूर की तरह लगा दिये। नैनसी चुप बैठी रहो, परन्तु उसका गन्दुमी चेहरा गुलाबी हो गया। हरीश सोच रहा था—मंसूरी की यह उद्दण्ड लड़की कुछ कहेगी, परन्तु नैनसी चुप थी।

हरीश अपने स्थान पर आ बैठा तो नैनसी ने कहा, "आपको लौटा देना खूब आता है।"

"प्रत्येक वस्तु अपनी जगह पर अच्छी लगती है।" हरीश ने उत्तर दिया।

शैल ने नैनसी की ओर देखकर कहा, "मिराजकर ने तुम्हें रानी बना दिया। जरा शीशे में देखो तो मालूम हो!…मिराजकर, बड़े शौकीन हो!"

हरीश कुछ उत्तर न दे केवल हँस दिया। राबर्ट ने उठकर फूलों की क्यारी के पास जा एक सिगरेट और जलाई और टहलता हुआ दूर जा निकला। वहाँ जाकर उसने पुकारा, "शैल, ये डियान्थस देखे हैं तुमने! शैल उधर चली गई। हरीश को तीसरा प्याला लेने के लिये चायदानी की ओर हाथ बढ़ाते देख नैनसी प्याला तैयार करने लगी।

हरीश ने नैनसी की ओर देखकर पूछा, "आप इतनी चुप क्यों है?"

"नहीं ती, ऐसे ही" नैनसी ने उत्तर दिया, "आपको शायद यह डर हो कि मैं विश्वास के योग्य नहीं। आजकल आप हरीश हैं कि मिराजकर? मंसूरी में तो आप खूब बने!" उसकी ओर आँख उठाये बिना ही नैनसी ने पूछा।

"आप बुरा मान गईं, इसमें अविश्वास की तो कोई बात नहीं!"

"नहीं, बुरा मानने का मुझे क्या अधिकार है?" नैनसी ने प्याला हरीश की ओर बढ़ाते हुए कहा।

"आप ही बताइये कि मुझे इस बात का क्या अधिकार है कि बिना अनुमति के किसी व्यक्ति पर अपने भेदों को छिपाये रखने का बोझ डाल दूँ?" मुआफी माँगने के ढंग से हरीश ने पूछा।

नैनसी ने बिस्कुट की प्लेट उसकी ओर बढ़ाते हुए कहा, "लीजिए, आपने खाया तो कुछ भी नहीं।"

हरीश इधर-उधर फूलों की क्यारियों की ओर देखते हुए बिस्कुट और चाय समाप्त कर रहा था। नैनसी ने राबर्ट का सिगरेट केस खोलकर सिगरेट पेश कर दिया। हरीश ने सिगरेट ले लिया तो नैनसी ने माचिस जलाकर सामने कर दी।

''शुक्रिया!'' हरीश सिगरेट सुलगाने के लिये झुका। उसका सिर नैनसी के सिर से टकरा गया।

''मुआफ कीजिये!'' हरीश ने संकोच से क्षमा माँगी।

''कोई बात नहीं।'' नैनसी फिर चुप हो गई।

''आज आप इतनी चुप क्यों हैं?'' हरीश ने फिर पूछा।

''बोलने से लोग समझ लेते हैं कि व्यक्ति छिछोरा है।'' नैनसी अपनी उँगलियाँ तोड़ते हुए बोली। उसकी लम्बी-पतली, गोरी उँगलियों की ओर देखकर हरीश ने उसके शेष शरीर की ओर देखा। उसका बहुत महीन और मुलायम बालों से भरा सिर, जिसमें तेल की चिकनाई नहीं, केशों की स्वाभाविक कोमलता स्वयं प्रकट हो रही थी। जूड़े पर मटर के लाल फूलों का लगा हुआ पंखा, पतला-लम्बा मुख, लंबी गर्दन, साड़ी में झलकती उसके शरीर की आकृति, उसका तनिक उभरा हुआ वक्ष, पतली कमर और फिर कुछ दूर बहकर नीचे गिरती जल की धारा की तरह घुटनों से नीचे गिरती पिंडलियाँ, अंत में सैंडल में मढ़े उसके कोमल गोरे पाँव। पाँवों के चारों ओर साड़ी का घेरा, पराग को घेरे रहने वाली फूल की पंखुड़ियों की तरह फैला हुआ था। पीले हाथीदाँत की तरह चिकनी और कोमल बाँहें उसकी गोद में आकर टिकी हुई थीं। कलाइयों पर एक-एक बहुत महीन काली चूड़ी थी। एक अस्पष्ट सी सुगन्ध उसके शरीर से आ रही थी। नैनसी फूल की कली की भाँति थी, पूरी खिलकर फैल नहीं गई थी, परन्तु स्फुटोन्मुख थी। नैनसी हरीश की उपेक्षा के लिये शिकायत कर रही थी। हरीश को अनुभव हो रहा था कि उसके सम्मुख एक अनुपम सौन्दर्य उपस्थित है। वह सोच रहा था कि इससे अधिक सुन्दर, रुचिर रूप उसने नहीं देखा, परन्तु अजायबघर में रखी उर्वशी की मूर्ति के समान यह केवल देखकर स्तुति करने योग्य है। शैल ने जिस वास्तविकता का परिचय उदारता से उसे दिया था, उससे बेशक यह कहीं सुन्दर है, परन्तु शैल पर जो अधिकार उसे है वह तो यहाँ नहीं। शैल के प्रति अनुराग और कृतज्ञता से हरीश का मन भर गया। एक क्षण के लिए उसे नैनसी के स्थान पर शैल ही बैठी दिखाई देने लगी। उसने अपने मन को सचेत किया—यह शैल नहीं! सब शैल नहीं, जिसके आगे उसकी उच्छृंखलता अपराध न हो।

चुप के उस संकट से निकलने के लिये हरीश ने पूछा—''शैल ने आपको भी इस काम में घसीट लिया।''

''कोई किसी को जबरदस्ती नहीं घसीट सकता है।'' उसी तरह सिर झुकाये नैनसी ने विरोध किया।

हरीश के इस प्रश्न ने शैल को जिस श्रेष्ठता की ओर संकेत किया और उससे ईर्ष्या की जो चिनगारी नैनसी के मन में चटक उठी, हरीश का ध्यान उस ओर न गया। और कुछ कहने को न पाकर बोला, ''आपके फूल वास्तव में ही बहुत सुन्दर हैं। तबीयत चाहती है, इन्हें निरन्तर देखते ही रहें।''

नैनसी ने कोई उत्तर न दिया। वह अपनी उँगलियाँ उसी तरह तोड़ती रही, परंतु उसका अभिमानी हृदय सोच रहा था—मैं केवल दिखावे और दिल बहलावे की बात के योग्य हूँ। कोई गम्भीर और उत्तरदायित्व की बात थोड़े ही मुझसे की जा सकती है। उसी तरह अपनी कोमल उँगलियों पर मन का असन्तोष प्रकट कर उसने बिना सिर उठाये ही

कहा, ''आपको इन छोटी-छोटी बातों से मतलब थोड़े ही है। यह तो हम जैसों के लिये हैं, जो किसी काम के नहीं।''

यह तीखा विद्रूप हरीश के मन में बिंध गया। जिस अधिकार की माँग के लिये यह विद्रूप किया गया था, उसे न समझ उसने सफाई देनी शुरू की, ''यह तो परिस्थिति की बात है, परन्तु जीवन की चाह मनुष्य में होती ही है, सौन्दर्य को वह अनुभव करता ही है।''

अपनी बात ठीक स्थान पर लगते न देख नैनसी ने करुण दृष्टि से हरीश की ओर देखा। नैनसी को आशा थी कि शब्द जिस बात को स्पष्ट नहीं कर सके, उसकी दृष्टि कर देगी, परन्तु हरीश दूसरी ओर देख रहा था। नैनसी ने फिर कहा, ''आपका जीवन यहाँ इतने संकट में है, आप विदेश क्यों नहीं चले जाते?''

''कैसे चला जाऊँ?'' उत्तर में हरीश ने प्रश्न किया।

''आपके लिये ऐसा कठिन क्या है। वहाँ आप कितना अधिक अनुभव प्राप्त कर सकेंगे और फिर समय आने पर लौटकर आपके लिए अपना काम करना अधिक आसान होगा। उसके लिए रुपये का ही प्रश्न तो है न। कभी-कभी मैं भी कुछ दिन के लिये यूरोप जाने की बात सोचती हूँ।''

सिगरेट से कश खींचते हुए हरीश ने उत्तर दिया, ''विदेश में पहुँच जाने से मैं खतरे से तो बच जाऊँगा, परन्तु खतरे से बचने के लिये ही तो मैं घर से निकला नहीं था। जिस काम के लिये खतरा स्वीकार किया है, वह तो पीछे रह जायेगा।''

''तो फिर आप स्वयं पीछे रहिये, आप खतरे में न पड़िये। निर्देश दीजिए, दूसरे आदमी काम करें।'' नैनसी ने कहा।

''जो भी आदमी आगे आकर काम करेगा खतरा झेलेगा। मैं न करूँ तो दूसरे क्यों करेंगे?'' हरीश ने पूछा।

''आप क्या कम काम करते रहे हैं? इस तरह आपका स्वास्थ्य कैसे ठीक रहेगा न समय पर खाना, न सोना। आप यहाँ ही क्यों नहीं रहते। यहाँ तो किसी प्रकार का सन्देह भी नहीं हो सकता।'' आत्मीयता से नैनसी ने कहा।

''सन्देह की बात नहीं।...यों तो अब आप बढ़कर जनता में काम करेंगी तो सन्देह आप पर भी होगा ही। आप भी खतरे से खाली न रहेंगी। मैं चाहता हूँ, मजदूरों की ही बस्ती में रहना। मैं तो कोशिश कर रहा हूँ कि किसी मिल में नौकरी मिल जाये तो अच्छा हो। यों अपने निर्वाह का बोझ लगातार दूसरों पर डालते रहना भी अच्छा नहीं मालूम होता।''

''बोझ इसमें क्या है!...आपको रुपयों की जरूरत है?'' नैनसी ने पूछा।

''नहीं, अभी तो नहीं।''

''न हो ले जाइये, मेरे पास रखे हैं।...आपको किसी से कहने की भी जरूरत नहीं।'' नैनसी ने कहा।

''जब जरूरत होगी, जरूर ले लूँगा। आपसे कोई संकोच मुझे नहीं है...आप मेरी बहिन की तरह हैं।''

हरीश के इतना समीप आ जाने पर भी नैनसी को संतोष न हुआ। "अभी आती हूँ," कहकर वह भीतर चली गई। अपना बक्स खोलकर उसने देखा, साठ रुपये थे। नोटों को मरोड़कर हाथ में लिये वह बाहर आई। वह हरीश के पास पहुँची ही थी कि बँगले के दूसरी ओर के दरवाजे से एक पुलिस सार्जेण्ट और कुछ कानस्टेबल भीतर आते दिखाई दिये। हरीश ने आहिस्ता से कहा, "तुम परे हट जाओ। मुझे गोली चलानी होगी।"

बजाय पीछे हटने के नैनसी और भी समीप आ गई। हरीश ने फिर कहा, "परे हट जाओ, तुम्हें खामखाह चोट आ जायेगी।"

नैनसी दृढ़ता से हरीश पर आती चोट सहने के लिये उसके सामने हो गई। उससे आगे बढ़ने के लिए हरीश अपनी जेब में पिस्तौल के घोड़े पर हाथ रखे पुलिस सार्जेण्ट की ओर बढ़ रहा था। सार्जेण्ट को अपने रिवाल्वर पर हाथ रखते न देख वह अपना हाथ रोके रहा। काफी समय आकर सार्जेण्ट ने कहा—"गुड ईवनिंग, बिना पूछे चले आने के लिए मुआफ कीजिये। आपकी कार का नम्बर क्या है?···मैं जरा आपकी कार देख सकता हूँ?"

मोटर का नम्बर बता नैनसी ने कार की ओर इशारा कर दिया। हरीश ने सार्जेण्ट से पूछा, "क्यों बात क्या है?"

सार्जेण्ट ने उत्तर दिया, "घण्टा भर हुआ, मालरोड पर एक कार गवर्नर की कार के मडगार्ड से टकराकर इसी सड़क पर भाग आई थी। उसका पता नहीं चल रहा है।" सार्जेण्ट और सिपाही मुआफी माँगकर चले गये।

पुलिस को बँगले में आते देख शैल और राबर्ट के हृदय भी धड़कने लगे थे। पुलिस को बाहर जाते और नैनसी और हरीश को हँसते देख वे भी समीप आ गये। पुलिस के आने का कारण जान सभी हँसने लगे।

नैनसी ने मुस्कराकर हरीश से कहा, "आप तो सबको कायर ही रागझते हैं!" नैनसी के मुख पर उस रोज यह पहले दफे हँसी आई।

हरीश ने उसकी आँखों में देखकर पूछा, "आप तो बिलकुल मृत्यु का आलिंगन करने के लिए ही आगे बढ़ी थीं!"

चिड़िया की तरह दूसरी क्यारी की ओर फुदककर नैनसी ने कहा, "अहा! यह नर्गिस तो आपने देखे ही नहीं।"

उसकी रक्षा के लिये अपने आपको गोली का निशाना बनाने के लिए नैनसी की तत्परता और उसकी बात का उत्तर न देने में नैनसी की लापरवाही को हरीश न समझ सका। नैनसी उसे एक क्यारी से दूसरी क्यारी की ओर ले जा रही थी। अपनी जेब में कुछ खसखसाहट सी जानकर हरीश ने हाथ डालकर कुछ कागज से अनुभव किये। निकालकर देखा वे नोट थे। हरीश ने नैनसी की ओर देखा, परन्तु वह कह रही थी, "···आपको तो कुछ परख ही नहीं; न फूलों की न किसी और चीज की!"

शुरू में हरीश ने नैनसी की चुप्पी की शिकायत की थी, अब वह उसकी चहक को समझ न पा रहा था।

रफीक और उसके साथी के आ जाने पर राबर्ट, हरीश और उसमें बहुत देर तक बहस होती रही। हरीश ने शैल को भी उस बहस में बुला लिया। उस सभा में न बुलाई जाने पर अपमान और निराशा से नैनसी साढ़े सात बजे ही शाल लेकर अपने बिस्तर पर जा लेटी। प्राणों की बाजी लगा देने पर भी जब उपेक्षा ही मिले तब रोने और मर जाने की इच्छा के अतिरिक्त और क्या किया जा सकता है?

हरीश अपनी बात पर जोर दे रहा था कि मजदूरों और दूसरे परिश्रम करने वाले लोगों के आर्थिक सुधार का प्रश्न अवश्य उठाया जाये, परन्तु उनके सामने मुख्य प्रश्न रखा जाये राष्ट्रीय उद्देश्य से संगठन का। उसी के जरिये वे अपनी माँग उठाएँ। कांग्रेस के संगठन द्वारा ही उनकी लड़ाई लड़ी जाये। उसका कहना था कि राजनैतिक शक्ति प्राप्त करके ही दलित और शोषित वर्ग की कठिनाइयों को दूर किया जा सकता है।

हरीश की बात से सहमत न होकर रफीक कह रहा था कि शोषित और दलित लोगों के सामने पहले उनकी रोजमर्रा की कठिनाइयों का प्रश्न उठाना ही जरूरी है। राजनैतिक प्रश्नों पर उन्हें संगठित और सचेत करना सम्भव नहीं। जो समस्याएँ उनके जीवन में उनके सामने मौजूद हैं, उनको हल करने की कोशिश से ही उनमें शक्ति और चेतना आयेगी। मोटे-मोटे राजनैतिक नारे 'पूर्ण स्वतंत्रता' और 'औपनिवेशिक स्वराज्य' उनकी समझ में नहीं आ सकते। कांग्रेस जिस श्रेणी के लोगों से बनी है, वे लोग साधारणतः न तो मजदूर श्रेणी की कठिनाइयों को समझते हैं और न उनके साथ सहानुभूति ही रखते हैं। कांग्रेस पर जिस श्रेणी का कब्जा है, उनके और मजदूरों के हितों में विरोध है। कांग्रेस चलती है महात्मा गाँधी की नैतिकता पर। उस नैतिकता का आधार है कि भावना की इच्छा से ही मालिक, मालिक बने हैं और मजदूर, मजदूर हैं। मालिक, मालिक रहेंगे और मजदूर, मजदूर रहेंगे। मालिकों की दया से ही मजदूरों की अवस्था सुधर सकती है। हम तो मालिक-मजदूर का अन्तर ही मिटा देना चाहते हैं। हम मालिक को मालिक ही नहीं रखना चाहते तो फिर कांग्रेस की मालिक श्रेणी हमें कैसे सहन कर सकती है, कैसे हमें सबल बनने दे सकती है!

राबर्ट ने समझाने का प्रयत्न किया, "कांग्रेस को ही हमें उस श्रेणी के हाथों से लेकर मजदूरों और किसानों के हाथों में देना है।"

रफीक ने विरोध किया, "यह स्वप्न की बाते हैं। कांग्रेस जिस श्रेणी के हाथ में है, वह श्रेणी कांग्रेस पर अपना कब्जा नहीं छोड़ सकती। तुम कांग्रेस में अपने लोगों की संख्या बढ़ाकर कांग्रेस पर कब्जा करना चाहते हो। तुम नहीं जानते कि कांग्रेस ऐसे कानून पास कर देगी कि उसमें तुम्हारा बहुमत प्रकट हो ही नहीं सकेगा। फर्ज करो, मेम्बरी की शर्त चवन्नी से हटाकर फिर चर्खा कातना रख दिया जाये···! तुम बड़े अजीब आदमी हो, तुम मजदूरों का संगठन पूँजीपतियों के अखाड़े में जाकर करना चाहते हो। मजदूरों, किसानों का अपना संगठन हो, वे कांग्रेस पर कब्जा कर लें तो एक बात है, परन्तु वे कांग्रेस के भीतर जाकर ही अपना संगठन करें, यह बात व्यावहारिक नहीं। मजदूरों को संगठित करने के लिये उनके पेट के सवाल के सिवा और कोई आधार नहीं। मजदूरों को अपनी शक्ति का ज्ञान केवल हड़ताल के रूप में ही हो सकता है। मजदूर संगठित हो जाने के बाद ही राजनैतिक शक्ति प्राप्त कर सकते हैं। पहले मजदूरों, सब पेशों के मजदूरों को आर्थिक प्रश्नों पर संगठित करना, फिर उनके संयुक्त मोर्चे के बल से राजनैतिक शक्ति

के लिए यत्न करना, हमारी लाइन है। तुम चाहते हो, पहले राजनैतिक चेतना और बाद में आर्थिक माँग! यह हो कैसे सकता है? जिसके हाथ में आर्थिक साधन हैं, वही राजनैतिक शक्ति का मालिक होगा।

"तुम या कांग्रेस इस क्रम को बदल नहीं सकते। कपड़ा मिल में इस समय ऐसी स्थिति है कि हम मजदूरों को खड़ा कर सकते हैं। उनको लड़ा सकते हैं। उनकी यह सफलता अन्य सब मजदूरों को संगठित करने का आधार बनेगी। मजदूरों को कांग्रेस का मेम्बर बनाना ठीक है, परन्तु कांग्रेस में उनका स्वतन्त्र संगठित प्रतिनिधित्व भी आवश्यक है।"

राबर्ट ने फिर कहा, "सिद्धान्त और नीति में तुम्हारी प्रत्येक बात मानता हूँ, परन्तु इस हड़ताल के बारे में मैं यह चाहता हूँ कि कांग्रेस ही इसका नेतृत्व करे। मैं मानता हूँ कि कांग्रेस पर कब्जा रखने वाली शक्ति के हितों और मजदूरों के हितों में विरोध है, परन्तु मनुष्यता के नाते हम कांग्रेस को अपने साथ ले जा सकते हैं।"

हरीश ने कहा, "हटाओ तो इस झगड़े को। हड़ताल हमें करनी है और राबर्ट, स्ट्राइक कमेटी में हम तुम्हें और शैल दोनों को रखेंगे। इसके अलावा शहर के चार-पाँच आदमियों को और रखा जाये ताकि कांग्रेस के ऐसे आदमी, जिन्हें अपने सार्वजनिक सम्मान का खयाल हो, समय पर हमें धोखा न दे जायें।"

रफीक ने हरीश से कहा, "हम, तुम, कृपाराम और अख्तर वगैरा सब लोग मिलों के सब विभागों की कमेटियाँ बनाना शुरू कर दें। अप्रैल की पन्द्रह तारीख को मिल के मैनेजर को नोटिस देना है तो उससे पहले सब तैयारी हो जानी चाहिए। मजदूरों के सामने उनकी हालत रखी जाये, हम क्या चाहते हैं, यह सवाल रखा जाये। हड़ताल की बात अभी केवल उन लोगों को मालूम हो जो बिलकुल अपनी पार्टी के मेम्बर हैं। नोटिस देने से पहले जो मीटिंग की जायेगी उससे पहले आदमी पक्के हो जायें। हड़ताल की खबर अगर मालिकों तक पहले ही पहुँच गई तो वे जरूर कोई न कोई दंगा करा देंगे। मद्रास की लक्ष्मी कमलम मिल में ऐसा हो चुका है।"

अनेक बातों के साथ यह भी तय हुआ कि आइन्दा हरीश मिल के क्वार्टरों में ही रहेगा और कपड़ा मिल के सेक्रेटरी का काम करेगा। शैल, राबर्ट और रफीक को आवश्यक फंड जुटाने की जिम्मेदारी दी गई।

सभा समाप्त हो जाने के बाद हरीश बरामदे में खड़ा चलने की तैयारी कर रहा था। नैनसी शाल में मुँह लपेट आँसू बहाती हुई गूढ़ निराशा में सोच रही थी, क्या वह किसी भी काम नहीं आ सकती? उसे बरामदे से बातचीत सुनाई दे रही थी, "...हरीश, अपनी साइकिल तुम यहीं रहने दो, तुम्हें गाड़ी में जहाँ तक कहोगे छोड़ आऊँगी।"

हरीश की आवाज सुनाई दी, "साइकिल की तो मुझे अभी जाकर ही जरूरत होगी। मैं साइकिल पर ही चला जाऊँगा।...हाँ, नैनसी क्या अभी से सो गई?"

शाल परे फेंक नैनसी उठ खड़ी हुई। आँसू पोंछ और सिर के बालों पर आइने में एक नजर डालकर वह आँचल सँभालती हुई बाहर गई। उसे दिखाई दिया—शैल एक ओर राबर्ट की और दूसरी ओर साइकिल थामे हरीश की बाँहों में अपनी बाँहें डाले शनैः-शनैः कदम उठाती हुई कोठी के फाटक की ओर जा रही थी।

नैनसी का हृदय शैल के प्रति घृणा से भर गया। उसने सोचा, इसका संपूर्ण सार्वजनिक कार्य केवल उच्छृंखलता का बहाना है। हरीश पर डोरे डालने के लिये हमारी कोठी का अड्डा बना लिया है।···हमें इस झंझट से मतलब? उसे जान पड़ा कि हरीश बिलकुल भोला है, जो शैल के फरेब में फँसा है। पर हरीश से ही क्या मतलब।··· नैनसी को ख्याल आया कि अभी कुछ घण्टे पूर्व उसने ही कैसी मूर्खता की थी; वह स्वयं पिस्तौल की गोली से छिद जाने के लिये हरीश के सामने जा खड़ी हुई थी। बरामदे में खड़े उसका मस्तिष्क कुहासे से घिर गया। वह समझ नहीं सकी कि वह क्या चाहती है? वह स्वयं अपने सम्मुख एक पहेली बन गई।

●

सुल्तान ?

पंजाब, सितारा और डाल्टन कपड़ा मिलों में डेढ़ मास से हड़ताल जारी थी। मजदूर और मालिकों में समझौता हो सकने के कोई आसार नजर न आ रहे थे। जून की गरमी में जब लू धूल उड़ा-उड़ाकर राह चलने वालों के चेहरे झुलसा रही थी—राबर्ट, रफीक, शैल और उनके साथी लाहौर की गलियों में जुलूस निकालते और संध्या मोरी गेट के बाहर जलसे करके हड़तालियों के साथ सहानुभूति के प्रस्ताव पास कराते। नैनसी और यशोदा भी कभी-कभी जुलूस और सभा में आतीं। जनता के सामने हड़तालियों के बाल-बच्चों के कई-कई दिन भूखे होने के चित्र खींचे जाते। हड़तालियों का पेट भरने के लिए चन्दा इकट्ठा किया जाता। बाजार-कर्मचारी संघ के बहुत से नौजवान और कालेजों के विद्यार्थी भी हड़तालियों के आन्दोलन में सहयोग दे रहे थे। जनता की सहानुभूति प्रायः उनके साथ थी। कांग्रेस की ओर से भी अनेक जलसे हड़तालियों की सहानुभूति में किये गये, परन्तु मालिक न पिघले।

राबर्ट हड़ताल कमेटी की ओर से मालिकों से लिखा-पढ़ी कर रहा था। कोई फल निकलता दिखाई न देता था। मिलों के फाटकों पर लगातार धरना दिया जा रहा था। सुल्तान कपड़ा मिल मजदूर कमेटी का सेक्रेटरी था। वह दिन भर साइकिल पर मिलों के चक्कर लगाता रहता। मिल-मालिकों ने जाबरों की मार्फत एक हजार के करीब नये मजदूर अमृतसर, धारीवाल, कानपुर, नागपुर आदि से बुलवा लिए थे। नये आये मजदूर मिलों में काम पर जाने के लिए तैयार थे। ऊँची मजदूरी पाने वाले मिस्त्री वगैरह भी काम पर जाना चाहते थे, परन्तु हड़ताली मजदूर मिलों के दरवाजों के सामने लेटकर उन्हें भीतर जाने से रोके रहते। चार-चार घंटे मिलों के सामने लेटने के बाद हड़ताली मजदूरों की ड्यूटी बदलती। बाहर से बुलाये गये मजदूर लेटे हुए मजदूरों के शरीर लाँघकर भीतर जाने की कोशिश करते। इससे झगड़ा हो जाता। पुलिस को लाठी चार्ज करना पड़ता। कई मजदूरों को जेल भेज दिया गया था। उनकी जगह धरना देने के लिए दूसरे मजदूर आ गये थे। झगड़ा चल रहा था।

कपड़ा-मजदूर कमेटी कहती थी—मजदूर अपनी माँगों से एक कदम भी पीछे नहीं हट सकते। जिन मजदूरों को मन्दी के बहाने निकाला गया है, उन्हें मिलों में काम देना होगा। मजदूरी में किसी प्रकार की कमी वे बरदाश्त नहीं कर सकते। मजदूरी के समय के साथ तरक्की की दर मुकर्रर होनी चाहिये। किसी मजदूर को सजा देनी हो तो मजदूरों की 'जाब-पंचायत' में उसका फैसला होना चाहिये। मालिक यह शर्तें स्वीकार करने के लिए तैयार न थे।

मालिकों का कहना था कि मिलें उनकी मिल्कियत हैं मजदूरों की नहीं। मिलों के नियम जिन मजदूरों को मंजूर नहीं, वे काम न करें। दूसरे मजदूरों को काम से रोकने का

उन्हें अधिकार नहीं है। सुल्तान, रफीक और कृपाराम प्रत्येक मिल के दरवाजे पर दिन में दो-दो बार लेक्चर देते थे। उनके लेक्चरों की रिपोर्ट पुलिस लेती थी। वे कहते थे।

मजदूर भाइयों, यह मिलें तुम्हारी और तुम्हारे भाइयों की मेहनत से बनी हैं। तुम्हारे बिना यह मिलें एक सेकेण्ड भी नहीं चल सकतीं। इनमें धागे का एक तार भी तैयार नहीं हो सकता। तुम्हारी मेहनत की कमाई से मिलों के मालिक और हिस्सेदार बैठे-बैठे संसार के सब सुख लूटते हैं और तुम सब कुछ पैदा करके भी पेट भर अनाज नहीं पा सकते। मँदी का बहाना करके आज तुममें से कुछ को निकाला जा रहा है। कल तुम्हें निकाल दिया जायेगा और तुम्हारी जगह सस्ती मजदूरी पर दूसरे मजदूर भरती कर लिए जायेंगे। जब तुम्हारे सैकड़ों भाई बेकार हो जायेंगे तो वे रोटी कपड़ा कहाँ से खरीदेंगे? खरीदने वाले न होने से फिर और मँदी होगी और तुम्हें निकालने का बहाना बनेगा तुम्हारी ही मेहनत काट-काटकर पूँजी तैयार की जाती है और नई मिलें खोलकर तुम्हें किराये पर लगाया जाता है और तुम्हारा खून चूसा जाता है। यद्यपि यह मिलें मजदूर भाइयों की ही मेहनत से तैयार की गई हैं, परन्तु मजदूर मिलों का सब मुनाफा नहीं माँगते। मजदूर पूछते हैं, तेजी के समय उनकी मेहनत से जो लाभ उठाया गया था, वह कहाँ गया? मँदी के समय मालिकों के मुनाफे में कमी की जाये। उनके पास गुजारे के लिए कमी नहीं है। मजदूर पहले ही आधा पेट पाते हैं, उन पर जुल्म न किया जाये। मजदूर भाइयों, हम सूखी रोटी के निवाले माँग रहे हैं और मालिक लोग अपने ऐशो-इशरत के लिए जिद्द कर रहे हैं। हम मर जायेंगे, परन्तु पीछे नहीं हटेंगे···।

कहा यही जाता था कि मजदूर डटे हुए हैं, परन्तु मजदूर कार्यकर्ता भीतरी भेद जानते थे। वे मजदूरों के पाँव उखड़ते देखकर काँप रहे थे। मजदूरों के बेकार हो जाने से उन्हें उधार भी न मिलता था। तीन-तीन दिन के भूखे मजदूर आकर सुल्तान, कृपाराम और रफीक के आगे रोते—'हम क्या करें? तुमने हमारा बेड़ा गरक करा दिया!' स्वयं-सेवक झोलियों में चंदा और आटा माँग-माँग कर लाते थे। दान से एक लंगर चल रहा था। कुछ मजदूरों को आटा बाँटा जाता और कुछ को चना-चबेना।

दिन भर धूप में घूमने से कई दफे सुल्तान की नाक से खून बहने लगता। केवल चने और पानी पर रहने से उसे पेचिश हो गई थी, परन्तु वह फिर भी साइकिल पर भूत की तरह चक्कर लगाता रहता। कोई और उपाय न देखकर राबर्ट ने अपने मकान की जमानत पर रुपया उधार लेकर दिया, परन्तु मालिक टस से मस न हो रहे थे। मालिक राबर्ट को विश्वास दिलाते थे कि मजदूर बिना शर्त हड़ताल समाप्त कर दें तो उनके साथ सख्ती न की जायेगी, परन्तु रफीक, कृपाराम और सुल्तान इसके लिए तैयार न थे।

शनैः-शनैः हड़ताल विरोधी-प्रदर्शन भी होने लगे। हड़तालियों के प्रति सहानुभूति प्रकट करने और उनकी सहायता के लिये चन्दा एकत्र करने के लिए जो सभाएँ की जाती थीं उनमें प्रश्न और शंका करने वाले खड़े हो जाते। हो-हल्ला मचा दिया जाता। कुछ लोग कहने लगे कि यह कम्युनिस्टों का षड्यंत्र है जो हड़तालियों को भड़का रहे हैं। भला कहीं नौकर मालिक बन सकते हैं। कुछ ने कहा कि यह कांग्रेस की शक्ति को कमजोर कर मुकाबिले में संगठन कायम करने की तैयारियाँ हैं। कुछ ने कहा कि देश के उद्योग-धन्धे को धक्का पहुँचाना राष्ट्रीय आत्महत्या है। मालिकों की ओर से मिल के क्वार्टरों से रामायण की कथा शुरू की गई, जिसमें बताया जाता था कि मालिक का नमक खाकर

उसका विरोध करना पाप है। कुछ मौलवी भी कहते कि खुदा के निजाम के खिलाफ जाने वाले यह हड़ताली रूसियों के एजेण्ट हैं। इनकी बात सुनना गुनाह है।

हड़ताल के झंझटों की वजह से शैल को घर लौटने में प्रायः देर हो जाती थी। उसके पिता प्रतीक्षा में बैठे रहते। पिता को इस प्रकार अपनी प्रतीक्षा में बैठे देखकर वह शरम से मर जाती, परन्तु बेबस थी, देर हो ही जाती थी। इसमें उसका कुछ बस न था। वे कई दफे उसे समझा चुके थे कि इस मामले में उसका उलझना ठीक नहीं है। वह यह भी जानती थी कि उसके पिता की सहानुभूति हड़तालियों के साथ नहीं है। स्वभाव से दयालु और न्यायप्रिय होते हुए भी उनकी सहानुभूति मालिकों के साथ ही थी। इसका कारण केवल यही नहीं था कि वे स्वयं पंजाब कपड़ा मिल के डायरेक्टर थे, वे मजदूरों की माँग को सिद्धान्त से अन्याय समझते थे। एक दिन शैल ने पिता से कुछ रुपयों के लिए जिक्र किया। पिता समझ गये कि शैल रुपया किसलिए चाहती है। उस समय उन्होंने केवल इतना कहा—''इस विषय में फिर बात करूँगा!''

पिता को अपनी प्रतीक्षा में बैठे देखकर शैल ने संकोच से कहा, ''पिताजी, आप आराम कीजिये। आपको मेरे कारण बहुत कष्ट होता है, परन्तु मैं कुछ ऐसे ही झंझट में फँस गयी हूँ।...कल से कोशिश करूँगी कि समय पर लौट आऊँ।''

पिता ने कहा, ''बेटा, तुम अपना खाना मँगा लो। तुम खाना खाओ मैं तुमसे कुछ बात करना चाहता हूँ। तुमने रुपये के लिए कहा था। मैं जानता हूँ तुम्हे रुपया किस काम के लिए चाहिए। मजदूरों के प्रति तुम्हारी सहानुभूति को भी मैं समझता हूँ। यह भी मैं जानता हूँ कि वे लोग बहुत कष्ट में हैं, परन्तु बेटा, जिस प्रकार तुम उनकी सहायता करना चाहती हो, उनकी सहायता नहीं हो सकती। मेरे लिए बेटा या बेटी सभी कुछ तुम्हीं हो। मैंने कभी तुम्हारे विचारों पर बन्धन नहीं लगाया। तुम्हारे मानसिक विकास पर कोई रोक लगाना मैंने उचित नहीं समझा, परन्तु बेटा, इस मामले में तुम भूलकर रही हो। इस मामले में मजदूर अन्याय और गलत राह पर हैं। तुम इस मार्ग पर चलने में यदि उनकी सहायता करोगी तो वे गलत मार्ग पर और आगे बढ़ेंगे और इससे अपना और समाज का नुकसान करेंगे। समाज एक कायदे पर चल रहा है। जिस प्रकार शरीर के अंगों के अलग-अलग स्थान और काम हैं, उसी प्रकार समाज में भी मनुष्यों के स्थान, कर्तव्य और अधिकार अलग-अलग हैं। हड़ताल करने वाले मजदूर मालिक बन बैठना चाहते हैं, परन्तु तुम सोचो, जिन लोगों ने अपनी पीढ़ियों की कमाई लगाकर इन मिलों को तैयार किया है, उनका क्या कुछ अधिकार नहीं है? इन मिलों का प्रबन्ध करने वाले, मिलों के हिस्सेदारों के प्रति जिम्मेदार हैं? जनता के प्रति भी उनकी जिम्मेदारी है? देश के आर्थिक प्रबन्ध को कुछ चुने हुए पूँजीपति ही चलाते हैं। उनकी जिम्मेदारी को तुम समझ सकती हो। उन्हें एक व्यापार का दूसरे व्यापारों पर प्रभाव देखना पड़ता है, पैदावार का बाजार से संतुलन करना पड़ता है, मजदूर को सिवा अपना पेट भरने के कोई जिम्मेदारी नहीं। तुम सम्पूर्ण समाज की आर्थिक व्यवस्था को चलाने की जिम्मेदारी उनके हाथ में देने के लिये तैयार हो?''

''परन्तु यदि आप उनकी मेहनत का फल उनसे छीनकर सब अधिकार अपने हाथ में ले लें तो मजदूर क्या करें? उन्हें भी तो अपने प्राण बचाने हैं।'' शैल बोल उठी।

"बेटा, अधिकार या जिम्मेदारी एक दिन में छीनकर नहीं ले ली जा सकती। वह तिल-तिलकर जोड़ी जाती है और उसकी रक्षा करनी पड़ती है। जो लोग आज मालिक हैं, वे एक दिन में मालिक नहीं बन बैठे हैं। एक प्रकार से यह उनकी श्रेणी की विरासत है और उनका यह कर्तव्य है कि भविष्य के लिये इस विरासत को अपनी सन्तान और श्रेणी के लिये सुरक्षित रखें। यदि मैं इस स्थिति में न होता तो क्या तुम्हारी शिक्षा का इस प्रकार प्रबन्ध कर सकता? जिन धर्मार्थ-कार्यों को मैं चला रहा हूँ, क्या उन्हें चला पाता? हम लोग इस अवस्था में आज इसीलिये हैं कि आर्थिक व्यवस्था की चाबी अपने हाथ में ले सकने के लिये हमने बहुत श्रम किया है। आज मजदूर अपनी मजदूरी स्वयं निश्चित करने की माँग उठाकर यह चाबी हमसे छीनने का यत्न कर रहे हैं। इसका अर्थ होगा कि समाज में धन का, समाज में पैदा होने वाली वस्तुओं का बँटवारा मजदूरों की इच्छा के अनुसार हो। ऐसी अवस्था में हमारी श्रेणी की क्या स्थिति होगी? यह एक आना या दो आना मजदूरी का बढ़ाने का सवाल नहीं। यह समाज की व्यवस्था की चाबी एक श्रेणी के हाथ से दूसरी श्रेणी के हाथ में चले जाने का सवाल है। इसमें दया और सहानुभूति का सवाल नहीं। तुम सोचकर देखो; यह हमारे लिये जीवन-मृत्यु का सवाल है। हमारी श्रेणी जो अब तक समाज का नियंत्रण करती आ रही है उसके मरने-जीने का सवाल है। समाज के प्रति हमारी जिम्मेदारी का सवाल है।

"समाज की यह व्यवस्था हमने खड़ी की है। मजदूरों का स्वेच्छानुसार समाज को और स्वयं उन्हें भी नष्ट कर देगा। व्यक्तिगत रूप से मैं बूढ़ा हो गया हूँ, कुछ दिन का मेहमान हूँ, परन्तु अपनी श्रेणी के अधिकार पर मजदूरों के इस आक्रमण का सामना यदि मैं दृढ़ता से नहीं करता तो मैं अपनी श्रेणी के साथ और आने वाली सन्तान के साथ, तुम्हारे साथ धोखा करूँगा। बेटा, दान और दया एक बात है और अपनी जड़ काट लेना दूसरी बात है। बेटा मैंने तुम्हें सदा स्वतंत्रता दी है क्योंकि तुम्हें अपना मार्ग खुद निश्चित करना है। इस घर की जो कुछ सम्पत्ति है, तुम्हारी है, परन्तु तुम्हें अपने प्रति और समाज के प्रति अपने कर्तव्य को समझना चाहिए। मैं तुम्हारी सहृदयता और दया भावना की सराहना करता हूँ। तुम्हारे हृदय में दया देखकर मुझे सुख होता है, परन्तु यह दया नहीं; यह अपनी हस्ती मिटाना है। साधनहीन होकर तुम दया भी न कर सकोगी। मैं या तुम व्यक्तिगत त्याग कर सकते हैं, परन्तु अपनी श्रेणी और समाज के प्रति विश्वासघात नहीं कर सकते। तुम चाहो तो मैं दस-बीस हजार रुपया इन मजदूरों के बच्चों की पाठशाला या अस्पताल के लिये दे सकता हूँ, परन्तु यह हड़ताल तो युद्ध है। मजदूरों ने हमें मिटा देने के लिये अपने कष्ट स्वयं खड़े किये हैं। जिस प्रकार देश के प्रति कर्तव्य है; उसी प्रकार अपनी श्रेणी के प्रति भी हमारा एक कर्तव्य है…।"

शैल के सामने भोजन की थाली रखी थी। रोटी के कई ग्रास तोड़-तोड़कर उसने कटोरियों में डाल दिये ताकि पिता यह न समझें कि वह खा नहीं रही, परन्तु एक भी ग्रास निगलना उसके लिये सम्भव न था। हाथ धोकर वह पलंग पर जा लेटी। सुल्तान के वेष में हरीश का जो रूप वह कई दिन से देख रही थी—दाढ़ी-मूँछ बढ़ी हुई, फटे कपड़े कमजोरी से चेहरे की हड्डियाँ निकली हुईं, सिर पर पुरानी लाल तुर्की टोपी—उसकी आँखों के सामने आ गया : तुम कुछ नहीं कर सकोगी शैल? …क्या हम हार जायेंगे?

शैल खूब रोई। तकिया आँसुओं से भीग गया तो उसे पलट दिया। हरीश से कल वह क्या कहेगी? उसने रात रो-रोकर गुजार दी। यदि कहीं से वह कुछ रुपया ला सकती तो शायद हरीश को कुछ शान्ति दे सकती। कई दफे उसे ख्याल आया कि अब इस घर में रहना उसके लिये धिक्कार है। सुबह उठ नहाने के बाद जलपान किये बिना ही वह राबर्ट के यहाँ जाने के लिये तैयार हो गयी। आइने के सामने जाकर उसने देखा कि रोने से उसकी आँखें सूजकर सुर्ख हो गई थीं। ऐसी आँखें ले वह बाहर किस प्रकार जाये? उसने धूप की ऐनक लगा ली। उसे फाटक के बाहर जाते देखकर ड्राइवर ने मुआफी माँगने के लिये कहा, "बीबीजी, अभी दो मिनट में आता हूँ?"

"गाड़ी नहीं चाहिये!" ड्राइवर को उत्तर मिला।

शैल पैदल ही चली। उसने सोचा कि आगे चलकर ताँगा ले लेगी। फिर सोचा ताँगे वाले को दाम कैसे देगी? अपना बटुआ भी तो नहीं लायी। उसमें जो दो-चार रुपये थे, वे पिताजी की सम्पत्ति थे। खैर, सवारी के दाम रूबी दे देगा।

राबर्ट दो महीने से सब काम छोड़कर हड़ताल के ही झंझट में फँसा हुआ था। दिन भर धूल से भरी लू और आँधी में मोटर पर या पैदल सड़कों के चक्कर काटता रहता। जवानी के आरम्भ में उसे ईसाई धर्म के प्रचार का जोश था। वह जोश स्वयं उसके हृदय से उठा था, परन्तु मजदूरों का राज्य कायम करने का जिहाद उस पर जबरदस्ती लादा गया था। उसने जवानी के आरम्भ में निष्ठा और जोश से कर्म-क्षेत्र में उतरकर संसार भर को ईसा के चरणों में ला सकने का प्रयत्न किया था। उस प्रयत्न को निस्सार और बेहूदा अनुभव करके, अब उसके लिये किसी एक मार्ग को पूर्ण सत्य मानकर, उस पर आँख मूँदे चलते रहना सम्भव न रहा था। अपने ही विचार और निश्चय को एकमात्र सत्य मानकर उसे दूसरों पर लादने का जोश अब उसे मूर्खता जान पड़ती थी। उसकी प्रवृत्ति नितान्त अन्तर्मुखी हो गयी थी। वह चाहता था केवल विचार करना और प्रत्येक विचार में शंका के लिये स्थान छोड़कर विवेचना करना। स्वयं चलने के स्थान पर वह दूसरों को चलते देखकर उनकी प्रवृत्तियों का अनुशीलन करना चाहता था। इस आन्दोलन में उसे स्वभाव और प्रवृत्ति के विरुद्ध घसीट लिया गया था। मजदूरों के इस झगड़े में एक मिनट भी चुप बैठ सकने का अवसर न था। कोई न कोई संदेश पहुँच ही जाता था।—सुल्तान ने कहला भेजा है; रफीक ने बहुत जल्दी बुलाया है; शैल प्रतीक्षा कर रही है! सबसे कठिन काम था, लोगों से चंदा माँगते फिरना। इस मुसीबत से बचने के लिये उसने उधार लेकर दो हजार रुपया हड़तालियों को दे दिया था। पैंतीस हजार मजदूरों के पेट भरने के लिये यह एक बूँद के बराबर था। अब लाचार था। चीखते-चिल्लाते, चारों ओर से नारे लगाते मजदूरों के साथ सड़कों पर घूमने में उसे संकोच और ग्लानि भी होती। वह सिरतोड़ प्रयत्न कर रहा था कि किसी तरह सुलह हो जाये और वह मुसीबत से बचे, परन्तु रफीक और सुल्तान मानते न थे। आखिर उसे इसमें मजदूरों के नेताओं की ज्यादती जान पड़ने लगी। उसने सोचा, इन लोगों का तो स्वभाव ही ऐसा है, मैं कहाँ तक इनका साथ दूँ?

राबर्ट की कोठी पर हड़ताल की तैयारी की सभा हुई थी। उस सभा के बाद नैनसी को हरीश बिलकुल दिखाई न दिया था। हड़ताल के सम्बन्ध में जुलूस और सभाएँ आरम्भ

होने पर नैनसी उनमें जाती थी। शैल ने ही उसे साथ देने के लिये कहा था, परन्तु नैनसी दिखा देना चाहती थी कि वह शैल से अधिक काम कर रही है। उसे विश्वास था, हरीश कहीं न कहीं से यह सब देखता होगा और आखिर अपनी भूल समझ पायेगा। हरीश का जिक्र कभी-कभी वह सुन पाती थी, परन्तु उससे अधिक सुल्तान और रफीक का जिक्र था। उसे यह भी संदेह हुआ कि शैल ने हरीश का उनके यहाँ आना बन्द कर दिया है परन्तु सभाओं और जुलूसों में भी वह दिखाई न देता था। इस बीच में रफीक की बातें सुनकर वह यह भी सोचती कि रफीक हरीश से कहीं अधिक विद्वान और प्रभावशाली है परन्तु हरीश की वह उपेक्षा की चोट ही नैनसी का ध्यान उसकी ओर से हटने न देती थी। यह नैनसी की पराजय थी।

संध्या के साढ़े नौ बज चुके थे। राबर्ट अभी तक लौटा न था। भोजन के लिये राबर्ट की प्रतीक्षा करते-करते नैनसी की भूख क्रोध में बदलती जा रही थी। राबर्ट ने आते ही हाथ के कागज मेज पर पटक सिर पर हाथ रखकर कहा, "भर पाया इस मुसीबत से?"

"कहाँ थे इतनी देर तक?" नैनसी ने पूछा।

"यही हरीश और शैल···।" राबर्ट ने उत्तर दिया।

नैनसी की एड़ी से चोटी तक आग निकल गयी, "क्या कहते हैं वे लोग?" उसने पूछा।

"किसी तरह भी सुलह के लिये तैयार नहीं हैं। चाहते हैं, आज ही सोवियत कायम हो जाये···और चाहते हैं रुपया?"

"रुपया शैल क्यों नहीं देती?" नैनसी ने पूछा।

"शैल दे ही क्या सकती है? पिता की इच्छा बिना गाड़ी के पेट्रोल तक के लिये उसे पैसा नहीं मिल सकता। मैं हैरान हूँ, शैल और सुल्तान परिस्थिति सुलझाने की कोशिश के बजाय रफीक की हड़ताल जारी रखने की जिद्द का ही समर्थन करते हैं!" कुर्सी की पीठ पर सिर टिका राबर्ट ने बेबसी प्रकट की।

"यह सुल्तान कौन है? बीच में कूदता है?" नैनसी ने पूछा।

राबर्ट ने नैनसी की ओर देखा। सोचा, क्या नैनसी को हरीश के सुल्तान बन जाने का भेद नहीं मालूम? इस प्रश्न का उत्तर न देकर बोला, "परन्तु रुपये की जिम्मेदारी मैं कहाँ तक उठा सकता हूँ? हमारी अपनी ही स्थिति कौन अच्छी है?"

"जो लोग सुलह न कर हड़ताल चलाने की जिद्द करते हैं, वे ही रुपया भी लायें! उठो, अब तो खाना खाओ!" नैनसी ने उत्तर दिया।

राबर्ट को नैनसी की यह बात उचित न जँची, परन्तु भाव उसका भी यही था। भोजन करते समय दोनों चुप रहे। रुपये के सम्बन्ध में नैनसी का भाव जान लिया था। राबर्ट सोच रहा था, अब क्या करे? नैनसी क्रोध में सोच रही थी, यदि हरीश किसी की सहायता चाहता है तो उसे स्वयं आकर बात करने में क्या आपत्ति है? नैनसी दो मास से जारी हड़ताल की चख-चख के प्रति विरक्ति अनुभव करने लगी थी। उसे हड़ताल से पहले के जीवन की याद आ रही थी!···निश्चित जीवन और विनोद अब बीती कहानी बन गये थे, पुराने साथी-सज्जन कहाँ बिछड़ गये थे?

राबर्ट सुबह कुछ विलम्ब से बिस्तर से उठा। उसने सिगरेट जला लिया। बरामदे में खड़ा चाय की प्याली की प्रतीक्षा कर रहा था। उसे नींद टूटते ही एक प्याली चाय लेने की आदत थी। शैल को इतने सुबह आते देखकर बोला, "आओ, आओ!" और आश्चर्य प्रकट किया, "आज इतनी सुबह कैसे··· खैरियत तो है?"

शैल उसके पलंग के पास पड़ी कुर्सी पर बैठ गई, उत्तर दिया, "इस हड़ताल के मारे खैरियत कहाँ!"

"ठीक कहती हो। मैं भी तंग आ गया हूँ। बहुत भर पाया। मैं स्वयं ही आज तुमसे कहने वाला था···।"

सुनकर शैल स्तब्ध रह गई। आँखों से ऐनक उतारकर उसने पूछा, "रूबी, क्या कह रहे हो?"

राबर्ट ने शैल की ओर नजर किये बिना, जम्हाई लेकर अपनी बालों से भरी बाँह को आलस्य से खुजाते हुए कहा, "मेरे सामर्थ्य की हद आ गयी है। रफीक और हरी, आई मीन सुल्तान, मानते नहीं। जहाँ तक मुझसे बना, किया। अब नहीं होता।"

"मतलब?"

चाय आ गई थी।

"तुम भी एक कप लोगी?" प्याला हाथ में ले उसने शैल की ओर देखा, "हैं, यह तुम्हारी आँखों को क्या हुआ?"

"कुछ नहीं, कल लू से आँखों में गर्द पड़ गयी" शैल ने उत्तर दिया।

राबर्ट की बात से वह इतना घबरा गयी थी कि अपने असमर्थ होकर रोने की बात कहने का साहस न हुआ।

"सामर्थ्य की हद हो जाने की बात क्या कह रहे थे?" शैल ने पूछा।

"यही···मैं शुरू से इस हड़ताल के पक्ष में न था। तुमने और हरीश ने उसमें फँसा दिया तो निभाना पड़ा। अधिक-से-अधिक मैं इतना कर सका हूँ कि डाइरेक्टर लोग मजदूरों के बिना शर्त हड़ताल खतम कर देने पर उनकी माँगों पर सहानुभूति से विचार करें। मैं मानता हूँ, यह हमारी जीत नहीं, परन्तु हम जीत भी नहीं सकते। यदि मजदूरों में जीतने लायक शक्ति हो तो वे हड़ताल किये बिना भी सफल हो जायें। जनता कुछ सहायता दे नहीं रही, देगी भी नहीं। अब वे लोग बिजलीघर और जल-कल में हड़ताल कराने की धमकी दे रहे हैं। इससे सरकार सार्वजनिक संकट आने की ओट लेकर इन्हें अच्छी तरह पीसेगी। मैं दो हजार कर्जा लेकर लगा चुका हूँ। इसके आगे हिम्मत नहीं। तुम जानती हो, फ्लोरा की सहायता देने का वचन दे चुका हूँ। उसे कम से कम एक हजार पूजना पड़ेगा। फिर पिता की सम्पत्ति में नैनसी का भी हक है। उसे जाने क्या हो गया है। अपनी कमजोरी छिपाने से क्या लाभ? हरीश या रफीक जिस तरह चलते हैं, वह मेरे बस का नहीं। मुझे निर्वाह के लिये कुछ न कुछ रखना ही है। यदि मैं हड़ताल कमेटी का सेक्रेटरी बना रहूँगा तो मेरा यह नैतिक कर्तव्य होगा कि अपने आपको बेचकर भी रुपया इस काम में लगाऊँ। वह मेरे लिये सम्भव नहीं। सिद्धान्ततः हरीश और रफीक ठीक राह पर हो सकते हैं, परन्तु व्यावहारिक नीति में यह बात ठीक नहीं बैठती। जहाँ तक मुझसे निभा, निभाया। मैं उनसे कह चुका हूँ कि इस समय सुलह कर लो। वे लोग मर जायेंगे, मानेंगे नहीं इसलिये भाई मेरा सलाम!"

"रूबी क्या कह रहे हो?" शैल ने आतुर स्वर में पूछा!

"शैल, मैं ठीक कह रहा हूँ तुम शायद मेरी बात से सहमत न होगी यह मैं पहले ही सोच रहा था। इसका कारण या तो हरीश के प्रति तुम्हारा मोह है या तुम भी उन्हीं की तरह सोचती हो।"

शैल चुपचाप उठकर चल दी।

राबर्ट ने पुकारा, "सुनो तो!" परन्तु शैल ने पलटकर न देखा। देखना सम्भव भी न था।

सड़क पर ताँगे वाले ने पूछा, "लौट के चलना होगा?"

"हाँ!" शैल ने उत्तर दिया। आधी राह में खयाल आया, यशोदा के यहाँ होती चले। ताँगे वाले को उसने ग्वालमण्डी चलने के लिये कहा।

मकान का दरवाजा अभी बन्द था। शैल ने साँकल खटकाई। प्रायः दो मिनट बाद दरवाजा खुला। दरवाजा नौकर ने खोला और झिझककर बोला, "जी कहते हैं, यहाँ न आया करें?"

शैल नौकर की ओर देख हैरान रह गयी, परन्तु साहसकर उसने नौकर से पूछा, "किसने कहा, यशोदा बीबीजी ने कि बाबूजी ने?"

कुछ घबराकर नौकर ने कहा, "जी हाँ उन्होंने।"

शैल समझ गयी। एक गहरी साँस लेकर वह लौटकर ताँगे में बैठ गयी। उसे कभी स्वप्न में भी आशा न थी कि वह सब ओर से इस प्रकार दुत्कार दी जायेगी।

सब ओर से निराश हो शैल अपने घर लौटकर पलंग पर लेट गयी। वह कुछ नहीं कर सकती, यह खबर हरीश को दे देना जरूरी था, परन्तु वह किस मुँह से जाये? हरीश के दाढ़ी-मूँछ बढ़े, अत्यन्त श्रान्त रोगी मुख के ध्यान से उसका कलेजा मुँह को आने लगता था। तिस पर निराशा का यह समाचार सुनकर उसका और उसके साथियों का क्या हाल होगा? इस काम के लिये कदम उठाने की उसे हिम्मत न होती, परन्तु वास्तविक अवस्था का ज्ञान करा देना भी कर्तव्य था। बेचारे व्यर्थ धोखे में न मारे जायें। इस मुसीबत में वह कर क्या सकती है···सोचते-सोचते साँझ हो गई। आखिर वह उठी। इच्छा न होने पर भी मोटर लेने के सिवा चारा न था। स्वयं ड्राइव करती वह मिलों की ओर चली।

सब ओर बेरौनकी छा रही थी। मजदूरों की टोलियाँ जहाँ-तहाँ बैठी थीं। उन लोगों के उदास चेहरे और दुर्बल शरीर देखकर उसका मन और भी निराश हो गया।

एक मिल के फाटक पर रफीक एक कनस्तर पर खड़ा मजदूरों को डटे रहने के लिये उपदेश दे रहा था। वह उन्हें विश्वास दिला रहा था कि दूसरे शहरों—कानपुर, बम्बई और अहमदाबाद के मजदूरों ने उन्हें सन्देश भेजा है कि उनकी सब प्रकार से सहायता करेंगे। वह देश भर के मजदूर भाइयों का मोर्चा है। संसार भर के मजदूर एक हैं।

शैल समझ गयी कि हरीश किसी दूसरी जगह होगा। दूसरी मिल की ओर जाने पर उसे कृपाराम आता दिखाई दिया। शैल ने उससे कहा, "सुल्तान को आज शाम कुछ देर के लिये भेज दोगे?"

कृपाराम ने उत्तर दिया, "बल्कि तुम उसे साथ लेती आओ तो अच्छा हो। उसकी तबीयत बहुत खराब है पर मालूम नहीं कहाँ मिलेगा?···अच्छा मैं कह दूँगा।"

कहियेगा नौ बजे आ जायें, उसी रास्ते, जैसे पहले आये थे।''

शैल फिर अपने कमरे में जा लेटी। अपना खाना मँगाकर वहीं रख लिया। नौ बजे से कुछ पहले वह मोटरखाने का दरवाजा खोल आयी। पन्द्रह बीस मिनट में हरीश आ गया। उसकी आँखें लाल और कपड़े पसीने से तर थे। पलंग के सामने कुर्सी पर बैठकर अपना सिर थामकर हरीश ने कहा, ''राबर्ट भी छोड़ गया; खैर जो हो। लोग कैसे मौके पर धोखा दे जाते हैं।···शैल, सिर में चक्कर आ रहा है।''

शैल ने साथ का गुसलखाना दिखाकर कहा, ''नहा डालो!''

''नहा डालूँ? नहाकर यह कपड़े कैसे पहनूँगा, इनसे कैसी दुर्गन्ध आ रही है।''

शैल ने अपना एक रंगीन रेशमी स्लीपिंग सूट निकाल दिया, ''इसे पहन लो, छोटा होगा तो क्या हुआ।''

हरीश नहाकर आया। खाना सामने रखकर शैल बोली, ''थोड़ा खा लो।''

सिर हिलाकर हरीश ने कहा, ''तबीयत नहीं होती। मुँह कड़ुवा हो रहा हैं।''

''नहीं, थोड़ा खाओ। ऐसे तबीयत और खराब हो जायेगी।'' शैल ने दूध का गिलास उसके सामने कर कहा, ''अच्छा यह पी लो।''

हरीश ने सिर हिला दिया।

शैल ने गिलास उसके मुँह से लगाकर कहा, ''मेरा कहा मानों; पीना होगा!''

हरीश ने दूध पी लिया।

''सोये कितने दिन से नहीं?''

''समय नहीं मिला और कभी मिलता है तो नींद नहीं आती। डाल्टन मिल में कल मिस्त्री ने कुछ हड़तालियों को पीट दिया था। अख्तर और कुछ दूसरे मजदूर उसका खून करने को तैयार हो गये। उन्होंने ऐसी गलती कर दी तो सब किया कराया चौपट हो जायेगा। बड़ी मुश्किल से उसके पाँव पकड़ उन्हें रोका है।''

''अच्छा तुम लेट जाओ।···सो जाओ।''

''जानती हो, सिर में ऐसे आवाज हो रही है, जैसे चक्की चलती है। डर लगता है कहीं पागल न हो जाऊँ?''

''भूख और उनींदी से खुश्की हो गई है। यह नींद आये बिना ठीक न होगी। सो जाओ। लेटो, मैं सुलाती हूँ।'' उसे पलंग पर लिटाकर उसके सिर पर हाथ फेरते हुए शैल ने कहा।

''पर मेरे दिमाग से तो ध्यान नहीं हटता कि मजदूर कैसे बावले हो रहे हैं। बिना किसी शक्ति के इन हजारों आदमियों को सम्भालना कैसे सम्भव है!'' हरीश ने परेशानी से उत्तर दिया।

''हरीश थोड़ी देर के लिये सब भूलकर आँखें बन्द कर लो। हाथ जोड़ती हूँ··· मानों!''

''शैल, क्या करूँ? यह मेरे बस की बात नहीं।''

अपने माथे पर टप-टप गिरते आँसू हाथ में लेकर हरीश ने पूछा—"यह क्या, तुम रो रही हो···कहीं रोने से काम चलता है शैल!" शैल का सिर झुकाकर उसने अपनी बाँहों में ले लिया।

शैल और अधिक रोने लगी। हरीश उसे पलंग पर अपने समीप खींचकर चुप कराने लगा। शैल ने उसे अपनी बाँहों में लेकर हृदय से लगा लिया। उसके हृदय की धड़कन हरीश के कानों में गूँजने लगी। उसके शरीर पर हाथ फेरते हुए हरीश बार-बार उसके बालों को चूमने लगा। कुछ देर में शैल के शरीर के स्पर्श से जाग उठी उत्तेजना में उसकी सब चिन्ता और क्षोभ डूब गया। शैल का शरीर सिहर-सिहर उठता। शैल प्रत्येक सिहरन से हरीश के और भी समीप हो जाने या यत्न कर, उसे आलिंगन में और भी अधिक बल से जकड़ लेती। उसे भय था कि हरीश का भटका हुआ मस्तिष्क कहीं फिर उन चिन्ताओं में न फँस जाये। वह उसकी सब चेतनाओं को डुबा देना चाहती थी। स्वयं अपनी चेतना बनाये थी। उसे अपनी नहीं, हरीश की परवाह थी। हरीश अपने आप को भूल गया। शैल उसकी इच्छा को राह देती गयी। कुछ देर में हरीश शिथिल होकर बिलकुल बेसुध हो गया। शैल उस समय भी जाग रही थी।

शैल टकटकी लगाये हरीश के मुख को देख रही थी। एक समय का उसका सुन्दर चेहरा, अब जलकर काला और विरूप हो गया था। शैल को वह आज और भी सुन्दर जान पड़ रहा था। शैल की आँखों और होंठों पर मुस्कराहट थी। अपनी सफलता से गद्गद् होकर वह बार-बार हरीश की मुँदी हुई आँखों, माथे और होंठों को चूम रही थी।

शैल ने उठकर हरीश के मैले बदबूदार कपड़ों को अपने नहाने के सुगन्धित साबुन से धो दिया। बिजली का पंखा तेजकर कपड़ों को कुर्सी पर सूखने के लिए डाल दिया। वह फिर हरीश के साथ आ लेटी। उसकी बाँहें हरीश को सम्भाले थीं मानों वह सब चिन्ताओं से उसकी रक्षा कर रही है। शैल की आँखें घड़ी की रेडियम से चमकती सुइयों की ओर थी। कितनी देर तक वह उसे शान्ति से सुला सकती है, यही वह सोच रही थी। तीन बजे हरीश को उठा देना चाहिये था, परन्तु वह उसे उठा न सकी। जब साढ़े तीन बज गये और चारा न था। उसने हरीश के होंठों को चूमकर जगाने की कोशिश की, परन्तु वह न जागा। उसकी नींद तोड़ने से शैल को दुख हो रहा था, परन्तु विवश थी। चूम-चूमकर, प्यार से पुकार-पुकार वह उसे उठा रही थी, "हरी···उठो न अब!"

हरीश ने आँखें खोलकर आश्चर्य से कहा, "हैं!" वह कुछ समझ नहीं पा रहा था।

"अब उठो, साढ़े तीन बज गये। यह हैं तुम्हारे कपड़े।"

हरीश ने कपड़ों की ओर देखा, घड़ी की ओर देखा। कपड़े पहनकर वह तैयार हो गया। बीती रात की घटना मस्तिष्क में जाग उठी। अटकते हुए उसने कहा, "शैल; अभी तो जाने को मन नहीं होता।"

"जाना तो है ही, तुम्हारा काम जो है!" उसका सिर चूमकर शैल ने कहा। कोई झिझक या संकोच उसके मन में न था।

●

दादा

लाहौर की बड़ी नहर के दाएँ किनारे की सड़क पर दादा साइकिल पर चले जा रहे थे। उनके प्रायः बीस कदम के अन्तर पर जीवन भी साइकिल पर आ रहा था। दोनों माडल टाउन जाने वाला पुल लाँघकर नहर के बायीं ओर सड़क पर हो गये। कुछ दूर जाकर दादा साइकिल से उतर गये। उसके समीप पहुँचकर जीवन भी साइकिल से उतर गया। जीवन ने दोनों साइकिल थाम लिये। दादा ने साइकिल के पीछे कैरियर पर बँधे धोती-तौलिये में लिपटा सामान लाकर सावधानी से घास पर रख दिया। धोती-तौलिये को जिस सतर्कता से घास पर रखा गया, उसी से स्पष्ट था कि वह निरा धोती-तौलिया ही नहीं थे।

जीवन दोनों साइकिलों को एक-दूसरी के सहारे खड़ा कर देने की कोशिश कर रहा था। उसकी ओर देखकर झुँझलाहट से दादा ने कहा, "कई दफे तो तुम्हें कहा है कि साइकिलें इस तरह उलझाकर मत रखा करो! कभी झपटकर साइकिलें उठानी पड़े तो क्या हो?"

"भूल गया था दादा।" जीवन ने उत्तर दिया और साइकिलों को घास पर रखे तौलिये-धोती के समीप दायें-बायें लिटा दिया। धोती-तौलिये को बीच में लेकर दोनों बैठ गये। बहते जल की ओर सतृष्ण दृष्टि से देखकर जीवन ने कहा, "तबीयत होती है, नहा लें।"

"पागल है?" दादा ने उत्तर दिया, "भीगे कपड़े कहाँ फेंकेगा?"

"नहाने थोड़े ही जा रहा हूँ? सिर्फ तबीयत की बात कह रहा था। बी०एम० आता ही होगा।"

दादा की ओर करवट से लेटकर जीवन ने गुनगुनाना शुरू किया।

"माँ हमें विदा दो, जाते हैं हम विजयकेतु फहराने आज…"

उसे टोककर दादा बोले, "मुझे शंका होती है कि बी०एम० आयेगा नहीं जाने क्यों वह इसी मनी-एक्शन (डकैती) को टाले जा रहा है। पहली दफे उसने कह दिया था कि मुखबिर को शूट करने का अच्छा मौका है, डकैती हो जाने से वह मौका निकल जायेगा। बाद में कह दिया, मुखबिर अचानक शहर छोड़कर चला गया। दूसरी दफे उसने बहाना कर दिया कि उन लोगों के लाहौर के अड्डे पर पुलिस को सन्देह हो गया है, वहाँ किसी का आना-जाना सुरक्षित नहीं; इसलिए वहाँ से तैयारी नहीं हो सकती…"

कलाई की घड़ी की ओर देखते हुए जीवन ने कहा, "मुझे तो यही समझ नहीं आ रहा कि उसके साथ के दो आदमी मौके पर मारे गये। तीसरे मौके पर उसके साथ का आदमी गिरफ्तार हो गया, परन्तु उस पर कभी आँच नहीं आती। हाँ, आ रहा है वह!…पर है अकेला ही।"

पुल पर मुड़ते समय बी०एम० ने घूमकर पीछे की ओर देख लिया। उन लोगों के समीप पहुँचकर साइकिल को नहर की पटरी पर खड़ाकर वह जीवन और दादा के पास आ बैठा।

दादा ने उसकी ओर प्रश्नात्मक दृष्टि से देखकर पूछा, ''क्यों?''

रूमाल से माथे का पसीना पोंछकर बी०एम० ने उत्तर दिया, ''दादा, मुश्किल ही दिखाई देता है। कपड़ा मिलों की हड़ताल की वजह से शहर की सड़कों पर पुलिस की संख्या बहुत बढ़ गई है और आढ़त की उस दुकान पर आजकल मिलें बन्द होने से रुपया भी नहीं आ रहा है। आज यह भी खबर मिली है कि कम्युनिस्टों की पार्टी उस दुकान पर धरना देने वाली है। ऐसी हालत में अभी तो कुछ नहीं हो सकता।''

''लेकिन हम तो देहली में वायदा करके आये हैं कि दस तारीख तक रुपया जरूर भेज देंगे; यहाँ सोलह भी हो गई। इस तरह हमारा विश्वास कौन करेगा।'' जीवन ने दादा की ओर देखकर कहा।

अँगूठे का नाखून दाँत से काटते हुए बी०एम० ने कहा, ''दादा, रुपये के लिए एक तरीका हो सकता है। पाँच हजार तक हमें आसानी से मिल सकेंगे, यदि हम यहाँ की हड़ताल को तुड़वाने में कुछ मदद कर सकें।''

''क्या?'' विस्मय से दादा ने पूछा, ''क्या मतलब?''

''मतलब है, यदि हम अपनी पार्टी की ओर से यह पर्चे बँटवा दें कि यह हड़ताल कम्युनिस्टों की शरारत है और देशहित के विरुद्ध है।'' बी०एम० ने उत्तर दिया।

नहर की धार पर नजर लगाये दादा ने पूछा, ''तुम्हारा मतलब है इन भूखे मरते मजदूरों के साथ धोखा करें? जो लोग अपने पेट की रोटी के लिये लड़ रहे हैं उनकी टाँग घसीट लें?''

''पर इन हड़तालों से लाभ क्या? यह तो महज एक शरारत हैं। इन हड़तालों से देश के नये उगते हुए उद्योग-धंधों को कितना धक्का पहुँच रहा है? यदि मिलें शान्तिपूर्वक चल सकें तो इन्हीं मिलों के मुनाफे से देश में दूसरी मिलें बन सकती हैं। आपको मालूम है कि यह कम्युनिस्ट अपनी पार्टी मजबूत बनाने के लिये जापानी फर्मों से रुपया खाकर देशी मिलों को नुकसान पहुँचा रहे हैं। इस समय हमारे लिए भी अवसर है। देशी पूँजीपतियों की सहायता से हम अपनी पार्टी की स्थिति सुधार सकते हैं। आजकल हमारी मिलों को साठ-सत्तर हजार का नुकसान रोजाना हो रहा है।···हड़ताल का तुड़वाना कुछ भी मुश्किल नहीं। देश के व्यापार को लाभ पहुँचाने के साथ-साथ हम मनी-एक्शन के झगड़े से भी बच सकते हैं।''

''हूँ!'' दादा ने अपनी दृष्टि नहर से वृक्षों की चोटियों की ओर उठाते हुए कहा, ''इस बारे में दूसरे साथियों से सलाह किये बिना कुछ कहा नहीं जा सकता। कम-से-कम अली से पूछना होगा।''

अपनी बात पर जोर देने के लिये बी०एम० ने कहा, ''इतना समय कहाँ है, जो कुछ करना हो जल्दी ही करना चाहिये। हड़ताल तो दो-एक रोज में यों भी टूट जाने वाली है। यह तो हमारे लिये लाभ उठाने का मौका है अगर आप कहें तो मनी-एक्शन के लिये मैं दूसरी जगह प्रबन्ध करूँ।''

"हूँ!" जीवन की ओर देखकर दादा ने उत्तर दिया, "हाँ, करो, लेकिन तुम्हारे प्लान फेल हो रहे हैं, बात क्या है? जरा खयाल से और जल्दी करो। अच्छा तो फिर चलें!"

तीनों उठ खड़े हुए। बी०एम० पुल से सेन्ट्रल जेल की ओर चला गया। दादा और जीवन अपना धोती-तौलिया साइकिल के पीछे बाँधकर जिस राह आये थे, उसी राह पैदल लौट चले। सहसा खड़े होकर दादा बोले, "जीवन, तुमने बी०एम० की बात सुनी। यह सब क्या तमाशा है?...हम मजदूरों का साथ देंगे या मिल मालिकों का?...यह रोज की साली नयी राजनीति कुछ समझ नहीं आती। सोशलिज्म भी चलता है, देश-भक्ति भी चलती है। जो साला आता है, हमें बनाने लगता है। एक नई थियोरी रोज निकल आती है। यह जापान की एक नई बात सुनी। अपने ही साथियों के साथ बनकर बात करने में मेरा दिल कटकर रह जाता है, पर क्या करूँ?...यहाँ किसी पर जोर तो है नहीं। मानें तो डिसिप्लिन, नहीं तो यहाँ हर एक तीसमारखाँ हैं। तुम क्या समझते हो? बोलो, क्या समझते हो तुम? बोलो क्या करें?"

जीवन ने कहा, "दादा, कल मैं अनारकली बाजार से गुजर रहा था। उस समय इन हड़तालियों के वालंटियर और दो लड़कियाँ शैलबाला वगैरह हड़तालियों के लिये झोली में चन्दा माँग रही थीं। कुछ बदमाश उन पर कंकड़ फेंक रहे थे। कुछ उन्हें जापानियों के एजेंट कहकर तालियाँ बजा रहे थे, कोई रूसियों का एजेण्ट बताता था। एक बदमाश लड़के ने नाली से कपड़ा भिगोकर शैलबाला के सिर पर फेंक दिया। एक मजदूर गाली देकर उस लड़के की तरफ लपका। कम्युनिस्ट रफीक भी साथ था। उसने मजदूर को गर्दन से पकड़ लिया। सचमुच भैया, स्वयं मेरी तबीयत में आया कि बदमाश लड़के को गोली मार दूँ। बड़ी मुश्किल से अपने आपको रोका। याद है बी०एम० शैलबाला और कम्युनिस्टों की बाबत क्या-क्या कहता था? दादा, जानते हो कपड़ा मिल की हड़ताल का सेक्रेटरी वह सुल्तान कौन है? वह हमारा अपना हरीश ही है। पार्टी से निकाल दिये जाने के बाद उनमें जा मिला है।"

"क्या बकते हो!" दादा ने टोका।

"दादा, तुम्हारी कसम। तुम जानते हो उसने क्या किया है?...सामने नीचे के दो दाँत निकलवा दिये हैं, इससे उसकी आवाज भी नहीं पहचानी जाती। चेहरे पर तमाम फोड़े के दाग जैसी खाल बन गई है। शायद तेजाब लगाकर खाल जला डाली है। चेहरा बहुत बदसूरत और घिनौना हो गया है। उस पर छँटी हुई दाढ़ी-मूँछ रख ली है। बीमार-सा जान पड़ता था। चेहरा ऐसा बदला है कि बिलकुल पहचाना नहीं जाता और न आवाज ही पहचानी जाती है। मैं साइकिल पर जा रहा था। मिल से लौटता हुआ वह भी साइकिल पर था। राह में मुझसे सामना हो गया। मुझे देखकर मुस्करा दिया तो उससे दो बातें हुईं। कहने लगा, दादा तो नाराज होंगे पर मेरी तरफ से याद करना! उसका ख्याल कर आँसू आने लगते हैं...।"

"तुझे हरदम आँसू ही आया करते हैं!...मुझे बेहद शरम मालूम हो रही है। दिल्ली वाले लोग हमें क्या कहते होंगे। कौन हमारा ऐतबार करेगा? खामुखाह दो हजार इन हथियारों में फूँका। कौन दूध दे रहे हैं यह? किसका एतबार किया जाये? हम सबसे तो हरी अच्छा रहा; हम उसे मारने को फिर रहे थे। कितने हैं जो ऐसी हालत में पुलिस से

नहीं जा मिलते! और यहाँ बड़े राजनीतिज्ञ आये हैं, सलाह देते हैं कि मजदूरों का खून बेचकर रुपया लाओ!''

दादा को चुप देखकर साइकिल का ब्रेक खटखटाते हुए जीवन बोला, ''दादा, एक काम क्यों न करें? उस आढ़त की दुकान पर जाकर मैं खुद क्यों न देखूँ? इन लोगों को छोड़ो, अपना दिल्ली वाला तीसरा आदमी है ही। रुपया हमें दिल्ली जरूर भेजना है, नहीं तो हमारी बात का मोल नहीं रहेगा।''

''जीवन, सच कहता हूँ, शरम के मारे मरा जा रहा हूँ! अरे कुछ कर नहीं पाये तो झूठे कहलाने का कलंक तो न आये। इसमें मेरी अपनी इज्जत का सवाल है। चाहे जो खतरा हो, मैं आज ही यह काम करूँगा। बी०एम० को रहने दो।'' दादा ने दाँत से मूँछ काटते हुए कहा।

अगले दिन प्रातः-काल अखबारों के मुखपृष्ठ पर मोटे-मोटे अक्षरों में छपा।

''लाहौर के बाजार में सशस्त्र डकैती। डाकू पिस्तौल के जोर पर सत्ताईस हजार छीन ले गये।''

नीचे महीन अक्षरों में ब्योरा था :

''जीवाराम-भोलाराम की आढ़त में डकैती हो गई। दुकान बन्द होने से कुछ समय पहले दो डाकू व्यापारियों के भेस में कपड़े की कुछ गाँठों का सौदा करने के लिए आये। दुकान के नौकरों को नमूने के थान लेने के लिए गोदाम भेज दिये जाने पर डाकुओं ने अपने कपड़ों में छिपे छुरे और तमंचे निकालकर मालिक दुकान और मुनीमों से तिजोरी की चाबी माँगी। इतने में दूसरे डाकू दुकान पर चढ़ आये। दुकान के मालिक को या तो कुछ सुँघा दिया गया या किसी भारी चीज से उनके सिर पर चोट मारकर बेहोश कर दिया गया। बदन पर चोट का कोई निशान नहीं मिला। डाक्टरी रिपोर्ट है कि उनकी मृत्यु या तो दिमाग पर सख्त चोट आने से या सहसा हृदय की गति रुक जाने से हुई है। दोनों मुनीमों के हाथ पीठे पीछे बाँधकर उनके मुख में कपड़ा ठूँस दिया गया। टेलीफोन का तार काट दिया गया। तिजोरी से सत्ताईस हजार के नोट और कुछ नकदी लेकर डाकू गायब हो गये। जिस समय नौकर थान लेकर लौटे, डाकू गायब हो चुके थे। मालिक गद्दी के सहारे बैठे थे, परन्तु निष्प्राण। मुनीम के मुँह में कपड़ा भरा था और हाथ-पैर बँधे थे। नौकर सहायता के लिये चिल्लाये तो पुलिस को खबर दी गई। डाकुओं की संख्या का ठीक पता नहीं चला, परन्तु वे सशस्त्र थे। पुलिस मामले की खोज सरगर्मी से कर रही है।''

जिन लोगों की हड़तालियों से सहानुभूति नहीं थी उन्होंने डकैती का संदेह हड़तालियों पर ही किया।

रफीक, सुल्तान और उनके साथियों को भी भय हुआ कि मिल-मालिक षड्यंत्र कर उन्हें पुलिस के चँगुल में न फ़ँसा दें; परन्तु उन्हें भरोसा था कि डकैती की रात जिस समय वे हड़तालियों की सभा कर रहे थे, पुलिस मौजूद थी इसलिए उनके डकैती में सम्मिलित न होने का प्रमाण पुलिस के पास मौजूद था।

दो सप्ताह बीत गये। डकैती की बात लोग भूल गये। शहर में हड़ताल और उसके परिणाम का ही चर्चा चल रहा था। उसी के सम्बन्ध में समाचार पत्रों में खबरें छपती थीं।

उसी के सम्बन्ध में अनुमान लगाये जाते थे। शैलबाला दो-एक दूसरी लड़कियों और कुछ लड़कों को लेकर हड़तालियों के लिये चन्दा उगाहने और सहानुभूति के प्रस्ताव पास करने में लगी थीं। उसकी प्रशंसा बताते निन्दा दोनों ही होती थी। कुछ लोग उसे उत्साही और त्यागी कार्यकर्ता और थे। कुछ कहते थे कि वह नये-नये लड़कों से मिलने की शौकीन है। अब उसने निन्दा और स्तुति की चिन्ता छोड़ दी थी। अब तक वह अपने पिता की राय की कद्र करती थी, उनसे डरती थी, परन्तु अब उसने उनकी परवाह भी छोड़ दी थी। उसके पिता भी चुप थे। वे उसे स्वतन्त्रता दिये थे, परन्तु लड़की का निजी आवश्यकता के अलावा रुपया बिलकुल न देते थे। कभी पेट्रोल के लिये जेब में पैसे न होने पर पैदल ही घूमती-फिरती थी। ऐसी ही हालत में संध्या के आठ बजे वह एक सभा से लौट रही थी। शैल ने अपने बँगले के फाटक के भीतर कदम रखा ही था कि उसे पीछे से किसी ने पुकारा, "बहिन शैलबाला!"

शैल ने लौटकर देखा, दोहरे कद का व्यक्ति बंद गले का कोट-पायजामा, पगड़ी पहने, चश्मा लगाये उसकी ओर देख रहा है। पुकारने वाले व्यक्ति को शैलबाला पहचान न सकी, परन्तु उत्तर दिया, "कहिये!"

आगन्तुक ने समीप आकर आँखों से चश्मा उतारकर पूछा, "मुझे पहचाना नहीं! मुझे तुम दादा कहती थी!"

"दादा!" शैल विस्मय से देखने लगी। पहचानकर वह दादा को भीतर लिवा ले गयी। भीतर के कमरे में उन्हें कुर्सी पर बैठाकर शैलबाला ने कहा, "दादा, आपने तो भुला ही दिया। हम लोग तो बड़ी मुसीबत में फँस गये। कब आये आप? बी०एम० मजे में हैं···?"

"दो हफ्ते से यही हूँ!" दादा ने कहा, "बहुत कुछ जानता भी हूँ। हरीश तो सुल्तान बन गया है। किस तरह चेहरा बिगाड़ा है। उस रोज मालूम होने पर उसे दूर से देखने गया···।" दादा होंठ काटकर चुप रह गये। गले में अवरोध के कारण बोलने में कठिनाई अनुभव होने लगी।

शैलबाला उस ओर ध्यान न होने से ठोड़ी पर उँगली रखे कहती चली गयी, "चेहरा तेजाब से जला लिया है दादा, सामने के दो दाँत निकलवा दिये हैं; मैंने कहा, चेहरा ऐसे क्यों बिगाड़ रहे हो, तो कहते हैं, चेहरे से क्या होता चेहरा बदले बिना मैं जनता में काम नहीं कर सकता। बम-पिस्तौल लिये छिपे फिरने में मेरा विश्वास नहीं तो मुझे जनता में काम करना होगा।"

दादा चश्मा हाथ में लेकर फर्श की ओर देखते हुए बोले, "मुझे अफसोस है। उस रोज हरीश और तुम्हारी बाबत जो कुछ कहा था, उसका खयाल न करना···मुझे अपने आदमियों का एतबार करना था। हाँ, तुम्हारी हड़ताल का क्या हाल है?"

"दादा, फेल हो जायेगी।" लम्बी साँस खींचकर शैल ने उत्तर दिया, "इतने दिन किसी तरह निभाया। कानपुर, बम्बई, अहमदाबाद से मदद मँगाई। शहर के लोगों को तो जाने क्या हो गया है। उल्टा हमें जापानियों का एजेण्ट बताते हैं। मिल मालिक कई हजार रुपया रोज खर्च कर रहे हैं। अखबार हमारे खिलाफ उल्टी खबरें छापते हैं। जहाँ हम सभा करते हैं, उनके आदमी आकर हल्ला कर देते हैं। मालिक लोग इस समय भीतर घबरा गये हैं इसीलिये हड़ताल तुड़ाने की पूरी कोशिश कर रहे हैं। अगर इस समय हम

सात दिन भी जम जायें तो मजदूर जीत जायें। मजदूर अगर इस समय हार गये तो फिर कई साल के लिये दब जायेंगे। हालत असल में इतनी बुरी है कि हड़ताल तो कभी की टूट चुकी होती। यह तो रफीक और हरीश की बातें हैं जो मज़दूर अपने भविष्य का खयाल कर डटे हैं।

"रुपया होने से ही आपकी हड़ताल सफल हो जायेगी? कितना रुपया इस समय चाहिए आपको?" दादा ने दोनों हाथों को बाँधते हुए पूछा।

"इस समय तो, दादा, अगर दस हजार मिल जाये तो हम मजदूरों को बीस दिन लड़ा सकते हैं। आप जानते हैं कि मजदूर मुट्ठी भर चने पर जी सकते हैं। यहाँ उन्हें तीन-तीन दिन अन्न बिना गुजार रहे हैं।"

कोट के बटन खोलकर दादा ने कई जेबों से निकाल-निकाल कर नोटों के छोटे-बड़े बण्डल शैल की गोद में फेंकने शुरू किये और बोले, "यह बीस हजार हैं। तब तो तुम लोगों का काम चल जायेगा? हरीश को टेकनीक और थियोरी की पेचीदा बातें मैं नहीं जानता। सिपाही आदमी हूँ, हरी को यह मेरी भेंट है क्योंकि वह सच्चा सिपाही है।··· अपनी समझ की बात है।" उलझन के भाव से सिर हिलाते हुए दादा ने कहा, "खैर, मुझे रुपये से मतलब नहीं। जो देना था, वह चुका दिया। बाकी यह जिन लोगों का है उन्हीं के पास जाये। समुन्दर का जल समुन्दर में! हाँ, हरीश को मेरा प्यार कहना। कहना कि झगड़े की उन बातों को भूल जाये। फिर कभी किसी काम आ सकूँगा तो देखूँगा। अच्छा अब चलता हूँ।"

परन्तु दादा उठे नहीं। दोनों हाथों के पंजे मिलाकर कुर्सी पर कुछ आगे झुककर, फर्श की ओर नजर किये दाँतों से मूँछों को खोंटते हुए उन्होंने कहा, "कितनी जल्दी समय बदल गया है। ऐसा जान पड़ता है कि नदी को पार करने के लिए हमने नाव ठेलनी शुरू की थी, परन्तु नाव के नीचे से जल की धारा ही हट गई और हम सूखी रेती पर आ टिके हैं। जल की धारा दूसरी ओर घूम गई है।···हरी ठीक कहता है, बजाय जल की धारा को घुमाकर नाव के नीचे लाने के, नाव को ही उस ओर घसीटना चाहिए···।" दादा ने उसी ओर दृष्टि किये कहा, जैसे वे फर्श से ही बात कर रहे हों, "मेरा मतलब है, जनता की जलधारा से।" और वे चुप हो गये।

शैल चुपचाप उनकी ओर देखकर मन में सोच रही थी, यह आदमी कितना सीधा है। अपनी बात को संकेत रूप में कहने से इसे संतोष न हुआ। स्पष्ट शब्दों में कहे बिना उससे रहा न गया।

सहसा दादा उठ खड़े हुए, "अब मैं चलता हूँ, नमस्ते!"

"न दादा, यह सब आप अपने ही हाथ से उन्हें दे तो वे बहुत प्रसन्न होंगे।" प्रसन्नता से चमकती हुई आँखों से शैलबाला ने कहा।

"न, न, यह सब तमाशा मुझे नहीं चाहिए। तुम उसे दे देना। आया है साला बड़ा प्रसन्न होने वाला!"

"दादा, इसमें कोई भय तो नहीं न!" शैल ने पूछा और अपनी आशंका से स्वयं ही लज्जित हो गई।

"मेरे हाथ से भय की बात न होगी···पर काम समझदारी से करना होगा। हरी तो समझदार है। कम्युनिस्टों की बात मैं नहीं जानता वे बकते बहुत हैं। बकने वाला आदमी ठीक नहीं होता। अच्छा अब चलता हूँ।"

दादा के चले जाने के बाद शैल उन नोटों को हाथ में लिये बैठी रही। भोलानाथ-जीवाराम के यहाँ हुई डकैती का समाचार उसने पढ़ा था। वह बात उसे याद आने लगी। डकैती और हत्या के परिणाम की आशंका भी अनुभव हुई। दोनों हाथों में थमे डकैती के नोटों का बण्डल से शरीर में एक विचित्र आशंका का रोमांच-सा अनुभव हो रहा था। उसने सोचा—गरीबों पर अत्याचार कर यह रुपया छीना गया था। फिर जीवाराम-भोलाराम की हत्या कर शायद उनसे यह रुपया छीना गया। अब जिसके हाथों में यह रुपया जायेगा, उसकी हत्या किये बिना भी नहीं रहेगा। उसे भय हुआ कि डकैती का यह रुपया हरीश को संकट में डाल देगा।

दादा डकैती के अपराध से रुपया लाकर बिना किसी लोभ, मोह और स्वार्थ के इस रुपये को दूसरों की ओर ठुकराकर स्वयं तो पाप से मुक्त हो गये, परन्तु अब तो जो इस रुपये का व्यवहार करेगा, वह क्या बच सकेगा? मन में विचार आया, उन सब नोटों को जला दे, परन्तु खयाल आ गया कि कितनी जोखिम से यह रुपया लाया गया है। अन्न के दाने-दाने के लिये तरसते हड़ताली मजदूरों की कातर आँखें, भीख माँगती हुई दिखाई देने लगीं। इसके बाद तेजाब से जले हरीश के मुख पर उसे मुस्कराहट दिखाई दी। हरी कह रहा था—वाह रे तुम्हारे वहम! रुपया है क्या? वह एक साधन है, एक शक्ति है, उसे अच्छे या बुरे काम में लगाया जा सकता है। हम तो किसी पर अत्याचार करने नहीं जा रहे···। उसी समय अपने पिता की आँसू भरी आँखें दिखायी दीं। बचपन में अपनी गोद में बैठाकर दाँतों तले उँगली दबाकर वे उसे समझाते थे—"बेटा, झूठ और चोरी महापाप है। इससे मनुष्य को सदा दुख होता है।"

शैल को अनुभव हुआ कि सिर में चक्कर आने से वह फर्श पर गिर पड़ेगी। उसने ऊँचे स्वर में पुकार लिया, "ड्राइवर, गाड़ी निकालो।" उसे जान पड़ा वह भय से काँप रही है। बिना एक घूँट जल पिये ही उस रुपये को सौंप आने के लिये वह घर से निकल पड़ी।

मनुष्य के साहस की एक सीमा होती है। परिस्थितियों से वह लड़ता है, परन्तु कई दफे उनसे हार माननी पड़ती है। रफीक, सुल्तान और कृपाराम भी हार मानने के लिये विवश हो गये। निराश होकर वे हड़ताल समाप्त कर देने के उपाय सोच रहे थे। चिन्ता यही थी कि यह काम किसी प्रकार सम्मानपूर्वक हो जाये। उसी समय शैल की गाड़ी पहुँची। रफीक और हरीश को बुलाकर शैल ने नोटों के बण्डल थमा दिये।

आधे घंटे में क्वार्टरों और मालिकों के बँगलों तक खबर पहुँच गई कि बम्बई से हड़तालियों के लिये बहुत भारी मदद आ पहुँची है। वे महीनों लड़ सकते हैं।

•

न्याय

कपड़ा मिलों की हड़ताल में मजदूरों की जीत हो गई थी। दूसरी मिलों और कारखानों के मजदूरों ने भी उत्साहित होकर मजदूर सभायें बनानी शुरू कर दी थीं। कई मिलों में और कारखानों के क्वाटरों में रात्रि पाठशालायें जारी हो गईं। रफीक और सुल्तान मजदूरों के संगठन में लगे थे। शैल भी चुपचाप अपने घर में समय बिता रही थी। अब वह राबर्ट के यहाँ न जाती थी। हरीश से मिलना उतना आसान न था। सुल्तान के भेस में उसका रूप और रहन-सहन का ढंग ऐसा बन गया था कि भद्र-समाज में उसका आना-जाना खटकता था।

शैल को शान्ति से दिन बिताते देख उसके पिता भी संतुष्ट थे। मजदूर हारे या जीते—पिता-पुत्री के बीच झगड़े का कारण समाप्त हो गया था। विश्राम मिलने पर शैल को अपने शरीर में आलस्य और शिथिलता अनुभव होने लगी थी। इसका कारण भी वह समझ गई थी। परिणाम से भयभीत भी थी, परन्तु निश्चय था इस कठिनाई का प्रबन्ध करना ही होगा।...एक दिन प्रकट होकर वह उसकी गोद में आ जायेगा, इस कल्पना से हृदय धड़कने लगता था।

समाज!...समाज क्या है? वह इस बात का प्रबन्ध कर लेगी कि समाज की व्यवस्था का नखरा भी कायम रहे और वह अपने जीवन का अधिकार भी पा सके। अब उसे चिन्ता थी तो केवल इसी बात की!

अचानक एक दिन समाचार मिला कि अख्तर के क्वार्टर से पुलिस ने दफा ३९६ में हरीश, कृपाराम और अख्तर को गिरफ्तार कर लिया है। दरियाफ्त करने पर मालूम हुआ दफा ३९६ का अर्थ है डकैती और कत्ल के अपराध। शैल का माथा ठनका। अपने शरीर की शिथिलता और मन की अवस्था की उपेक्षा कर उसने वकीलों के यहाँ दौड़-धूप शुरू की। अभियुक्तों से मिलकर कुछ पता ले सकने का अवसर पुलिस ने न दिया।

अदालत में मुकद्दमा पेश होने पर पुलिस के बयान से मालूम हुआ कि पुलिस ने जीवाराम भोलाराम के यहाँ से डकैती में जाने वाले कुछ बड़े-बड़े नोटों के नम्बर खाते से नोट कर लिये थे। उनमें से एक नोट पकड़ा गया और नोट तुड़ाने वाले का पीछा कर पुलिस को कपड़ा मिल के ३८ नम्बर क्वार्टर के अड्डे का पता चला। क्वार्टर पर छापा मारने पर डेढ़ हजार के नोट और मिले जिनके नम्बर भोलानाथ-जीवाराम के खाते में सही मिल गये। क्वार्टर में कृपाराम, सुल्तान और अख्तर गिरफ्तार कर लिये गये थे और उन पर डकैती और लाला जीवाराम की हत्या का मुकद्दमा चलाया गया था। जनता को विश्वास हो गया कि हड़तालियों ने डकैती के रुपये से ही हड़ताल लड़कर सफलता प्राप्त की है।

शैल और रफीक मुकद्दमे में अभियुक्तों की सहायता के लिये शहर में दौड़ते फिरते, परन्तु कातिलों और डाकुओं की सहायता के लिये कौन तैयार होता? शैल ने अपने पिता से सहायता के लिये गिड़गिड़ाकर प्रार्थना की। समय-समय पर कांग्रेस को उन्होंने हजारों रुपया चंदा दिया था, परन्तु जब उन्हें निश्चय था कि उन्हीं की श्रेणी के लोगों पर डकैती करके उन्हीं की श्रेणी को नुकसान पहुँचाने के लिये कत्ल और डकैती के बल पर हड़ताल लड़ी गई है तो वे सहायता देने के लिये कैसे तैयार हो जाते? डाकुओं के प्रति शैल की सहानुभूति देखकर उन्हें इतनी लज्जा और दुख हुआ कि उन्होंने घर से निकलना बन्द कर दिया। उनके मिलने वाले वयोवृद्ध सम्मानित लोग, शैल के इस व्यवहार पर शोक प्रकट करते और उन्हें समझाते कि लड़कियों की स्वतंत्रता उन्हें बिगाड़ देती है। लाला ध्यानचन्द ईश्वरभक्त धर्मात्मा व्यक्ति थे। वे सोचते, अवश्य पिछले जन्म के किसी महापाप के कारण उन्हें वृद्धावस्था में यह अपमान और निन्दा सहनी पड़ रही है। निरन्तर दुख और चिंता के कारण वे पलंग पर लेट गये।

शैल पिता के दुख और कष्ट का कारण समझती थी। पिता के प्रति उसके हृदय में अगाध श्रद्धा और प्रेम था। एक ओर हरीश के प्रति उसका प्रेम और वफादारी खींचती, दूसरी ओर पिता के प्रति कर्तव्य था। पिता के लिये लड़की का डाकुओं से सहानुभूति कर उनसे मिलने के लिये अदालत जाना असह्य था। कई दफे उन्होंने उसे पास बैठाकर समझाया कि यह व्यवहार उसका भविष्य बिगाड़ देगा, परन्तु शैल के पास केवल एक उत्तर था, "पिताजी, वे डाकू नहीं हैं। मनुष्य-समाज के लिये एक नये युग का संदेश दे रहे हैं। समाज के कल्याण के लिये ही वे समाज का अत्याचार सह रहे हैं।"

बुआ शैल को समझाती, "बेटी, तेरी यह जिद्द तेरे पिता के प्राण ले लेगी।"

शैल को बुआ की बात से रोमांच हो आता। जिस पिता ने उसे इस संसार में जन्म दिया, पाल-पोस कर बड़ा किया, उसका उस पर कितना अधिकार है, परन्तु वह क्या करे। हरीश और रफीक की बातें उसके सामने आ जातीं। मनुष्य-समाज का कितना बड़ा भाग मौजूद व्यवस्था के कारण अपनी गोद में सिसकते बच्चों का पेट न भर सकने के कारण अपनी आँखों के सामने उन्हें निष्प्राण होते देखता है। कितने गरीब अपनी आँखों के सामने अपने वृद्ध माता-पिता को इसलिये दम तोड़ते देखते हैं कि वे उनके लिये दवाई की दो खुराकें मुहय्या नहीं कर सकते, उनके लिये डाक्टर या वैद्य को अन्तिम समय पर भी नहीं ला सकते। हरीश का मजाक में उसे 'डाकू की बेटी' पुकारना याद आ जाता। वह कहता था, तुम्हारे पिता का यह मकान जिसमें सैकड़ों गरीब आदमी गुजारा कर सकते हैं, उनकी यह लाखों की सम्पत्ति क्या उनके हाथों की मेहनत है? लाखों गरीबों की मेहनत का यह छीना हुआ अंश ही उनकी सम्पत्ति है। आज यदि कोई व्यक्ति तुम्हारे मकान से मुट्ठी भर आटा उठा लाये तो वह चोर है, परन्तु तुम्हारे पिता कितनी मिलों और बैंकों में अपनी सम्पत्तियाँ लगाकर बिना कमाया धन ले रहे हैं? उन्हें शायद मालूम नहीं कि उन मिलों में कितने मजदूर किस प्रकार मेहनत करते हैं। उन्हीं मजदूरों की मेहनत की तो यह कमाई है जो अपना तन भी ढाँप नहीं सकते, जो अपना पेट भी भर नहीं सकते? क्या यह चोरी नहीं है? तुम्हारे पिता और उनके साथियों ने अपने लाभ और सहूलियत के मुताबिक कानून बना लिया है कि उनकी चोरी मुनासिब है और दूसरे की नहीं।

हरीश तर्क करता, यदि तुम्हारे पिता को हजारों मजदूरों की मेहनत का हिस्सा अपने प्रबन्ध से छीन लेने का अधिकार है, यदि वह न्याय है तो विदेशियों का इस देश को पराधीन रखकर इसका शोषण करना अन्याय कैसे है? अपने लाभ के लिये समाज को ऐसी व्यवस्था को कायम रखने के लिये वे न्याय और धर्म की पुकार मचाते हैं। हजारों मजदूरों को रोजी देने का दम भरते हैं। तुम्हारे पिता ठीक उसी तरह इन मजदूरों को खाते हैं जैसे मुर्गी पालने वाला मुर्गियों को दाना डालकर उन्हें खाने के लिये पालता है।

शैल इन बातों से चिढ़ जाती थी। अब उसे अपने पिता के नाम पर ग्लानि होने लगती, जैसे अजान अपराधी अपना अपराध जान लेने पर लज्जा का अनुभव करने लगता है।

शैल इन विचारों को मस्तिष्क से हटाकर अपने बचपन की बातें याद करने लगती— वह घुटनों-घुटनों तक फ्राक पहने खेला करती थी, अपनी लटों और कपड़ों में धूल भर वह पिता के गले में बाँहें डालकर पिता की गोद को अपने पैरों से रौंदा करती थी। शैशव की उस स्मृति से उसकी आँखों में आँसू आ जाते। आँसुओं से धुँधली उन आँखों के सामने उसे हरीश की तस्वीर दिखाई देने लगती। उसे पुलिस के पहरे में बेड़ियाँ और हथकड़ियाँ पहना कर अदालत में लाया जाता था यह निश्चय करने के लिए किस दिन उसे फाँसी पर लटकाया जाना चाहिए। अदालत में आते ही हरीश की आँखें उसे ढूँढ़ने लगती थीं। उससे दृष्टि मिलने पर हरीश की आँखें उत्साह से चमक उठती थीं।

शैल कल्पना में देखती कि एक दिन हरीश उसके अपने शरीर से उसकी अपनी गोद में प्रकट होकर किल्लोल करेगा। पड़ोस में या राह में खेलते छोटे-छोटे बच्चों को देखकर उसकी कल्पना में एक छोटा-सा रूप कूद पड़ता। अपना बचपन, अपने पिता का प्यार उसे भूतकाल की बात दिखाई देती और अपनी गोद में किलकते शिशु पर उसका छलकता हुआ स्नेह वर्तमान और भविष्य जान पड़ता। अपने पिता के वात्सल्य की स्मृति से एक दीर्घ निश्वास लेकर वह कहती, जीवन की श्रृंखला को तो जारी रहना है। पीछे की ओर फिर-फिर कर देखने से काम नहीं चलेगा, उसके लिए आगे देखना होगा।

शैल के लिए मुकद्दमा सुनने के लिये अदालत न जाना सम्भव न था। अपने व्यवहार से दुखी पिता को चुपचाप पलंग पर पड़े छोड़कर जाते समय उसकी आँखों में आँसू आ जाते थे, परन्तु वह विवश थी।

अभियुक्त अदालत में आते ही नारे लगाते, संसार के मेहनत करने वालों एक हो! पूँजीवाद का नाश हो! समाजवाद की जय हो!

वकीलों ने शैल से कहा कि हरीश को समझा दो कि वह बयान में केवल अपने आपको निर्दोष बतलाये और यह कहे कि डकैती की वारदात के समय वह किस जगह था, परन्तु हरीश इस बात पर तुला हुआ था कि अपने बयान में अपने उद्देश्य की बात जरूर कहेगा। पुलिस के बयान समाप्त हो जाने पर जज ने अभियुक्तों से अपने बयान देने के लिए कहा।

अभियुक्तों की ओर से सुल्तान ने बयान दिया :

"...पुलिस कहती है, हम लोगो के पास डकैती के नोट पकड़े गये हैं। अदालत हम पर डकैती का अपराध लगा रही है किन्तु पुलिस अच्छी तरह जानती है, डकैती के समय मैं और मेरे साथी डाल्टन मिल के गेट पर मौजूद थे। हमारे पास जो नोट मिले हैं उनका

डकैती से क्या सम्बन्ध है, यह बताना हमारा काम नहीं। जनता भी हमें डाकू समझकर हमसे घृणा कर सकती है। पुलिस डकैती के लिए जिम्मेदार व्यक्तियों को पकड़ने में असफल होकर अपना क्रोध हम पर उतार रही है। बहुत सम्भव है, अदालत पुलिस द्वारा पेश की गई गवाही के आधार पर हमें कत्ल और डाके के अपराध का दोषी करार देकर फाँसी की सजा दे दे, परन्तु यदि सच्चाई कोई चीज है तो हम दृढ़तापूर्वक कहते हैं कि हमने डकैती नहीं की है।

"डकैती के तरीके में हमारा विश्वास नहीं है। समाज में प्रतिष्ठित पूँजीवादी शोषण की निरन्तर डकैती का विरोध करने के लिए हमने अपना जीवन अर्पण कर दिया है। इस अदालत का प्रयोजन है, न्याय करना, परन्तु यह न्याय कैसा है! कुछ आज्ञाएँ और नियम पूँजीपति श्रेणी की व्यवस्था ने अपनी श्रेणी के अधिकार तथा शासन को कायम रखने के लिये जारी किये हैं। इस व्यवस्था का जारी रहना ही सरकार और इस अदालत की दृष्टि में न्याय है। इस अदालत का कर्तव्य यह देखना है कि हम पूँजीवादी व्यवस्था और नियम के अनुसार चलें। हमारा उद्देश्य पूँजीवादी प्रणाली को बदल देना है इसलिये हम इस अदालत की दृष्टि में अपराधी हैं, परन्तु हम डकैती और कत्ल के अपराधी नहीं हैं। अदालत हम पर डकैती का रुपया बरामद होने का आरोप लगा रही है। पुलिस जिसके यहाँ से जो चाहे बरामद कर सकती है। हम अदालत का ध्यान इस बात की ओर दिलाना चाहते हैं कि प्रायः तीन मास की हड़ताल में इन चार कपड़ा मिलों ने साठ लाख रुपया हानि होने का दावा किया है। यह हानि मिलों को इसलिये हुई कि मजदूरों की मेहनत से लाभ उठाने का अवसर उन्हें नहीं था। यह मिलें इन मजदूरों की मेहनत से पैदा किया गया करोड़ों रुपया हजम कर चुकी हैं। हम यह जानना चाहते हैं कि उस डकैती की ओर भी ध्यान दिया जायेगा या नहीं…।"

अभियुक्त को टोककर जज ने प्रश्न किया, "जो बातें तुम कह रहे हो, इस मुकद्दमे से क्या सम्बन्ध है?"

सुल्तान ने उत्तर दिया, "आपकी नजर में हम डकैती के अभियुक्त हैं। मैं अदालत को बता रहा हूँ कि डकैती कहाँ और कैसे हो रही है। आपके सामने पेश की गई गवाहियों से यह साबित हो चुका है कि हम तीनों अभियुक्त रुपया कमाने या रुपया बटोरने में अपनी जिन्दगी खर्च नहीं कर रहे थे और डकैती के समय पुलिस की नजरों के सामने थे। हम अपनी जिन्दगी इस बात के लिये खर्च करते रहे हैं कि किसी भी रूप में हिंसा और डकैती न हो सके। हम हिंसा और डकैती को रोक सकने के लिये ही अपनी शक्ति और समय खर्च कर रहे थे। आश्चर्य है, ऐसी गवाही के बावजूद आप हम पर डकैती का इलजाम लगा रहे हैं क्योंकि पुलिस यह साबित कर रही है कि दूसरे का रुपया हमारे कब्जे में पाया गया है। क्या आप नहीं सोच सकते कि यह रुपया पुलिस स्वयं हमारे यहाँ लाई थी। मैं अदालत की सेवा में यही अर्ज करना चाहता हूँ कि मजदूरों की मेहनत की कमाई को जब आप पूँजीपतियों के कब्जे में देखते हैं तो उसे डकैती क्यों नहीं समझते…।"

सरकारी वकील ने अदालत को संबोधन कर एतराज किया, "माई लार्ड, अभियुक्त अपनी सफाई नहीं दे रहा है, वह अपने बागी विचारों का प्रचार करने की कोशिश कर रहा है, जिनका मुकदमे की घटनाओं से कोई सम्बन्ध नहीं है।"

सरकारी वकील की ओर देखकर सुल्तान ने आपत्ति की, "आप जानते हैं मैं जो कुछ कह रहा हूँ उस पर हमारा जीना-मरना निर्भर है। फिर आप मुझे अपनी बात क्यों नहीं कहने देते?"

सरकारी वकील, "हम यहाँ तुम्हारे विचार सुनने के लिये नहीं आये हैं।"

सुल्तान, "क्या आप समझते हैं विचारों का मनुष्य के कामों से कोई संबंध नहीं होता।"

सरकारी वकील ने अदालत की ओर देखकर कहा, "मैं इस विषय में अदालत का निर्णय चाहता हूँ।"

जज ने निर्णय दिया, "अभियुक्त जो कुछ कह रहा है उसका मुकद्दमे की घटना से कोई संबंध नहीं है। अभियुक्त को पुलिस के गवाहों से कुछ जिरह करती है तो वह कर सकता है।"

सुल्तान ने पुलिस से जिरह करना स्वीकार कर लिया। पुलिस का डिप्टी-सुपरिन्टेन्डेन्ट, जिसने अख्तर के मकान पर छापा मार कर अभियुक्तों को गिरफ्तार किया था, अदालत के सामने पेश हुआ।

अदालत ने कहा, "गवाह शपथ ले, वह जो कुछ कहेगा सच कहेगा।"

अदालत के हुकुम से डिप्टी-सुपरिन्टेन्डेन्ट ने शपथ ली कि वह खुदा को हाजिर-नाजिर जानकर जो कुछ कहेगा सच कहेगा।

सुल्तान ने पूछा, "खाँ साहब, आपने खुदा को पहले कभी देखा है?"

सुपरिन्टेन्डेन्ट बोला, "नहीं, देखा तो नहीं; खुदा को कौन देख सकता है?"

सुल्तान ने फिर पूछा, "तो फिर आप कैसे कह सकते हैं कि खुदा आपके सामने हाजिर-नाजिर है?"

सरकारी वकील ने खड़े होकर आपत्ति की, "मुलजिम सिर्फ गवाह को तंग की कोशिश कर रहा है। सवाल गवाही के मुतल्लिक पूछा जाना चाहिये।"

जज ने सुल्तान की ओर देखकर आज्ञा दी, "हम यहाँ खुदा की हस्ती के बारे में आध्यात्मिक प्रश्नों को हल करने के लिये नहीं बैठे हैं। तुम्हें बयान के सम्बन्ध में जो पूछना है, वह पूछ सकते हो!"

सुल्तान ने उत्तर दिया, "जनाब, मैं निहायत अदब से अर्ज करना चाहता हूँ कि जो गवाह शुरू में ही इतना बड़ा झूठ बोल सकता है, वह आगे सच कैसे बोलेगा!"

जज ने हुक्म दिया, "नहीं इसे झूठ नहीं कहा जा सकता। अदालत का ऐसा ही कायदा है। और जिरह करना हो तो सवाल पूछ सकते हो।"

सुल्तान, "बहुत अच्छा, जो हुकुम। खाँ साहब, आपने कैसे समझा कि हमारे कब्जे में पाया गया रुपया डकैती का है?"

"क्योंकि यह रुपया जीवाराम-भोलाराम का है। इन्होंने इन नोटों के नम्बर अपनी रिपोर्ट में दर्ज कराये हैं।"

सुल्तान, "लेकिन यह आप बता सकते हैं, इतना रुपया जीवाराम-भोलाराम के पास कहाँ से आया? हो सकता है, यह रुपया उसका न हो? उन्हें किसी तरीके से मालूम हो

गया हो कि हमारे पास फलाने-फलाने नम्बर के नोट हैं। आपने कैसे मान लिया कि उनका इतना रुपया छीना गया है?"

डिप्टी सुपरिन्टेन्डेन्ट, "यह तो हर शख्स मान सकता है कि उनका इतना रुपया गया होगा। वे कपड़े का बहुत बड़ा रोजगार करते हैं।"

सुल्तान, "क्या वे कपड़ा बुनते हैं?"

डिप्टी सुपरिन्टेन्डेन्ट, "नहीं वे कपड़ा बुनते नहीं हैं, कपड़ा जुलाहे बुनते हैं।"

सुल्तान, "तो फिर कपड़े के रोजगार का रुपया जुलाहों के पास होना चाहिये। यह काम जीवाराम-भोलाराम के पास कैसे आ गया?"

डिप्टी सुपरिन्टेन्डेन्ट सरकारी वकील की ओर देखने लगा।

सुल्तान ने कहा, "आप इधर देखिये, क्या वकील साहब से जवाब पूछ रहे हैं?"

सरकारी वकील ने आपत्ति की, "मैं अदालत का ध्यान इस बात की तरफ दिलाना चाहता हूँ कि मुलजिम जिरह अपनी सफाई देने के लिये नहीं बल्कि गवाहों को परेशान करने और अदालत का वख्त खराब करने के लिये कर रहा है। इसका मतलब सिर्फ यह है कि उस पर लगाये गये इलजाम की उसके पास कोई सफाई नहीं है।"

जज ने सुल्तान की ओर देखकर कहा, "मुझे अफसोस है कि तुम अपने खिलाफ संगीन इलजामात और उनके सबूतों की परवाह न कर सिर्फ अपने खयालात का प्रचार करने की कोशिश कर रहे हो। उनके लिये मुनासिब जगह अदालत नहीं है और न इस बात की इजाजत ही अदालत दे सकती है।"

अख्तर ने अपनी जगह से बिगड़ कर कहा, "हुजूर, फाँसी पर लटका देना चाहते हैं तो यों ही लटका दीजिये। अपनी बात भी नहीं कहने देंगे! जिबह ही क्यों नहीं कर देते?"

सुल्तान ने चुप रहने के लिये इशारा कर कहा, "हमें अफसोस है कि अदालत हमारी सफाई सुनने के लिये तैयार नहीं। जब अदालत हमारे विचार नहीं जानना चाहती तो अदालत यह किस प्रकार समझ सकेगी कि हिंसा और डकैती जैसा घृणित काम, जिनका विरोध करने के लिये हम अपना जीवन बलिदान कर रहे हैं, हम कभी नहीं कर सकते थे और न हमने किया है। हमारा विश्वास है कि प्रत्येक मनुष्य को अपने परिश्रम के फल पर पूर्ण अधिकार होना चाहिये। एक मनुष्य दूसरे मनुष्य से, एक श्रेणी दूसरी श्रेणी से, एक देश दूसरे देश से उसके परिश्रम का फल छीन ले तो यह अनुचित है, अन्याय है, अपराध है। यह समाज में निरन्तर होने वाली भयंकर हिंसा और डकैती है। इस हिंसा और शोषण को समाप्त करना ही हमारे जीवन का उद्देश्य रहा है। उसी के लिये हमने प्रयत्न किया है। हिंसा और डकैती का अपराध हम पर लगाना अन्याय है, परन्तु इस अदालत से हम न्याय की आशा भी नहीं कर सकते क्योंकि यह अदालत मनुष्यता और नैतिकता की दृष्टि से न्याय और अन्याय का विचार नहीं कर सकती थी। इस अदालत का काम अपनी पुलिस का समर्थन करना ही है।

"हम जिस व्यवस्था को अन्याय समझकर बदलने की चेष्टा कर रहे हैं, उसी व्यवस्था को कायम रखना इस अदालत का कर्तव्य और उद्देश्य है इसलिये इस अदालत की दृष्टि में हम अपराधी हो सकते हैं, परन्तु जो न्याय मनुष्य-मात्र को एक समान समझता है, जो

न्याय प्रत्येक मनुष्य की उसके परिश्रम पर अधिकार देकर दूसरे के परिश्रम को छीनने का अधिकार नहीं देता, उस न्याय और मानवी नैतिकता की दृष्टि में हम निर्दोष हैं। हमें पूर्ण विश्वास है कि न्याय की यह धारणा जो कुछ व्यक्तियों के ऐशो-आराम के अधिकारों की रक्षा के लिए ९९.९ फीसदी जनता को जीवन के अधिकारों और साधनों से वंचित कर देती है, एक दिन बदलेगी और हमारा बलिदान इस प्रयत्न में सहायक होगा!''

जज ने अदालत बर्खास्त कर दी और फैसला सुनाने के लिए तारीख निश्चित कर दी।

डकैती के मामले के अपराधी सुल्तान के बयानों से शहर में सनसनी फैल गई थी इसलिए फैसला सुनने के लिये अदालत में काफी भीड़ जमा हो गई थी। शैल का चेहरा भय और आशंका से पीला पड़ गया था। यशोदा और अख्तर की बीबी भी उस रोज अदालत आयी थीं। शैल उन्हीं के साथ एक ओर बैठी थी।

अदालत का निर्णय क्या होगा, सभी लोगों ने अनुमान कर लिया था, परन्तु लोग जज के मुख से फैसला सुनने के लिये उत्सुक थे।

जज ने पुलिस की गवाहियों का जिक्र करके उन्हें पूर्णतः विश्वासयोग्य बताते हुए कहा, ''अभियुक्तों के डकैती और कत्ल का अपराधी होने में शंका की कोई गुंजाइश नहीं है। विद्वान सरकारी वकील के कथनानुसार अभियुक्तों ने गवाहियों के प्रबल सबूतों को देखकर अपनी सफाई देने की कोई चेष्टा नहीं की। बजाय इसके उन्होंने समाज की व्यवस्था के प्रति विद्रोह के विचारों का ही विचार करने की कोशिश की है। बजाय यह साबित करने के कि उन्होंने अपराध नहीं किया, अभियुक्तों ने अदालत को यह समझाने की कोशिश की कि उनका डकैती करना समान-हित का काम था। ऐसी अवस्था में यह आशा करने की कोई गुंजाइश नहीं रह जाती कि जवानी की बेसमझी या विशेष परिस्थितियों के कारण अभियुक्तों से यह एक अपराध हो गया है और जीवन में अवसर मिलने पर वे शान्त नागरिकों का जीवन बिता सकेंगे। इसके विपरीत अभियुक्तों ने अपने घृणित कार्य को शहादत का रंग देने का प्रयत्न किया है जो उनके अपराध की गम्भीरता को घटाने की अपेक्षा बढ़ा देता है।

''ऐसी अवस्था में अभियुक्तों के विद्वान वकील की इस प्रार्थना को कि अभियुक्तों की जवान उम्र और उनके पहले कभी ऐसे अपराध में भाग न लेने पर विचार कर उन्हें कम-से-कम दण्ड दिया जाये, अदालत स्वीकार करने में असमर्थ है। जब अपराध केवल परिस्थितियों और आकस्मिक घटना के कारण न होकर विचार और मनन से किया जाता है तो उसकी गम्भीरता बहुत बढ़ जाती है। इसलिये अदालत न्याय और व्यवस्था के प्रति अपने कर्तव्य को समझ अभियुक्तों को डकैती और कत्ल के अपराध में दफा ३६९ के अनुसार निश्चित रूप से अपराधी पाकर इस धारा के लिये पूर्ण दण्ड, फाँसी की सजा देती है।''

अभियुक्त मानों इसी फैसले की प्रतीक्षा में थे। उन्होंने नारा लगाया

इन्कलाब जिन्दाबाद! दुनिया के मेहनत करने वाले जिन्दाबाद!

साम्राज्यवाद का नाश हो! संसार से शोषण का नाश हो!

जज के अन्तिम शब्द सुनकर शैल पत्थर की मूर्ति की तरह बैठी रह गयी। वह अख्तर की बीवी के जोर से रो उठने की आवाज से सचेत हुई। यशोदा भगवान का नाम जपती हुई अपनी सहानुभूति और करुणा का हाथ उसकी पीठ पर रखे थी।

अदालत उठ चुकी थी। वकील अख्तर की बीवी को बाँह से पकड़कर एक बार अख्तर से मिला देने के लिये ले जा रहे थे। शैल और यशोदा भी उसके साथ-साथ गयीं।

अभियुक्त पुलिस के घेरे में खड़े नारे लगा रहे थे। शैल ने देखा, सुल्तान की आँखें उसी की प्रतीक्षा कर रही थीं। अख्तर की बीवी अख्तर के घुटनों से लिपटकर चीख उठी। यशोदा सुल्तान में हरीश को पहचानने का यत्न कर रही थी। वह केवल उसकी आँखों को पहचान सकी। उसकी आँखों में आँसू आ गये।

हरीश ने यशोदा की ओर देखकर मुस्करा कर कहा, ''उस दिन तो आपने मृत्यु से बचा लिया था, परन्तु कहिये, आज भगवान कहाँ हैं?''

यशोदा ने नेत्र पोंछ उत्तर दिया, ''वे ही मालिक हैं, उन्हीं का भरोसा है।''

हरीश ने शैल की पथराई हुई आँखों में आँखें डाल मुस्कराकर कहा, ''वाह शैल, तुम घबराओगी? तुम्हीं पर तो सब जिम्मेदारी छोड़कर हम लोग जा रहे हैं। दादा को प्यार कहना, सहायता के लिए धन्यवाद देना।''

अख्तर ने शैल को सम्बोधन कर अपनी स्त्री का हाथ थमाते हुए कहा, ''बहन इस गरीब को सँभालना!''

शैल अख्तर की बीवी को सँभाल रही थी। उसी समय पुलिस ने अभियुक्तों को जेल की लारी में बन्द कर दिया। लारी अदालत के अहाते से बाहर निकल गयी। अख्तर की बीवी अब भी अपने बाल नोचते हुए पुकार रही थी, ''अल्लाह पनाह दे! हाय अल्लाह!''

यशोदा कह रही थी, ''भगवान की इच्छा प्रबल है। मनुष्य के किये क्या हो सकता है!''

शैल निस्सहाय क्रोध में बड़ाबड़ा रही थी, ''भगवान के दरबार में भी जालिमों का ही बोलबाला है···।''

यशोदा ने शैल को पागलपन की सी अवस्था में किसी प्रकार घर पहुँचा दिया।

●

दादा और कामरेड

शैल अदालत से लौटकर तीव्र ज्वर के कारण पलंग पर लेट गयी। ज्वर की तीव्रता से मूर्छा आ गयी। उसे कुछ देर के लिये होश आता तो वह अपने इधर-उधर देखकर कुछ सोचने लगी और फिर बेहोश हो जाती। बुआजी उसके सिरहाने बैठी बार-बार बरफ की टोपी उसके सिर पर रखतीं और नौकरानी उसके पैर मलती रहती। उसे बार-बार बेहोशी के दौरे आ रहे थे। बेहोशी में धीमे स्वर में वह बड़बड़ाने लगती जैसे किसी से बात कर रही हो। कभी वह पंजाबी में बोलती, कभी हिन्दी में और कभी अंग्रेजी में। बुआजी और नौकरानी कुछ समझ न पातीं। कभी वह सिरदर्द से चीखने लगती। कभी उसे मतली होने लगती। दो सप्ताह तक शैल की ऐसी ही अवस्था रही।

शैल के पिता की अवस्था स्वयं भी बिस्तर से उठने लायक न थी, परन्तु बेटी के प्रति चिन्ता से वे उसे देखने कई बार ऊपर जाते। घर का पुराना डाक्टर सुबह-शाम आकर देख जाता था। उसी के निर्देश के अनुसार इलाज चल रहा था। बुआजी ने किसी अन्य तजुर्बेकार डाक्टर को बुलाने के लिये कहा।

जिस समय नया डाक्टर शैल को देखने आया, वह होश में न थी, परन्तु जिस समय डाक्टर लौट रहा था, उसे होश आ गया था। डाक्टर को पहचानकर बोल उठी, ''डाक्टर साहब, मुझे तो कुछ भी नहीं हुआ, मैं तो बिलकुल ठीक हूँ।''

''यही तो मैं भी कहता हूँ बेटी!'' डाक्टर ने उत्तर दिया, ''घबराओ नहीं, बहुत जल्द ठीक हो जाओगी।''

नौकरानी ने शैल को बताया, डाक्टर ने अपने कान में रबड़ की नली लगाकर उसके शरीर को अच्छी तरह टटोलकर देखा था और पिताजी को सब कुछ समझ गया है। डाक्टर के नुस्खे के अनुसार तीन-तीन घण्टे बाद शैल को दवाई का चम्मच पिलाया जाता और बेहोशी आने पर दवाई सुँघाई जाती थी। बुआजी आयीं तो शैल ने चिन्ता से पूछा, ''डाक्टर पिताजी से क्या कह गया है?''

बुआजी ने उत्तर दिया, ''कुछ नहीं बेटी, डाक्टर कह गया है कि तू जल्दी अच्छी हो जायेगी।''

''नहीं, पिताजी से डाक्टर क्या कह गया है बुआजी?'' शैल ने आग्रह किया।

बुआजी को स्वयं मालूम न था कि डाक्टर पिताजी के क्या कह गया है। वे जानती थीं कि डाक्टर कह गया है कि बीमार को अधिक बोलने नहीं देना चाहिए और चिन्ता-फिक्र की कोई बात उससे नहीं कहनी चाहिये। इसलिये वे शैल को बहलाने का यत्न करतीं, परन्तु शैल अपने पीले चेहरे पर व्याकुलता से फैली आँख झपककर बार-बार पूछ लेती, ''डाक्टर पिताजी से क्या कह गया है?''

डाक्टर कह गया था कि जब तक बीमार को लगातार होश रहने और साधारण रूप से नींद न आने लगे, उससे कोई खास बात न की जाए। लाला ध्यानचन्दजी नीचे की मंजिल में आँखों पर हाथ धरे पलंग पर पड़े रहते थे। शैल की अवस्था के समाचार उन तक पहुँचते रहते थे। उनके मुख से केवल भगवान का ही नाम सुनाई देता था।

लालाजी चौथे दिन छड़ी का सहारा लेकर धीरे-धीरे ऊपर पहुँचे। पिता का चेहरा देखकर शैल विस्मित रह गई। सोचने लगी, बीमार और चिन्तित तो वे कई दिन से हैं, परन्तु यह उन्हें क्या हो गया? उनके होंठ खुश्क और आँखें बिलकुल निस्तेज हो रही थीं।

ध्यानचन्दजी शैल के बिस्तर के समीप कुर्सी पर बैठकर बोले, "अच्छी हो?"

लालाजी ने सबको बाहर चले जाने के लिये कह दिया।

सब लोगों के चले जाने के बाद उन्होंने फिर शैल से पूछा, "अब तबीयत कैसी है?"

"अच्छी है।" कहकर शैल ने आँखें उठाकर पिता की ओर देखा। पिताजी स्वर के परिवर्तन से वह डर गई थी। जान पड़ता था कि वे किसी गहरे गढ़े में से बोल रहे हों।

पिताजी ने फिर प्रश्न किया, "रात नींद ठीक आई थी?"

"जी!" आशंका से सिर झुकाकर शैल ने उत्तर दिया।

ध्यानचन्दजी मुख के सामने रूमाल रखा, खाँसकर बोले, "मैं संक्षेप में बात करना चाहता हूँ। तुम्हें स्वतंत्र रखने के कारण मित्रों ने अनेक बार मुझे भला-बुरा कहा। मैंने उनकी बात की परवाह न की थी। मैं जानता था, मेरे बाद संसार में तुम्हें अपनी देखभाल स्वयं करनी होगी। मैं चाहता था कि तुम संसार की परिस्थितियों का सामना करने योग्य बनो। इसके अतिरिक्त मुझे तुम पर विश्वास था, अत्यन्त विश्वास; शायद अन्ध-विश्वास था। विचारों के भेद की मैंने कभी परवाह न की। अपने आपको समझाया—नये समय के साथ नये विचार आते हैं और अनुभव तुम्हारे विचारों को बदल देगा। यदि तुम्हारे विचार न बदलेंगे तो विचारों के लिए कष्ट उठाना मनुष्यत्व का अंग है, आत्मिक बल का प्रमाण है। इन सबके बावजूद मुझे विश्वास था कि तुम सदा सत्य पथ पर दृढ़ रहोगी। जिस प्रकार अपने विचारों के लिए कष्ट उठाने के लिए तुम तैयार थी, सब कुछ बलिदान कर देना चाहती थी उसी प्रकार," अपने शिथिल होते हुए स्वर को सम्भालकर उन्होंने कहा, "आचार पर भी दृढ़ रहोगी···।"

शैल की आँखें झुक गयीं।

लाला ध्यानचन्दजी का स्वर रुक रहा था। हृदय और मस्तिष्क पर विशेष जोर देकर उन्होंने फिर कहा, "डाक्टर जो कुछ कह गया है, उसके बाद···अब मुझमें आगे सहने का सामर्थ्य नहीं है। शायद पिछले जन्म के कर्मों का फल अन्त में इसी रूप में मेरे सामने आना था, परन्तु इसे प्राण रहते सह न सकूँगा। मेरे प्राण निकल जाने के बाद वह सब होने से मेरी आत्मा मृत्यु के बाद भी व्याकुल होती, परन्तु लोगों को मेरे मुख पर थूकने का अवसर न मिलता। तुम्हारे मोह में यह भी सोचा कि आत्महत्या करके तुम्हें स्वतन्त्र कर दूँ। बुढ़ापे में जो कुछ इज्जत बची है, वह ढकी रहे।···यहाँ इस शहर और इस मकान में यह कलंक प्रकट न हो···यही मुझे कहना है।"

शैल जिस संकट की आशंका से बार-बार डाक्टर की बात पूछ रही थी, वह सामने आ गया। शैल की आँखों में आँसू नहीं आये। धीमे, परन्तु दृढ़ स्वर में उसने कहा, ''पिताजी मेरा मार्ग साधारण प्रथा के मार्ग से अलग रहा है। मैं आपके ऋण से जन्म भर उऋण नहीं हो सकूँगी। आपका सबसे बड़ा वरदान मुझे स्वतंत्रता के रूप में मिला है। जो कुछ भी मैंने किया, उसमें केवल विचारों का ही भेद है। मैं अपने किसी भी काम के लिए अपनी बुद्धि के सामने लज्जित नहीं हूँ। मुझे पछतावा भी नहीं है। यदि मैं अपने आपको कलंकिनी समझती तो अपना जीवित मुख संसार को कभी न दिखाती। एक-दो दिन में मैं यहाँ से किसी जगह चली जाऊँगी। मेरे कारण आपको लज्जित न होना पड़ेगा...।''

लाला ध्यानचन्द कुछ देर चुप रह दीर्घ निश्वास लेकर झुके हुए माथे पर हाथ रखकर बोले, ''जो भी है, यह सब तुम्हारा ही है। जो कुछ जरूरत हो साथ ले जा सकती हो।''

''पिताजी, मुझे कुछ नहीं चाहिये।'' खिड़की से बाहर देखते हुए शैल ने कहा, ''केवल आशीर्वाद चाहिए। अपने विचार में मैं अब भी आपके आशीर्वाद के योग्य हूँ। स्त्री होने के नाते मेरा जो प्राकृतिक अधिकार है, उससे कुछ अधिक मैंने नहीं किया है। मैं मनुष्य हूँ, मनुष्य बनी रहना चाहती हूँ।''

पिता छड़ी टेकते हुए नीचे चले गये।

शैल ने एक गिलास जल मँगाकर पिया और चिन्ता में डूब गयी। दूसरे प्रकार की चिन्ता में; क्या होगा इस चिन्ता में नहीं; क्या करना होगा इस चिन्ता में।

चली जाऊँगी, पर कहाँ जाऊँगी? शैल सोच रही थी। वह लेटी थी, उठकर बैठ गयी। मुझे जाना है, उसने सोचा...शायद बहुत चलना पड़ेगा, मैं चल सकूँगी? अब मैं कमजोर हूँ...हरीश, मैं घबराऊँगी नहीं। मैं तुम्हारी साथी हूँ, तुम्हारी कामरेड!...तुम फाँसी का हुक्म सुनकर भी मुस्करा दिये और मैं चल नहीं सकूँगी?...मूर्खों की छी-छी से डर जाऊँगी?

शैल उठकर कमरे में टहलने लगी। उसके पैर कुछ लड़खड़ाये, परन्तु वह टहलती रही...कोई भय नहीं हरी, मैं चल सकूँगी।

शैल कुर्सी पर बैठ गयी...मुझे क्या चाहिये, केवल साहस चाहिए। समाज मुझे डरा नहीं सकेगा, दबा नहीं सकेगा। शैल ने सोचा, वह कहाँ जा सकती थी? राबर्ट उसका मित्र था, अत्यन्त उदार था।

शैल ने मुँह फेर लिया। मुझे सहायता नहीं चाहिये...अपने पैरों पर चलूँगी।

शैल ने आया को पुकारा। आया के आने पर उसने एक गिलास गरम दूध लाने के लिये कहा। दूध के प्रति उसे अभी रुचि न थी, परन्तु कमजोरी दूर करने के निश्चय से दूध पी लिया। आया से पूछा, ''आया, अब तो मैं ठीक हूँ न?....कमजोर तो नहीं हूँ?''

आया शैल के मस्तिष्क में उठते हुए तूफान को समझ नहीं सकी। उसने उत्तर दिया, ''हाँ बीबीजी, अब तुम ठीक हो।''

''हूँ, अच्छा, आया बहन, जाओ आराम करो। तीन घण्टे में फिर दूध दे जाना।''

आया के चले जाने पर शैल सोचने लगी, जाऊँगी...कहीं भी चली जाऊँगी। यह संसार बहुत विस्तृत है। हरीश को जीवित रखूँगी...उसे बड़ा करूँगी।...वह हरीश का काम चलायेगा। कमजोरी दूर करने के लिए मुझे सोना चाहिए। वह लेट गयी और सचमुच सो गयी। आया जब तीन घण्टे बाद दूध लेकर आई, शैल सो रही थी।

नींद खुलने पर शैल ने देखा, संध्या का अँधेरा हो गया था। घड़ी में आठ बजा था। वह अभी देखे स्वप्न की बात सोच रही थी और सोच रही थी कि स्वप्न की बात पर तो बुआजी विश्वास किया करती हैं और वे भी कहती हैं कि दिन में देखा स्वप्न ठीक नहीं होता। उसी समय नीचे से नौकर ने आकर कहा, "दादाराम नीचे बहुत देर से मिलने को बैठे हैं।"

"दादाराम कौन?" विस्मय से शैल ने पूछा और खयाल आने पर बोली, "यहाँ ही बुला लो!"

एक मिनट में दादा सामने आ गये।

"दादा, आप?·····आप ही की बात तो मैं सोच रही थी।" शैल उत्साह से बोल उठी।

"मैंने अखबार में सब कुछ देखा है।" दादा ने बहुत उदास और भीगे हुए स्वर में कहा, "शैल बहन, मुझे अफसोस है किस कुघड़ी में वह रुपया तुम्हें दे गया था।"

"नहीं दादा?" शैल ने दृढ़ता से कहा, "उसी से तो उस लड़ाई में शोषितों की जीत हुई। वह उनकी मुक्ति की इमारत की आधारशिला होगी। दादा, अन्तिम बात उन्होंने कही थी—दादा को मेरा प्यार कहना और धन्यवाद देना।"

दादा की आँखें भीग गयीं। आँखें पोंछते हुए लम्बी साँस भरकर उन्होंने कहा, "हरीश चला गया पर क्रान्तिकारी का आदर्श कायम कर गया।"

"नहीं दादा, वे अभी जीवित रहेंगे।" शैल ने आँखें नीचे झुका लीं।

"क्या?" दादा ने आश्चर्य से पूछा। शैल के पीले मुख पर लज्जा की लाली फिर गयी।

"दादा, आप मुझे लेने आये हैं न!"

"क्यों, क्या बात है?"

"मेरी तबीयत खराब हो गयी थी।" बिस्तर को चादर के तारों को नाखूनों से खोटते हुए शैल ने कहा, "मैं उनकी पत्नी हूँ। पिताजी ने मुझे कह दिया है मैं चली जाऊँ। वे कलंक को सह नहीं सकते।···मैं ऐसी जगह जाना चाहती हूँ, जहाँ मैं कलंकिनी न समझी जाऊँ।"

"अच्छा···क्यों?" दादा ने शैल के मुख की ओर ध्यान से देखकर समझने का यत्न किया।

"दादा, क्या आप भी मुझे कलंकिनी समझते हैं?"

"तुम्हें?····देखो शैल, उस दिन की बात पर मुझे लज्जित मत करो। खबरदार!···· यह तो तुम्हारे जीवन का स्वाभाविक मार्ग है। मैं तो खुश हूँ, बल्कि बहुत खुश हूँ···यह तो बहुत अच्छी बात है। बहिन, देखो मुझे बहुत बातें तो करना आता नहीं···।"

"दादा, मुझे ले चलो···मैं यदि किसी का सहारा ले सकती हूँ तो तुम्हारा।"

"पर शैल, तुम्हें जिस तरह रहने का अभ्यास है···!"

"नहीं, दादा ऐसी बात मत करो। तुम्हारे साथ पेड़ के नीचे भी जिन्दगी बिता सकूँगी। ···दादा सचमुच···तुम्हारे हरी को तुम्हारे हाथों में दे दूँगी।···तुमने कहा था न, मैंने तुम्हारे हरी को तुमसे छीन लिया!"

दादा कुछ देर फर्श की ओर देखते दाँत से मूँछ खोटते रहे, फिर हाथों के पंजे बाँध शैल की आँखों में देखकर उन्होंने कहा, "मैं सोचता था कि मेरा जीवन निष्प्रयोजन हो गया है। जिस कार्य का साधन अपने आपको मैंने बनाया था, उस कार्य की आवश्यकता न रहने से मैं बेकाम हो गया हूँ। शैल, तुमने मेरे लिए काम तैयार कर दिया है। मैं समझता था कि दिये की जोत बुझती जा रही है, मैं अब किसके लिए जिऊँगा···?"

"दादा, जोत कभी नहीं बुझती। हम चलेंगे, जोत को जारी रखेंगे। मुझे ले चलो।"

"उठो कामरेड!" दादा उठ खड़े हुए और शैल भी उठकर खड़ी हो गयी।

शैल के पैर लड़खड़ा रहे थे। उसकी बाँह थामकर दादा ने कहा, "घबराती हो कामरेड?"

"नहीं दादा, चलो! ऐसे ही चलेंगे!"

●